証券アナリスト

1次対策

総まとめ
テキスト　科目I

証券分析と
ポートフォリオ・マネジメント

FINANCIAL ANALYST

TAC証券アナリスト講座

は じ め に

証券アナリストとは、証券投資において必要な情報を収集し、分析を行い、多様な投資意思決定のプロセスに参画するプロフェッショナルな人たちをいいます。公益社団法人　日本証券アナリスト協会では、証券アナリストとしてのスタンダードを確立するため、通信教育講座を通じて教育を行い講座終了後の試験によって、証券アナリストの専門水準の認定を行い、検定会員の資格を与えています。証券アナリスト試験は、アナリスト協会が自主的措置として行っている資格制度であり、合格しなくとも、証券分析業務や投資アドバイスといった証券アナリストの業務はできます。それにもかかわらず証券アナリスト試験は、金融の自由化・国際化、資産の証券化、その他さまざまな要因から、金融業界を中心に非常に注目を集めてきました。近年では、証券業界に携わる方にとっては必須の資格といっても過言ではないでしょう。証券アナリストの社会的役割や責任は、ますます大きくなっているのです。

証券アナリストに求められる知識は極めて広範囲にわたります。ですから、よりポイントを絞った効率的な学習が必要です。本書では、１次試験対策の総まとめとして、ＴＡＣが過去の出題傾向を徹底分析したうえで厳選した問題を収載しています。その問題を解きながら、証券アナリスト試験の科目Ⅰ「証券分析とポートフォリオ・マネジメント」の出題ポイントを整理できるように構成しており、併せて解答作成に必要な力を身に付けることも主眼としています。したがって、必ず問題を自分の力で解き、理解が不十分であれば本文を読み直し、再度問題にチャレンジしてください。また、十分な知識が身に付いていると思われる方は、解答作成のポイントまでしっかりと把握し、実力をより確かなものとしてください。

本書およびその他2科目の総まとめテキストが、皆さんの証券アナリスト試験合格のためにお役に立てることを、心より願ってやみません。

ＴＡＣ証券アナリスト講座

CONTENTS

証券アナリスト試験とは
～１次試験の概要～

本試験を受験するためには協会通信教育の申込が絶対条件！

受験資格

証券アナリスト試験を受験する場合には、公益社団法人日本証券アナリスト協会の１次レベルの通信教育を受講することが条件となっています。なお、通信教育の受講に際しては、だれでも受講することができ、年齢や学歴などの制限は一切ありません。

＊通信教育講座受講申込期間…例年５月～

（詳細につきましては、日本証券アナリスト協会にお問い合わせください。）

＊通信講座受講期間…約８カ月間

●１次試験日程…毎年２回、例年４月下旬、 ９月下旬～10月上旬

●出願締切…例年３月上旬、８月中旬

（日本証券アナリスト協会のマイページから申込）

●合格発表…例年５月下旬、10月下旬～11月上旬

●試験実施場所…＜国内＞札幌、仙台、東京、金沢、名古屋、大阪、広島、松山、福岡

＜国外＞ニューヨーク、ロンドン、香港

●試験科目…科目Ⅰ「証券分析とポートフォリオ・マネジメント」

科目Ⅱ「財務分析」「コーポレート・ファイナンス」

科目Ⅲ「市場と経済の分析」「数量分析と確率・統計」「職業倫理・行為基準」

（科目合格制）

●留意事項…以下のような場合、それまでの1次試験の合格実績はすべて無効となる。

①受講可能期間（原則、3年）に実施された第1次試験がすべて終了した時点において、第1次試験に未合格（受験しない場合を含む）の科目があり、受講申込受付期間内に再受講しなかった場合

②第1次試験で3科目の合格を達成した後、所定の期間内（その年度を含む3年以内）に第2次レベル講座の受講を開始しない場合

●近年の協会通信および受験状況（1次レベル）

年　度	検定試験*		
	受験者数（人）	合格者数（人）	合格率（%）
2022年（春）	7,533	3,663	48.6
2022年（秋）	5,107	2,402	47.0
2023年（春）	6,880	3,189	46.4
2023年（秋）	4,826	2,438	50.5
2024年（春）	6,567	3,053	46.5

*　検定試験の受験者数・合格者数は、科目別の延べ人数

協会通信教育講座に関するお問い合わせは、日本証券アナリスト協会のホームページをご確認ください。

公益社団法人　日本証券アナリスト協会

https://www.saa.or.jp

●出題傾向と対策

証券アナリスト試験1次レベルは、2022年度試験から「試験科目Ⅰ」「試験科目Ⅱ」「試験科目Ⅲ」という3科目に再編され、従来の「証券分析とポートフォリオ・マネジメント」がそのまま「試験科目Ⅰ」となった。具体的な内容は、「株式分析」「債券分析」「デリバティブ分析」といった、いわゆる“証券分析（securities analysis)”と「ポートフォリオ・マネジメント」の4分野（テキストは6分冊）から成る。これまでは6分野で構成されていたが、市場の制度的側面を統一的に扱った「証券市場の機能と仕組み」は上記の“証券分析3分野”にそれぞれ分割され、「企業のファンダメンタル分析」は最も密接な「株式分析」の一角として統合された。

試験形式は、2022年春試験からテキスト6分冊各分野から大問が1問ずつ合計6問、すべての分野から一通り出題されるようになった。小問は90問出題され、制限時間が170分であることを考慮すると、単純に考えて1問に2分はかけられず、全問をまともに処理することは難しいだろう。

従来の試験傾向に照らすと、あらゆる論点が満遍なく出題され、理論・制度に関する正誤問題が概ね3分の1、計算問題が概ね3分の2といった従来の比率が踏襲されると予想される。とくに分量の多い計算問題は、いくつかのアイテムを有機的に結び付けて解答をひねり出すいわば総力戦であり、資格試験にしては珍しく暗記が馴染まない。このため、特定の分野に絞り込んだ偏った知識で臨むのは得策ではなく、まずは基本となる「理論」「考え方」の根幹をしっかり押さえ、あとは枝葉を付けてゆくといった、あたかも学問に臨むかのような正攻法の学習が、遠回りのようで実は意外と早道だろう。計算問題は面倒なものが多いが、それまでぼんやりとしか理解できなかった考え方の輪郭が、計算問題をこなしているうちにだんだんとはっきりしてくることが結構多い。億劫がらずに、とりあえず電卓を叩いて、多くの計算問題を消化してゆくことをお勧めする。

本試験に臨んで、90問前後の問題量に制限時間170分はいかにも短く、「時間との闘い」である。問題の質も王道の易しい問題ばかりでなく、かなり高度で細かい論点も含んだ難問、奇問も少なからず含まれ、問題の見極め、ひいては取捨選択も重要な合否の要素になる。これには「慣れ」が必要で、過去問を中心に問題を数多く消化するしかない。１次レベルは、四肢択一もしくは五肢択一の選択式であり、いざ本番ではとにかく自分が解答可能な問題から効率よく丁寧に処理し、何とか解けそうな問題は一応考え、歯が立ちそうもない問題はイチかバチか、運に任せて適当にマークしておくといった荒業も必要だろう。

なお今回のプログラム改訂に伴い、資産の時価評価の基本となる現在価値や、ポートフォリオ・マネジメントで援用される確率分布や基本統計量など、ファイナンス一般の最も基礎的な論点は「数量分析と確率・統計」として「試験科目Ⅲ」に移行したので、適宜参照されることが望ましいかもしれない。

（表）過去の問題構成と配点

問　題	分　野	2022年（春）	2022年（秋）	2023年（春）	2023年（秋）	2024年（春）
第１問	日本の株式市場・株式取引 企業のファンダメンタル分析	20問 （30点）	20問 （30点）	20問 （30点）	20問 （30点）	20問 （30点）
第２問	株式分析	15問 （30点）	15問 （30点）	15問 （30点）	15問 （30点）	15問 （30点）
第３問	債券分析	15問 （30点）	15問 （30点）	15問 （30点）	15問 （30点）	15問 （30点）
第４問	デリバティブ分析	15問 （30点）	15問 （30点）	15問 （30点）	15問 （30点）	15問 （30点）
第５問	現代ポートフォリオ理論	15問 （30点）	15問 （30点）	15問 （30点）	15問 （30点）	15問 （30点）
第６問	ポートフォリオ・マネジメント	10問 （20点）	10問 （20点）	10問 （20点）	10問 （20点）	10問 （20点）
合　計		90問 （170点）	90問 （170点）	90問 （170点）	90問 （170点）	90問 （170点）

●本書の使用方法

この総まとめテキストの各章の構成は次のようになっている。

Point

例 題

解 答 および 解 説

前述の出題傾向と対策に鑑み、もっぱら計算に重点をおき、問題を通して各論点の核心部分を理解するという方針でまとめている。

Point

その章の基本的な論点、公式などをほぼ万遍なく網羅している。ここでわかっている事柄について✓点をつけるなり、わからない事柄にマーカーで印をつけるなりして、知識を整理してほしい。基本的には結論のみを列挙し、公式の導出過程などは一切省いているが、必要に応じて式のもつ意味や背後にある考え方について言及している。“単語カード”的に使うのもひとつの方法であろう。

例 題

その章の重要・頻出論点について、ほぼカバーできるように配慮して出題している。よくわからない問題や難しいと感じる問題があれば、まず Point の該当箇所にあたられたい。また解けなかったり、間違えた問題は 解 答 および 解 説 を参照しながら解き直すことを薦める。なるべく実際に計算を行うことにより、背後にある考え方を把握できるような問題を中心にしている。

解 答 および **解 説**

解答に至るまでの計算プロセス、考え方などオーソドックスなパターンをなるべく詳細に解説してある。間違えたり、わからなかったところは順を追ってよく確認しておいた方がよい。問題を解くための考え方や公式、計算プロセスの意味については Point のところと重複するが、重要なものに関しては敢えて再掲している。

●過去の出題一覧および重要度

論点 ＼ 年度	2022年秋	2023年春	2023年秋	2024年春	重要度
ポートフォリオ・マネジメント					
リターンとリスク	◎	◎	◎	◎	A
投資家の選好	○	◎	◎	◎	A
最適ポートフォリオ	○				C
マーケット・モデル	○	◎			B
CAPM	◎	◎	◎	○	A
マルチ・ファクター・モデル	◎	○	◎	◎	A
効率的市場仮説	○		○	○	B
ポートフォリオ・マネジメントと評価	◎	◎	◎	◎	A
計量分析と統計学		○			C
機関投資家と個人投資家	◎	◎	◎	◎	A
債券分析					
債券の種類			◎	○	B
債券の価格と利回り	◎	◎	◎	◎	A
リスクと格付け	○	◎	○	○	A
デュレーションとコンベクシティ	◎	◎	◎	◎	A
債券市場	○		○		B
証券化商品	○	○	○	○	A
株式分析					
ファンダメンタル分析	◎	◎	◎	◎	A
ROE、1株当たり指標・サステイナブル成長率	○	○	○	◎	A
株式の種類と特性					C
株式の投資収益率					C
株式の評価尺度	◎	◎	◎	◎	A
配当割引モデル	◎	◎	◎	◎	A
キャッシュフロー割引モデル			○	○	B
残余利益モデル	◎	○	◎	◎	A
株式市場と株式取引	◎	◎	◎	◎	A

【重要度】
高　A＞B＞C　低

論点 ＼ 年度	2022年秋	2023年春	2023年秋	2024年春	重要度
デリバティブ分析					
オプション取引					
損益	◎	○	◎	○	A
オプション価格決定要因	◎				C
プット・コール・パリティ	○	○	◎	◎	A
投資戦略	◎	◎	○	◎	A
オプション評価モデル	○	○	◎		A
先物取引					
損益		○			C
先物理論価格	◎	○	◎	◎	A
ヘッジ		◎			C
裁定取引				○	C
スワップ、金利デリバティブ		◎	○	◎	A
市場・制度	○	◎	◎	◎	A

●重要論点チェックリスト

論点		チェック欄		
第1章　ポートフォリオ・マネジメント				
	リターンとリスク			
	投資家の選好			
	最適ポートフォリオ			
	マーケット・モデル			
	CAPM			
	マルチ・ファクター・モデル			
	効率的市場仮説			
	ポートフォリオ・マネジメントと評価			
	計量分析と統計学			
	機関投資家と個人投資家			
第2章　債券分析				
	債券の種類			
	債券の価格と利回り			
	リスクと格付け			
	デュレーションとコンベクシティ			
	債券市場			
	証券化商品			
第3章　株式分析				
	ファンダメンタル分析			
	ROE、1株当たり指標・サステイナブル成長率			
	株式の種類と特性			
	株式の投資収益率			
	株式の評価尺度			
	配当割引モデル			
	キャッシュフロー割引モデル			
	残余利益モデル			
	株式市場と株式取引			

論　　点	チェック欄		
第4章　デリバティブ分析			
オプション取引			
損益			
オプション価格決定要因			
プット・コール・パリティ			
投資戦略			
オプション評価モデル			
先物取引			
損益			
先物理論価格			
ヘッジ			
裁定取引			
スワップ、金利デリバティブ			
市場・制度			

●運用機関の機能と証券分析のテーマ

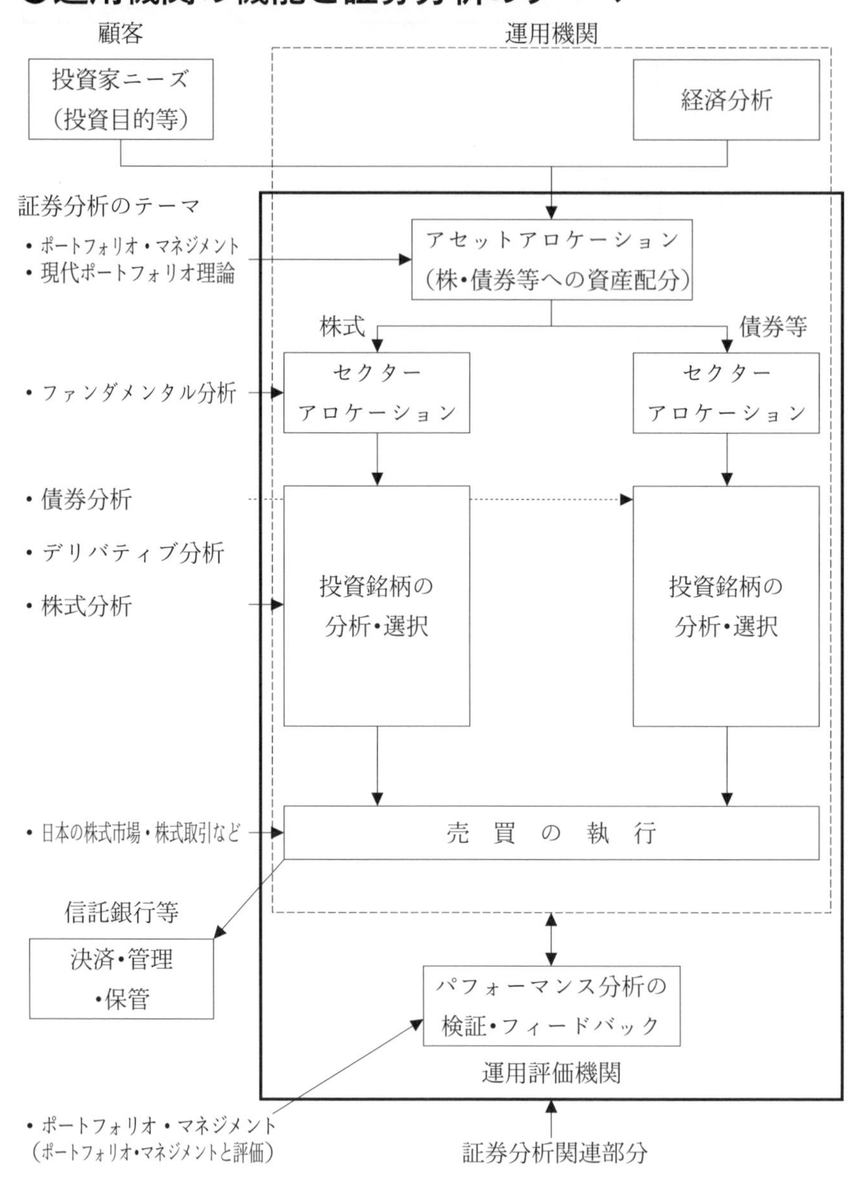

機関投資家など運用機関は、マクロ経済分析から個別企業の業績予測に下りていくトップダウンアプローチを採る場合、経済分析→アセットアロケーション（資産配分）→セクターアロケーション（業種配分）→銘柄選択というような形でポートフォリオの構成を決めていく。それにしたがって運用機関の機能と本書で取り上げる証券分析各章のテーマの関係をみていくと、概ね前記のようになる。

ポートフォリオ・マネジメント

1. 傾向と対策

「ポートフォリオ・マネジメント」は、モダン・ポートフォリオ理論（Modern Portfolio Theory）と称する一連の理論体系を骨子とする。モダン・ポートフォリオ理論は、証券アナリスト試験1次レベルのみならず2次レベルを通して、さらには全科目を通して、試験全体の性格を大きく特徴付ける「目玉」といっても過言ではないだろう。実際、この理論体系を前面に打ち出し中心テーマに据えた資格試験は、少なくともわが国においては、証券アナリスト試験の他にあまりない。

ここでは、株式をはじめとするリスク資産の収益率は正規分布に従うという仮定の下で、リスクとリターンという2つの変数を使って話が展開される。そして、まず最大の主張の1つが「リスク分散」である。良し悪し正否は別にして、古くからある「卵は1つの籠に盛るな」という投資の格言を、「分散投資の効果（ポートフォリオ効果）」として数量的・理論的に裏付け、これを手始めに投資家のリスクに対する振る舞い（リスク選好）、資本資産評価モデル（CAPM）、マーケット・モデル、パフォーマンス（運用成績）評価などなど、きわめて広範な論点を系統立てて扱ってゆく。

この分野のポイントは、まずリスク・リターンを数量的に把握するため、どうしても統計学の知識が必要となること。とくに5つの基本統計量、およびポートフォリオのリスクとリターンといった概念、計算処理に慣れることが必須である。そして「過去の出題例」を見れば明らかだが、毎回各論点から万遍なく網羅的に出題されるので、残念ながら試験対策としては、とにかく一通りのことをやっておくしかないだろう。

総まとめテキストの項目と過去の出題例

「総まとめ」の項目	過去の出題例	重要度
リターンとリスク	2022年春・第5問・Ⅲ問1、問2、問4、問5 2022年秋・第5問・Ⅰ問2 Ⅱ問1～問5 2023年春・第5問・Ⅰ問3 Ⅱ問2 2023年秋・第5問・Ⅱ問1、問2、問5 2024年春・第5問・Ⅰ問1 Ⅱ問1～問3、問5 第6問・Ⅱ問3	A
投資家の選好	2022年春・第5問・Ⅰ問1、問2 2022年秋・第5問・Ⅰ問1 2023年春・第5問・Ⅰ問1、問2 2023年秋・第5問・Ⅰ問1、問2 2024年春・第5問・Ⅰ問2、問3 Ⅱ問4	A
マーケット・モデル	2022年春・第5問・Ⅱ問2 2023年春・第5問・Ⅱ問3 Ⅲ問2～問4	B
CAPM	2022年春・第2問・Ⅰ問5 第5問・Ⅰ問3 Ⅱ問1、問3～問5 2022年秋・第5問・Ⅰ問3 Ⅱ問2 Ⅲ問1、問2、問4 2023年春・第5問・Ⅰ問4 Ⅱ問1、問4、問5 Ⅲ問1 2023年秋・第2問・Ⅲ問3 第5問・Ⅰ問3 2024年春・第5問・Ⅰ問4	A

マルチ・ファクター・モデル	2022年春・第５問・Ⅰ問５ 2022年秋・第５問・Ⅲ問１～問５ 2023年春・第５問・Ⅰ問５ 2023年秋・第５問・Ⅲ問１～問５ 2024年春・第５問・Ⅲ問１～問５	A
効率的市場仮説	2022年春・第５問・Ⅰ問４ 2022年秋・第５問・Ⅰ問４ 2023年秋・第５問・Ⅰ問４ 2024年春・第５問・Ⅰ問５	B
ポートフォリオ・マネジメントと評価	2022年春・第６問・Ⅰ問２、問３ Ⅱ問１～問５ 2022年秋・第５問・Ⅰ問５ 第６問・Ⅰ問１、問５ Ⅱ問１～問５ 2023年春・第６問・Ⅰ問２ Ⅱ問１、問３～問５ 2023年秋・第３問・Ⅰ問５ 第５問・Ⅰ問５ Ⅱ問３、問４ 第６問・Ⅰ問１ Ⅱ問１～問５ 2024年春・第６問・Ⅰ問１、問５ Ⅱ問１、問２、問５	A
計量分析と統計学	2022年春・第５問・Ⅲ問３ 2023年春・第５問・Ⅲ問５	C
機関投資家と個人投資家	2022年春・第６問・Ⅰ問１、問４、問５ 2022年秋・第６問・Ⅰ問２～問４ 2023年春・第６問・Ⅰ問１、問３～問５ Ⅱ問２ 2023年秋・第６問・Ⅰ問２～問５ 2024年春・第６問・Ⅰ問２～問４ Ⅱ問４	A

2. ポイント整理と実戦力の養成

1　投資の基礎概念

Point ① 現在価値と将来価値

証券分析では、金利計算として、主に**複利計算**が使われる。元金X_0円は、年利r%のとき、1年複利で計算すれば、n年後に$X_n=X_0(1+r)^n$ 円となる。ところでこのことは、現在のX_0円は、n年後の将来、X_n円の価値をもつと考えることもできる。このように考えたとき、現在の元金X_0円を**現在価値**と、それをn年間運用したときの受取X_n円を**将来価値**と、それぞれ呼ぶ。この現在価値と将来価値との間には、次のような関係が成立する。

$$X_n=(1+r)^n\ X_0$$

または、

$$X_0=\frac{1}{(1+r)^n}\ X_n$$

現在価値X_0の式における$\frac{1}{(1+r)^n}$は、「n年後の1円の現在価値」を表しており、**割引係数**（ディスカウント・ファクター）と呼ばれる。

以上は、年1回複利の場合の計算であるが、年間の複利回数の頻度が高くなると、次のように計算される。

	将来価値	現在価値
半年（年2回）複利	$X_n=\left(1+\frac{r}{2}\right)^{2n}X_0$	$X_0=\frac{1}{\left(1+\frac{r}{2}\right)^{2n}}X_n$
	⋮	⋮
年m回複利	$X_n=\left(1+\frac{r}{m}\right)^{mn}X_0$	$X_0=\frac{1}{\left(1+\frac{r}{m}\right)^{mn}}X_n$

さらに、年複利回数のmを増やしその極限をとると、$\lim_{m\to\infty}\left(1+\frac{r}{m}\right)^{mn}=e^{rn}$（ただし、$e$は自然対数の底で、$e=2.71828...$）となるから、次のような**連続複利**による計算がデリバティブ評価において用いられることが多い。

	将来価値	現在価値
連続複利	$X_n=e^{rn}X_0$	$X_0=\dfrac{X_n}{e^{rn}}=e^{-rn}X_n$

Point ② 投資収益率

証券分析では、投資もしくは資金運用による収益（リターン）を測定する尺度として、主に**投資収益率**（R）を使う。投資収益率とは、投資額に対する収益の割合であり、次のように表される。

$$投資収益率（R）=\frac{収益}{投資額}$$

Point ③ 算術平均と幾何平均

過去の投資収益率のデータより、多期間にわたる収益率が与えられたとき、この投資収益率（リターン）の特徴を調べることが証券分析における関心事となる。投資収益率の特徴を捉えるための基本的な方法は、多期間にわたる投資収益率の平均を求めることである。代表的な平均の計算方法には、**算術平均と幾何平均**とがある。いま、n期間にわたって投資収益率R_1、…、R_nが観測されたとする。このとき、算術平均$\overline{R_a}$と幾何平均$\overline{R_g}$とは、それぞれ、次のように表される。

⑴ **算術平均**

$$\overline{R_a}=\frac{1}{n}(R_1+\cdots+R_n)=\frac{1}{n}\sum_{t=1}^{n}R_t$$

⑵ **幾何平均**

$$\overline{R_g}=\{(1+R_1)\times\cdots\times(1+R_n)\}^{\frac{1}{n}}-1=\left\{\prod_{t=1}^{n}(1+R_t)\right\}^{\frac{1}{n}}-1$$

なお、幾何平均が算術平均を上回ることはない。

このことを、2期の収益率のデータがR_1とR_2であったとして確かめてみることにすると、

算術平均：$\overline{R_a}=\dfrac{R_1+R_2}{2}$

幾何平均：$\overline{R_g}=\sqrt{(1+R_1)(1+R_2)}-1$

である。

ここで、

$$\left(1+\overline{R_a}\right)^2-\left(1+\overline{R_g}\right)^2=\left(1+\frac{R_1+R_2}{2}\right)^2-\left(1+\sqrt{(1+R_1)(1+R_2)}-1\right)^2$$

$$=\left\{\frac{(1+R_1)+(1+R_2)}{2}\right\}^2-\left(\sqrt{(1+R_1)(1+R_2)}\right)^2$$

$$=\frac{1}{4}\left\{(1+R_1)^2+2(1+R_1)(1+R_2)+(1+R_2)^2\right\}$$

$$-(1+R_1)(1+R_2)$$

$$=\frac{1}{4}\left\{(1+R_1)^2-2(1+R_1)(1+R_2)+(1+R_2)^2\right\}$$

$$=\frac{1}{4}\left\{(1+R_1)-(1+R_2)\right\}^2$$

$$\geqq 0$$

という関係から、

$$\left(1+\overline{R_a}\right)\geqq\left(1+\overline{R_g}\right)$$

が成立する。これより、幾何平均が算術平均よりも大きくなることは決してないことが明らかとなる。なお、この関係式で等号が成立する（幾何平均と算術平均が等しくなる）のは、$R_1=R_2$のときである。

また、過去のリターンデータの平均によって

将来の期待リターンを推定する場合…過去のリターンの算術平均リターン

過去の実績リターンを計測する場合…過去のリターンの幾何平均リターン

を用いるべきであるとされている。

これは、算術平均は統計的には最尤推定量（もっとも確からしい推定量）であるという性質が知られているため将来の予測にふさわしく、幾何平均は複利の効果を考慮できるため過去の実績の把握に適していると考えられるためである。

例題 1

《2004. 5. Ⅱ. 1・2》

以下の問 1 および問 2 に答えよ。

下表は過去 4 年間のX社株式の株価と配当の推移である。

表　X社の株価と 1 株当たり配当

	期首株価	期末株価	配当
1 年目	1,200円	920円	10円
2 年目	920円	1,100円	20円
3 年目	1,100円	1,000円	30円
4 年目	1,000円	1,400円	30円

（注）配当支払時期は期末。

問 1　4 年間の算術平均投資収益率は年率何%でしたか。

A　5 %

B　6 %

C　7 %

D　8 %

E　9 %

問 2　4 年間の幾何平均投資収益率は年率何%でしたか。

A　5 %

B　6 %

C　7 %

D　8 %

E　9 %

解答 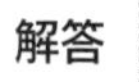　**問 1　E　　問 2　B**

解　説

問１　算術平均

$$投資収益率=\frac{収益}{投資額}=\frac{キャピタル・ゲイン(ロス)+インカム・ゲイン}{投資額}$$

より、Ｘ社株式の１年目～４年目までの各年の投資収益率は、

１年目　$\frac{(920-1,200)+10}{1,200}=-0.225(-22.5\%)$

２年目　$\frac{(1,100-920)+20}{920}=0.2173\ldots\approx 0.217(21.7\%)$

３年目　$\frac{(1,000-1,100)+30}{1,100}=-0.0636\ldots\approx -0.064(-6.4\%)$

４年目　$\frac{(1,400-1,000)+30}{1,000}=0.430(43.0\%)$

よって、算術平均投資収益率は、

$$\frac{(-22.5)+21.7+(-6.4)+43.0}{4}=8.9\ldots\approx 9(\%)$$

問２　幾何平均

４年間の幾何平均投資収益率は、

$$\sqrt[4]{(1-0.225)(1+0.217)(1-0.064)(1+0.43)}-1=0.059\ldots\approx 0.06=6(\%)$$

幾何平均の計算にあたっては、投資収益率を％表示そのままではなくそれを小数表示した数値（例えば－22.5％であれば－0.225）を使って計算する点に注意する。なお、算術平均の計算については、上で示したように、％表示そのままで計算してもよいし、小数表示の数値で計算してもよい（あえていえば、％表示の数値で計算した方が電卓の計算の手間が若干少なくてすむ分だけおすすめといえる）。

2　個別証券のリスク・リターン構造

Point ① 投資収益率

$$投資収益率 = \frac{収益}{投資額}$$

において、投資額も収益もともに確定したものと考えることは、投資家が、いま行おうとしている投資について、どれだけの収益をもたらすものか事前に確実に知っていることを意味している。このことは、投資対象として、投資時点で投資収益率が確定している証券である**無リスク証券**（リスクフリー資産または**安全証券**）だけを考えていることとなる。これに対して、投資時点で投資収益率が確定していない証券である**リスク証券**をも投資対象に含めた場合、投資家は、将来得られるであろう収益を予想する必要がある。現代ポートフォリオ理論の最大のポイントは、この予想される収益を**確率変数**とみなすことにある。予想される収益を確率変数と考えたとき、それによって得られる投資収益率も確率変数となる。これ以後、ある個別証券iの投資収益率をR_iと示す。

Point ② 確率変数と確率分布（「計量分析」関連事項）

確率変数とは、いろいろな値をいろいろな確率でとるような変数であり、そこでは、そのとりうる値とその値が実現する確率とが対応付けられている。その対応関係は**確率分布**と呼ばれる。ある確率変数の特徴を捉えるということは、確率分布のもつ特徴を捉えることである。そのためのもっとも基本的な統計量として、**期待値**と**分散**（または、**標準偏差**）がある。期待値はその分布の**中心的な位置**を示し、分散（または、標準偏差）はその分布の**チラバリ具合**を示す。現代ポートフォリオ理論では、この期待値と分散（または、標準偏差）によって、確率変数とみなした投資収益率の特徴を捉えることとなる。そこでは、投資収益率の期待値を証券の**リターン**の尺度として使い、投資収益率の分散（または、標準偏差）を証券の**リスク**の尺度として使う。

Point ③ リターンの尺度

リターンの尺度としては、投資収益率の期待値が使われる。この投資収益率の期待値は、**期待投資収益率（または期待収益率）**と呼ばれる。確率変数とみなした個別証券iの収益率R_iの期待値$E(R_i)$は、次のように定義される。

$$E(R_i)=p_1R_{1,i}+\cdots+p_nR_{n,i}$$
$$=\sum_{t=1}^{n}p_tR_{t,i}$$

ただし、

n　：証券iの収益率のとりうる値の個数

$R_{t,i}$　：収益率のとりうる値のうち第t番目の投資収益率

p_t　：第t番目の投資収益率が実現する確率

Point ④ リスクの尺度

(1)　**分散**σ_i^2

確率変数とみなした個別証券iの収益率R_iの分散σ_i^2は、次のように定義される。

$$\sigma_i^2=p_1\{R_{1,i}-E(R_i)\}^2+\cdots+p_n\{R_{n,i}-E(R_i)\}^2$$
$$=\sum_{t=1}^{n}p_t\{R_{t,i}-E(R_i)\}^2$$
$$=E\{R_i-E(R_i)\}^2$$
$$=E(R_i^2)-\{E(R_i)\}^2$$

(2)　**標準偏差**σ_i

$$\sigma_i=\sqrt{p_1\{R_{1,i}-E(R_i)\}^2+\cdots+p_n\{R_{n,i}-E(R_i)\}^2}$$
$$=\sqrt{\sum_{t=1}^{n}p_t\{R_{t,i}-E(R_i)\}^2}$$
$$=\sqrt{\sigma_i^2}$$

このように、標準偏差は分散の正の平方根で表される。

例題 2

以下の問 1 から問 3 に答えよ。

表1．1には、A社株の投資収益率 R_A の確率分布が示されている。

表1．1：A社の投資収益率の確率分布

景気状態	好況	平常	不況
確率	0.3	0.5	0.2
予想される収益率（%）	25	5	−10

問 1　A社の期待投資収益率 $E(R_A)$ はいくらか。

問 2　A社の投資収益率の分散 σ_A^2 はいくらか。

問 3　A社の投資収益率の標準偏差 σ_A はいくらか。

解答

問 1　8 %

問 2　156

問 3　12.5%

解　説

問１　期待投資収益率

$$E(R_A)=0.3\times25+0.5\times5+0.2\times(-10)$$
$$=8\ (\%)$$

これより、Ａ社の期待投資収益率は８％となる。

問２　投資収益率の分散

$$\sigma_A^2=0.3\times(25-8)^2+0.5\times(5-8)^2+0.2\times(-10-8)^2$$
$$=156$$

これより、Ａ社の分散で測ったリスクは156となる。

問３　投資収益率の標準偏差

$$\sigma_A=\sqrt{\sigma_A^2}$$
$$=\sqrt{156}$$
$$\fallingdotseq 12.5(\%)$$

これより、Ａ社の標準偏差で測ったリスクは12.5％となる。

3　投資家の選好

Point ①　効用関数と期待効用

資産運用により投資家が得られる満足の程度を**効用**（utility）という。この効用は、将来の資産額に依存して決まると考えられるので、一般的には、投資家の効用を資産額の関数として、$U = U(W)$（ただし、U：ある投資家の効用、W：将来得られる資産額）と表し、**効用関数**（utility function）と呼ぶ。

不確実性下の投資家の意思決定を分析する場合には、効用の期待値である**期待効用**（expected utility）を用いる。

期待効用＝（状態ごとの確率×効用）の合計

$$E[U] = p_1 U(W_1) + p_2 U(W_2) + \cdots + p_n U(W_n)$$
$$= \sum_{s=1}^{n} p_s U(W_s)$$

ただし、p_s：状態 s（$s=1, \cdots, n$）の生起確率、
W_s：状態 s における資産額

このように期待効用が定義できる効用関数をフォンノイマン＝モルゲンシュテルン型効用関数と呼び、ファイナンス理論では、投資家はこうして定義される期待効用の最大化をはかるものと考えて分析が行われる。

Point ② リスクに対する投資家の3タイプ

投資家のリスクに対する態度は、大別すると、次の3タイプに分類される。

(1) リスク回避型	資産額の期待値が同じであれば、資産額のばらつき（リスク）の小さい方を選好する。
(2) リスク中立型	資産額の期待値のみに関心があり、資産額の期待値が同じであれば、資産額のばらつき（リスク）の大小に関わらず同程度に選好する。
(3) リスク追求型	資産額の期待値が同じであれば、資産額のばらつき（リスク）の大きい方を選好する。

これら3タイプの投資家の資産額に対する効用関数は、次のように描かれる。

図1－3－1　投資家のリスクに対する態度と効用関数

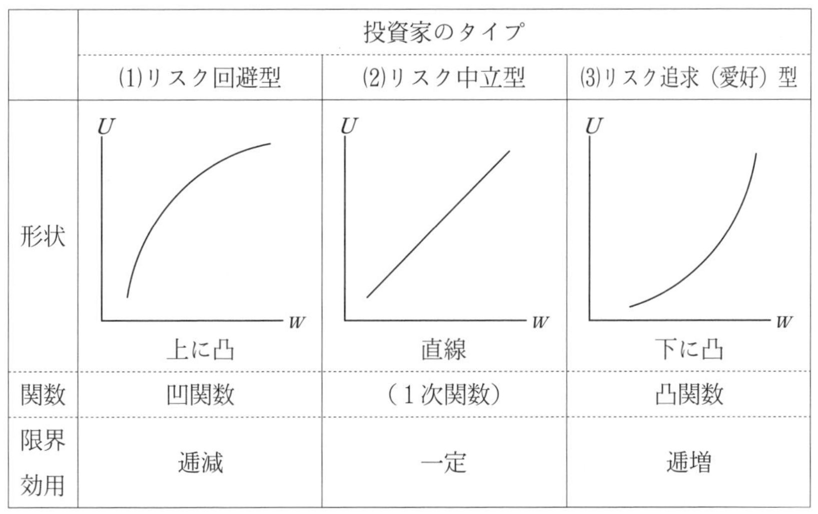

	投資家のタイプ		
	(1)リスク回避型	(2)リスク中立型	(3)リスク追求（愛好）型
形状	上に凸	直線	下に凸
関数	凹関数	（1次関数）	凸関数
限界効用	逓減	一定	逓増

※　リスク回避度が高まるにつれて、効用関数の曲率は大きくなる（＝上への凸性が強くなる）。

Point ③ 確実性等価額

確実性等価額（certainty equivalent）とは，不確実性を伴う投資の期待効用と効用が等しくなる確実な投資の場合の資産額をいう。

例えば、将来の資産額が1/2ずつの確率で W_1、W_2 となる場合、期待効用 EU は、

$$EU = \frac{1}{2}U(W_1) + \frac{1}{2}U(W_2)$$

と表せるから、$U(W_1)$ と $U(W_2)$ の中点の高さになる。これと等しい効用をもたらす確実な資産額は $\hat{W}$ であり、これが確実性等価額である。

図1－3－2　確実性等価額

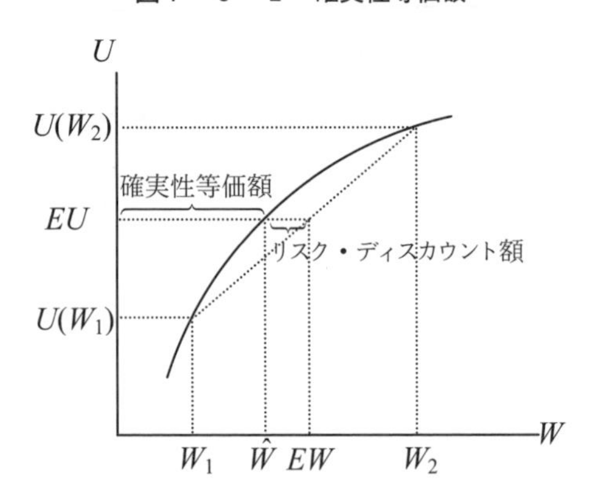

この場合、将来の資産額の期待値 EW は W_1、W_2 の中点となるから、このグラフのように効用関数が上に凸に描かれるリスク回避型投資家の場合、確実性等価額 $\hat{W}$ は将来の資産額の期待値 EW を下回ることになる。この将来の資産額の期待値 EW と確実性等価額 $\hat{W}$ の差をリスク・ディスカウント額という。

Point ④ 平均・分散アプローチと投資家の無差別曲線

マーコヴィッツによる平均・分散アプローチでは、

リターンの指標…収益率の期待値（期待収益率）

リ ス クの指標…収益率の分散（または標準偏差）

を用いる。平均・分散アプローチが成立する世界では、期待効用は

$E[U_i] = E[R] - \lambda_i \sigma^2$

ただし、U_i：投資家 i の効用、$E[R]$：期待収益率、

σ：収益率の標準偏差、λ_i：投資家 i のリスク回避係数

などと表される。

また、効用が等しいリスクとリターンの組合せである**無差別曲線**（indifference curve）は次のように描かれ、上方に位置する無差別曲線ほど効用水準は高い（$U_1 > U_0$）。

図1－3－3　投資家のリスクに対する態度と無差別曲線

	投資家のタイプ		
	⑴リスク回避型 （$\lambda_i > 0$）	⑵リスク中立型 （$\lambda_i = 0$）	⑶リスク追求（愛好）型 （$\lambda_i < 0$）
形状	E[R]　U_1　U_0　σ 右上がりの曲線	E[R]　U_1　U_0　σ 水平な直線	E[R]　U_1　U_0　σ 右下がりの曲線

ファイナンス理論では、通常、投資家はリスク回避型であると仮定される。

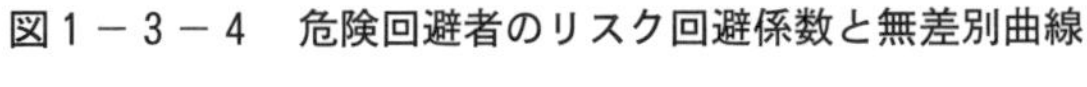

図1－3－4　危険回避者のリスク回避係数と無差別曲線

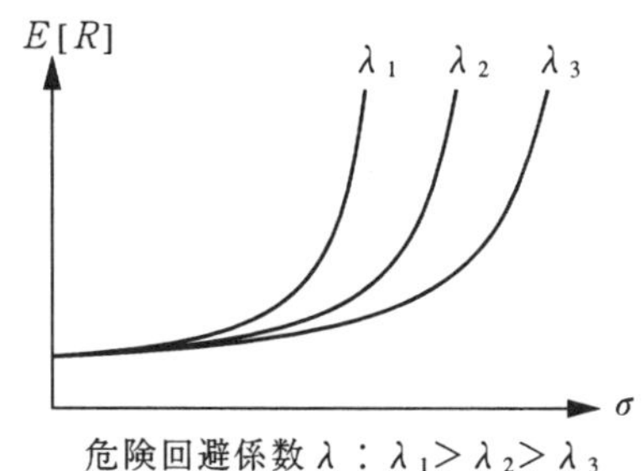

例題 3　期待効用最大化をはかる投資家の選好に関する次の記述の正誤を答えよ。

A　投資家がリスク回避型であるとき、投資家の得る効用を資産価値の関数として表した効用関数は凹関数である。

B　リスク回避度の高い投資家の確実性等価額は、リスク回避度の低い投資家の確実性等価額よりも大きい。

C　投資家がリスク回避型であるとき、確実性等価額はリスク資産の価値の期待値よりも大きい。

解答　A　正　B　誤　C　誤

解　説

A　正　投資家がリスク回避型であるとき、投資家の効用関数のグラフは上に凸になる。グラフが上に凸になる関数は凹関数と呼ばれる。

B　誤　リスク回避度の高い投資家の効用関数の曲率は、リスク回避度の低い投資家の効用関数の曲率よりも大きくなる分だけ、リスク回避度の高い投資家の確実性等価額の方が小さくなる。

C　誤　投資家がリスク回避型であるとき、投資家の効用関数のグラフは上に凸になるため、確実性等価額はリスク資産の価値の期待値よりも小さくなる。

例題4

以下の問1から問3に答えよ。

期待投資収益率と標準偏差の平面においてA、B、C、Dの4つのポートフォリオがグラフのように位置している。

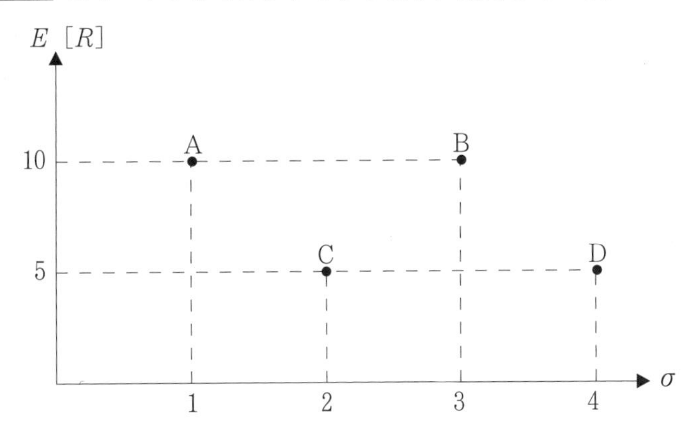

問1　リスク中立者Xにとって最も効用の低いポートフォリオはどれか。

問2　リスク回避者Yにとって最も効用の高いポートフォリオはどれか。

問3　Yの効用関数は次のように表されるものとする。

$$\boldsymbol{U} = \boldsymbol{E}[\boldsymbol{R}] - \boldsymbol{a} \times \boldsymbol{\sigma}^2$$

$\boldsymbol{U}$：Yの効用

$\boldsymbol{E}[\boldsymbol{R}]$：期待投資収益率

$\boldsymbol{a}$：リスク回避係数

$\boldsymbol{\sigma}$：収益率の標準偏差

YにとってポートフォリオBによる効用がCよりも大きい場合、aはいくらになるか。

解答　問1　C、D　　問2　A　　問3　$0 < a < 1$

解　説

問１

　リスク中立者にとってリターン（期待投資収益率）は高ければ高いほど効用を高めることになるが、リスク（標準偏差）に関しては無関心である。すなわち、リターンが同じであればリスクが大きくても小さくても効用には影響しない。したがって、ポートフォリオＡとＢの効用は同じ、つまり無差別であり、また、ポートフォリオＣとＤも無差別である。しかし、ＡとＢによる効用の大きさと、ＣとＤによる効用の大きさは、リターンが異なるため、リターンの高い前者（ＡとＢ）の効用のほうが大きいことになる。よって、正解はＣとＤである。なお、ＡとＢ、およびＣとＤを通る無差別曲線は以下のとおりである。

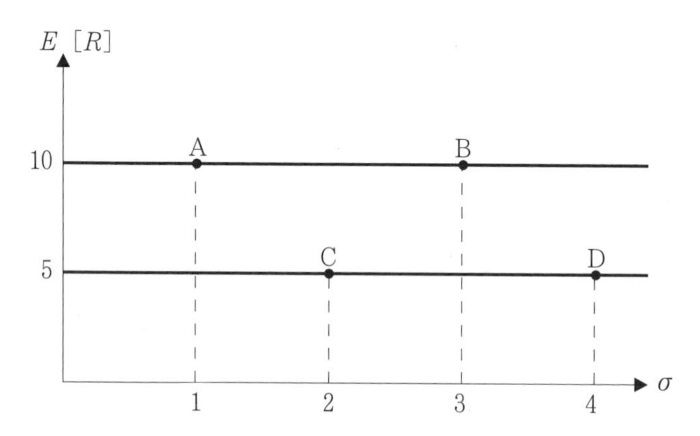

問２

　リターンに関してはリスク回避者も中立者と同様に高ければ高いほど効用を高めることになるが、リスクに関しては小さい方が効用を高める。したがって、４つのポートフォリオのうちリターンが一番高く、かつ、リスクの一番小さなＡがリスク回避者Ｙの効用を最も高めることになる。よって、正解はＡである。なお、Ａを通る無差別曲線とＣを通る無差別曲線は次のとおりである。

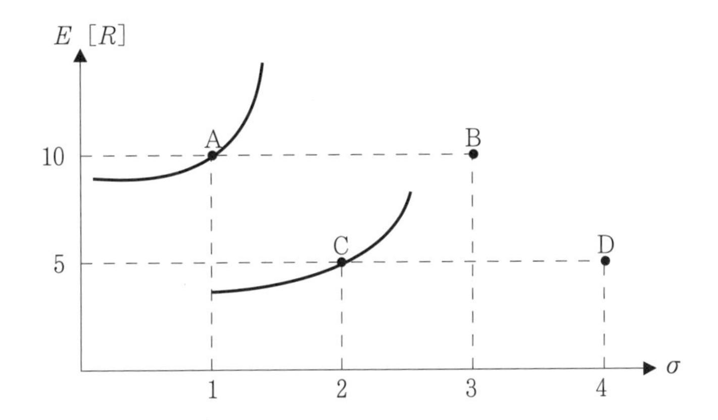

問3　効用関数に従ってポートフォリオBとCの効用を表すと次のようになる。

B： $U = E[R] - a \times \sigma^2 = 10 - a \times 3^2$

C： $U = E[R] - a \times \sigma^2 = 5 - a \times 2^2$

ポートフォリオBによる効用がCよりも大きくなるような a は、

$10 - a \times 3^2 > 5 - a \times 2^2$

$a < 1$

となる。Yはリスク回避者なので、$0 < a < 1$ となる。

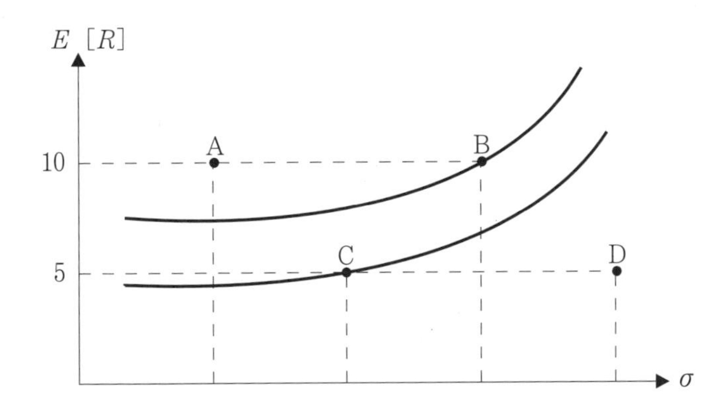

例題 5

《2011（春）. 6 . Ⅰ. 1》

投資家の選好に関する次の記述のうち、正しいものはどれですか。

A　資産額が増えるほど、どん欲にお金を求める投資家は、リスク追求型の効用を持つといえる。

B　ある確率くじのリスク・ディスカウント額が大きいほど、その確率くじに払ってもよいとする価格は賞金額の期待値に近づく。

C　Aさんの効用関数はBさんの効用関数を3倍したものとすると、AさんはBさんよりもリスク資産を多く需要する。

D　リスク回避度は、効用曲線の傾きの変化とは関係がない。

解答 ▶ A

解　説

A　正しい。リスク追求型の効用関数は凸関数であり、限界効用逓増型である。

B　正しくない。ある確率くじのリスク・ディスカウント額が小さいほど、その確率くじに払ってもよいとする価格（確実性等価額）は賞金額の期待値に近づく。

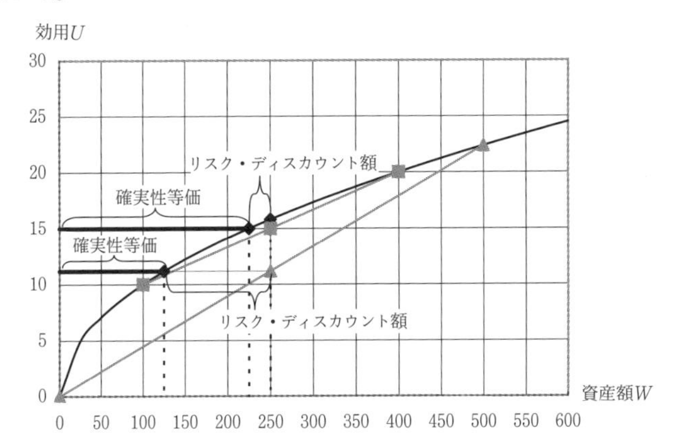

C　正しくない。

D　正しくない。無差別曲線の傾きは、リスクの増加に対する対価として投資家がどれだけリターンを要求するかを示している。この傾斜が急な無差別曲線を持つ投資家ほど、リスク回避度が高い投資家ということができる（以下ではリスク回避度：A氏＞B氏＞C氏）。

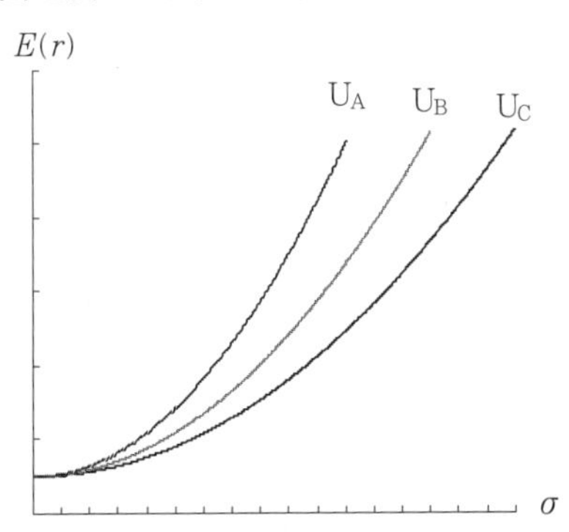

4　ポートフォリオ理論

Point ① ポートフォリオの投資収益率

証券iと証券jの2つの証券からだけ構成されるポートフォリオPを考える。いま、ポートフォリオPには、証券iと証券jが、$w_i : w_j$（ただし、$w_i + w_j = 1$）の割合で含まれているとする（ここで、w_iとw_jをそれぞれ証券iと証券jの投資比率という）。このとき、証券iの投資収益率がR_iであり、証券jの投資収益率がR_jであるとすれば、ポートフォリオPの投資収益率R_Pは次のように表される。

$$R_P = w_i R_i + w_j R_j \qquad (1\text{-}1)$$

ただし、　$w_i + w_j = 1$

この関係式において、個別証券の投資収益率（R_iとR_j）を確率変数とみなした場合、ポートフォリオPの投資収益率R_Pも確率変数となることに注意すること。

Point ② ポートフォリオのリターン

ポートフォリオPのリターンは、ポートフォリオの投資収益率R_Pの期待値（期待投資収益率）によって測られる。証券iと証券jだけから構成されるポートフォリオの投資収益率（式（1-1）の期待値$E(R_P)$）を求めると次のようになる。

$$\begin{aligned} E(R_P) &= E(w_i R_i + w_j R_j) \\ &= E(w_i R_i) + E(w_j R_j) \\ &= w_i E(R_i) + w_j E(R_j) \end{aligned}$$

Point ③ ポートフォリオのリスク

ポートフォリオPのリスクは、ポートフォリオの投資収益率R_Pの分散、または、標準偏差によって測られる。

⑴　**共分散**

$$Cov(R_i,R_j)=p_1\big(R_{1,i}-E(R_i)\big)\big(R_{1,j}-E(R_j)\big)+\cdots$$
$$+p_n\big(R_{n,i}-E(R_i)\big)\big(R_{n,j}-E(R_j)\big)$$
$$=\sum_{t=1}^{n}p_t\big(R_{t,i}-E(R_i)\big)\big(R_{t,j}-E(R_j)\big)$$
$$=E\Big[\big(R_i-E(R_i)\big)\big(R_j-E(R_j)\big)\Big]$$

ただし、

n　：証券i，jの投資収益率のとりうる値の個数

$R_{t,i}$ ：証券iの収益率のとりうる値のうち第t番目の投資収益率

p_t　：証券i，jの収益率のとりうる値のうち第t番目の投資収益率が実現する確率

⑵　**相関係数**

確率変数とみなした証券iと証券jの投資収益率間の相関係数ρ_{ij}は、次のように定義される。

$$\rho_{ij}=\frac{Cov(R_i,R_j)}{\sigma_i\ \sigma_j}$$

これより

$Cov(R_i,\ R_j)=\rho_{ij}\,\sigma_i\,\sigma_j$

⑶　**ポートフォリオの分散と標準偏差**

証券iと証券jだけから構成されるポートフォリオの投資収益率（式（1-1））の分散σ_P^2を求めると次のようになる。

$$\sigma_P^2=E\big\{R_P-E(R_P)\big\}^2$$
$$=E\Big\{(w_iR_i+w_jR_j)-\big(w_iE(R_i)+w_jE(R_j)\big)\Big\}^2$$
$$=E\Big\{w_i\big(R_i-E(R_i)\big)+w_j\big(R_j-E(R_j)\big)\Big\}^2$$
$$=E\Big\{w_i^2\big(R_i-E(R_i)\big)^2+w_j^2\big(R_j-E(R_j)\big)^2+2w_iw_j\big(R_i-E(R_i)\big)\big(R_j-E(R_j)\big)\Big\}$$
$$=w_i^2E\big\{R_i-E(R_i)\big\}^2+w_j^2E\big\{R_j-E(R_j)\big\}^2+2w_iw_jE\Big\{\big(R_i-E(R_i)\big)\big(R_j-E(R_j)\big)\Big\}$$
$$=w_i^2\sigma_i^2+w_j^2\sigma_j^2+2w_iw_jCov\big(R_i,\ R_j\big)$$
$$=w_i^2\sigma_i^2+w_j^2\sigma_j^2+2w_iw_j\rho_{ij}\sigma_i\sigma_j$$

Point ④ 投資機会集合

図1－4－1　相関係数と投資機会集合

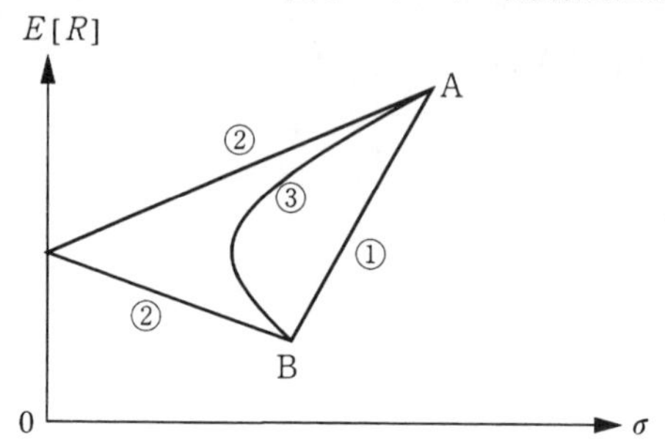

① 正の完全相関（$\rho_{AB} = +1$）
　証券A、Bを表す点を結んだ直線

② 負の完全相関（$\rho_{AB} = -1$）
　証券A、Bを表す点を通る折れ線

③ $-1 < \rho_{AB} < +1$
　証券A、Bを表す点を通る双曲線

Point ⑤ ポートフォリオ効果

証券iと証券jだけから構成されるポートフォリオの投資収益率の分散σ_P^2は次のようであった。

$$\sigma_P^2 = w_i^2\sigma_i^2 + w_j^2\sigma_j^2 + 2w_i w_j Cov(R_i,\ R_j)$$

$$= w_i^2\sigma_i^2 + w_j^2\sigma_j^2 + 2w_i w_j \rho_{ij} \sigma_i \sigma_j$$

これより、ポートフォリオの投資収益率の標準偏差σ_Pは次のように表される。

$$\sigma_P = \sqrt{w_i^2\sigma_i^2 + w_j^2\sigma_j^2 + 2w_i w_j \rho_{ij} \sigma_i \sigma_j}$$

この式において、相関係数が

$$-1 \leqq \rho_{ij} \leqq 1$$

の間の値をとることに注意すれば、両証券に正の比率で投資する場合にはポートフォリオの投資収益率の標準偏差には次のような関係が成立する。

$$\sigma_P = \sqrt{w_i^2\sigma_i^2 + w_j^2\sigma_j^2 + 2w_i w_j \rho_{ij} \sigma_i \sigma_j}$$
$$\leqq \sqrt{(w_i\sigma_i + w_j\sigma_j)^2}$$
$$= w_i \sigma_i + w_j \sigma_j$$

この関係式より、ポートフォリオの標準偏差で測ったリスクは、証券iと証券jのそれぞれの投資収益率の標準偏差をその投資比率で加重した値（$w_i \sigma_i + w_j \sigma_j$）よりも小さいか（$-1 \leqq \rho_{ij} < 1$のとき）、または同じとなる（$\rho_{ij} = 1$のとき）ことがわかる。このことは、複数の証券に分散して投資することによって、**ポートフォリオのリスクが構成証券のリスクの加重平均以下に下がる**ことを意味している。この効果は、**ポートフォリオ効果**、または、**分散投資の効果**と呼ばれている。

例題6

以下の問1から問3に答えよ。

証券Xと証券Yの投資収益率の期待値（年率）、標準偏差（年率）、および共分散は（表）の通りである。

（表）証券Xと証券Yのリスク・リターン構造

	証券X	証券Y
期待値	6％	10％
標準偏差	12％	27％
共分散	81	

問1　証券Xと証券Yの収益率の相関係数は、次のうちどれか。

A　−0.35

B　0.00

C　+0.25

D　+0.65

問2　総投資金額1億円のうち、6,000万円を証券X、4,000万円を証券Yに投資した場合、このポートフォリオの期待収益率と収益率の標準偏差の組み合わせとして、正しいものは次のうちどれか。

A　7.6％　　14.4％

B　7.6%　　18.0%

C　8.2%　　15.6%

D　8.2%　　19.5%

問3　問2のポートフォリオの投資収益率が正規分布に従うものとして、次の記述のうち正しいものはどれか。

A　このポートフォリオの投資収益率が＋22%以上の値をとる確率は約3%である。

B　このポートフォリオの投資収益率は約68%の確率で－6.8%から＋22%の間の値をとる。

C　このポートフォリオの投資収益率が－6.8%以下の値をとる確率は約5%である。

D　このポートフォリオの投資収益率は正規分布に従うと仮定しているので、事前にどのような値をとりうるかを推定することはできない。

解答　問1　C　　問2　A　　問3　B

解　説

問1　相関係数

証券Xの投資収益率R_Xと証券Yの投資収益率R_Yの相関係数$\rho_{X,Y}$は次のように計算される。

$$\rho_{X,Y} = \frac{Cov(R_X, R_Y)}{\sigma_X \sigma_Y}$$

ただし、$Cov(R_X, R_Y)$：証券Xと証券Yの投資収益率の共分散、

σ_X：証券Xの投資収益率の標準偏差、

σ_Y：証券Yの投資収益率の標準偏差。

したがって、証券Ｘと証券Ｙの収益率の相関係数は、

$$\rho_{X,Y} = \frac{81}{12 \times 27} = +0.25$$

となる。

問２　ポートフォリオの期待収益率と標準偏差

２証券で構成されるポートフォリオの期待収益率$E(R_P)$、および収益率の標準偏差σ_Pは次のように計算される。

$$E(R_P) = w_X E(R_X) + w_Y E(R_Y)$$

$$\sigma_P = \sqrt{\sigma_P^2}$$

$$= \sqrt{w_X^2 \sigma_X^2 + w_Y^2 \sigma_Y^2 + 2 w_X w_Y Cov(R_X, R_Y)}$$

ただし、w_X：証券Ｘへの投資比率、w_Y：証券Ｙへの投資比率。

ここで、w_X=0.6、w_Y=0.4なので、このポートフォリオの期待収益率と標準偏差は、

$$E(R_P) = 0.6 \times 6\% + 0.4 \times 10\% = 7.6\%$$

$$\sigma_p = \sqrt{0.6^2 \times 12^2 + 0.4^2 \times 27^2 + 2 \times 0.6 \times 0.4 \times 81}$$

$$= 14.4\%$$

となる。

問３　正規分布の性質（「計量分析」関連問題）

ポートフォリオの投資収益率が平均（期待値）：μ、標準偏差：σの正規分布に従うとき、このポートフォリオの投資収益率が$\mu-\sigma$から$\mu+\sigma$の間に収まる確率は約68.３％であることが知られている。さらに、$\mu-2\sigma$から$\mu+2\sigma$の間に収まる確率は約95.４％、$\mu-3\sigma$から$\mu+3\sigma$の間に収まる確率は約99.７％であることが知られている。したがって、問２のポートフォリオの投資収益率が－6.８％（＝7.６％－14.４％）から＋22％（＝7.６％＋14.４％）の間に収まる確率は約68％である。

なお、Ａ　このポートフォリオの投資収益率が＋22％以上の値をとる確率、およびＣ　このポートフォリオの投資収益率が－6.８％以下の値をとる確率はいずれも約16％（＝（100％－68％）÷２）である（グラフ参照）。

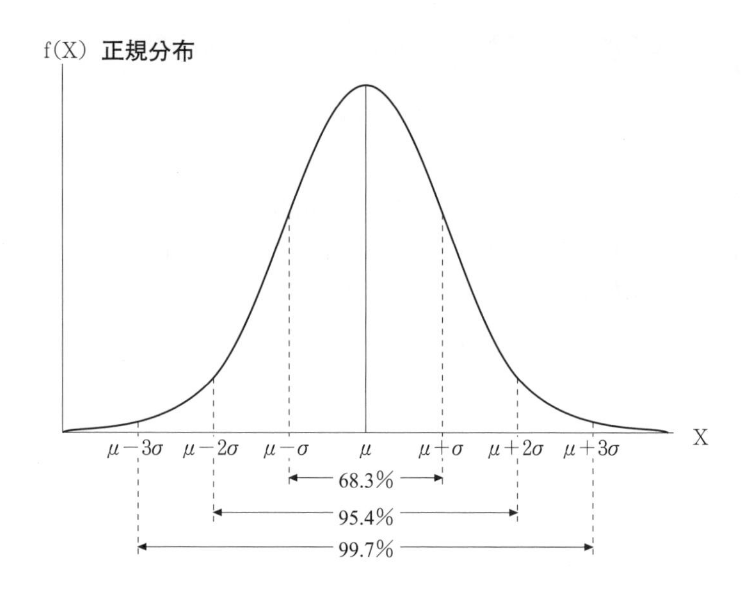

例題 7

以下の問1、問2に答えよ。（「計量分析」関連問題）

SP500株価指数の1年物金利に対する超過収益率は平均（μ）6％、標準偏差（σ）20％の正規分布で近似できるといわれる。これは1926年以降のSP500、および1年物金利の年次データに基づく仮説である。必要に応じて標準正規分布表を使い、以下の設問に解答せよ。

問1　95％信頼区間（真の超過収益率の平均(μ)が95％の確率でとりうる範囲）を求めよ。

問2　現在の1年物金利は4％である。SP500の収益率がマイナスになる確率を求めよ。

標準正規分布表（抜粋）

Z	.00	.01	.02	.03	.04	.05	.06	.07	.08	.09
0.0	.5000	.5040	.5080	.5120	.5160	.5199	.5239	.5279	.5319	.5359
0.1	.5398	.5438	.5478	.5517	.5557	.5596	.5636	.5675	.5714	.5753
0.2	.5793	.5832	.5871	.5910	.5948	.5987	.6026	.6064	.6103	.6141
0.3	.6179	.6217	.6255	.6293	.6331	.6368	.6406	.6443	.6480	.6517
0.4	.6554	.6591	.6628	.6664	.6700	.6736	.6772	.6808	.6844	.6879
0.5	.6915	.6950	.6985	.7019	.7054	.7088	.7123	.7157	.7190	.7224
0.6	.7257	.7291	.7324	.7357	.7389	.7422	.7454	.7486	.7517	.7549
0.7	.7580	.7611	.7642	.7673	.7703	.7734	.7764	.7794	.7823	.7852
0.8	.7881	.7910	.7939	.7967	.7995	.8023	.8051	.8078	.8106	.8133
0.9	.8159	.8186	.8212	.8238	.8264	.8289	.8315	.8340	.8365	.8389
1.0	.8413	.8438	.8461	.8485	.8508	.8531	.8554	.8577	.8599	.8621
1.1	.8643	.8665	.8686	.8708	.8729	.8749	.8770	.8790	.8810	.8830
1.2	.8849	.8869	.8888	.8907	.8925	.8944	.8962	.8980	.8997	.9015
1.3	.9032	.9049	.9066	.9082	.9099	.9115	.9131	.9147	.9162	.9177
1.4	.9192	.9207	.9222	.9236	.9251	.9265	.9279	.9292	.9306	.9319
1.5	.9332	.9345	.9357	.9370	.9382	.9394	.9406	.9418	.9429	.9441
1.6	.9452	.9463	.9474	.9484	.9495	.9505	.9515	.9525	.9535	.9545
1.7	.9554	.9564	.9573	.9582	.9591	.9599	.9608	.9616	.9625	.9633
1.8	.9641	.9649	.9656	.9664	.9671	.9678	.9686	.9693	.9699	.9706
1.9	.9713	.9719	.9726	.9732	.9738	.9744	.9750	.9756	.9761	.9767
2.0	.9772	.9778	.9783	.9788	.9793	.9798	.9803	.9808	.9812	.9817
2.1	.9821	.9826	.9830	.9834	.9838	.9842	.9846	.9850	.9854	.9857
2.2	.9861	.9864	.9868	.9871	.9875	.9878	.9881	.9884	.9887	.9890
2.3	.9893	.9896	.9898	.9901	.9904	.9906	.9909	.9911	.9913	.9916

解答

問1　$-33.2\% \leqq \mu \leqq 45.2\%$

問2　30.85%

解　説

正規分布の問題である。ポイントは次の3点。

・正規分布は左右対称である

・正規分布の標準化

・標準正規分布表を読みとる

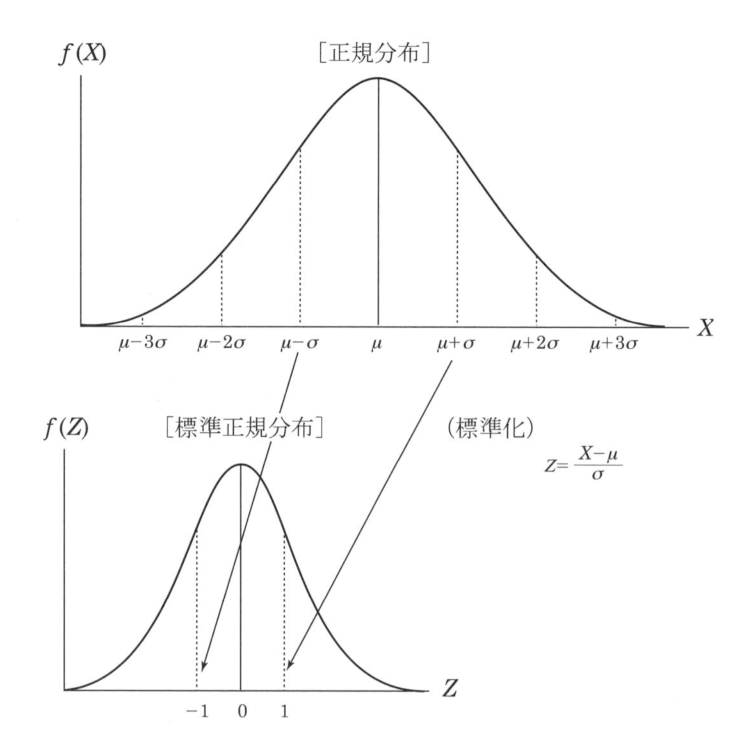

問1　正規分布で95%信頼区間は±1.96σであるから、6%±1.96×20%＝＋45.2%or－33.2%。したがって95%信頼区間は〔－33.2%、＋45.2%〕。

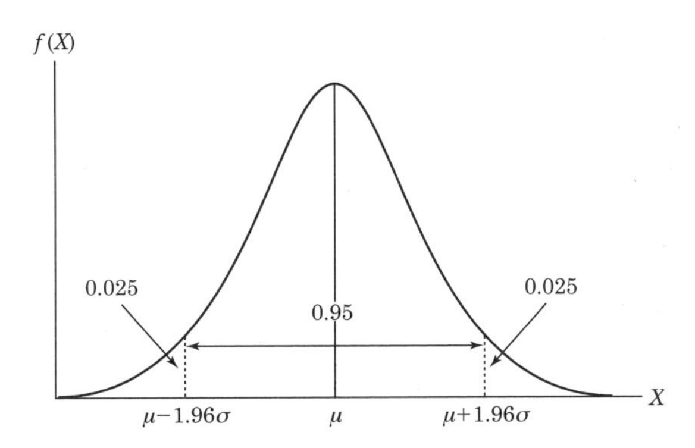

標準正規分布表から±1.96を読みとる（なお、1.00－0.025＝0.975に注意）。

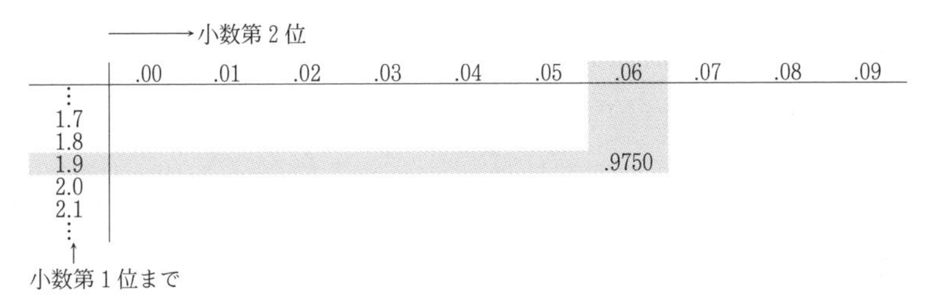
→小数第2位

	.00	.01	.02	.03	.04	.05	.06	.07	.08	.09
⋮										
1.7										
1.8										
1.9							.9750			
2.0										
2.1										
⋮										

↑小数第1位まで

問 2　SP500の収益率をR（%）とする。短期金利（i）が 4 %、超過収益率（$R-i \equiv x$）の平均が 6 %だから、SP500の収益率（R）の期待値は10%である。つまり、SP500の収益率がマイナス（$R<0$）になるのは、超過収益率が－ 4 %を下回る（$x<-4$）ときである。ここで、超過収益率の平均（μ）が 6 %、標準偏差（σ）が20%であることに注意して、SP500の収益率がマイナス（$R<0$）になるz値を求めれば、$z=\dfrac{x-\mu}{\sigma}<\dfrac{-4-6}{20}=-0.5$ である。よって、SP500の収益率がマイナスになる確率Prob$\{R<0\}$は、$z<-0.5$となる確率Prob$\{z<-0.5\}$に等しい。

次に、Prob$\{z<-0.5\}$を求めるには、標準正規分布表を用いる。ただし、問題で与えられた標準正規分布表には$z=-0.5$はないので、正規分布が左右対称であることを利用して、$z>0.5$となる確率Prob$\{z>0.5\}$（下図の右側「？」部分の面積）を求める。

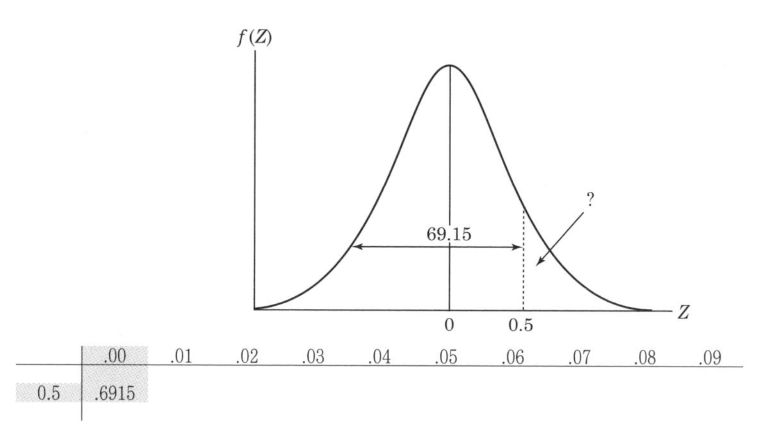

	.00	.01	.02	.03	.04	.05	.06	.07	.08	.09
0.5	.6915									

標準正規分布表より、$z \leqq 0.5$となる確率Prob$\{z \leqq 0.5\}$が0.6915だから、求める確率は、

$$\text{Prob}\{z>0.5\}=1-\text{Prob}\{z\leqq 0.5\}=1-0.6915=0.3085=30.85\%$$

Point ⑥ 効率的フロンティア（リスク資産のみの場合）

図１－４－２　効率的フロンティアと最適ポートフォリオ（リスク資産のみ）

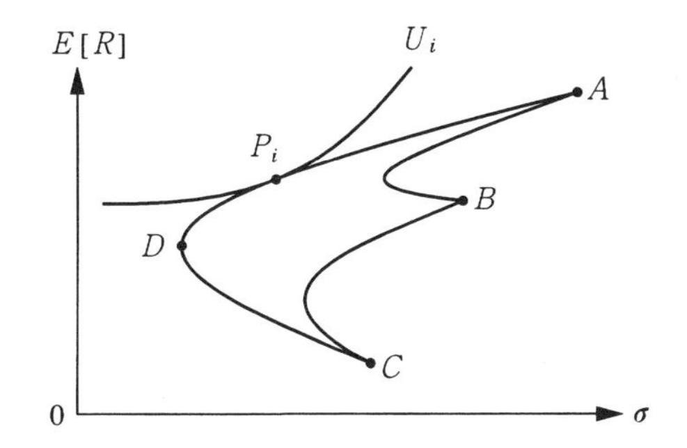

投資機会集合：面$ABCD$

最小分散境界：曲線ADC

最小分散ポートフォリオ：点D

効率的フロンティア：曲線AD

効率的ポートフォリオ：曲線AD上の点

U_i ：危険回避者iの無差別曲線

P_i ：危険回避者iの最適ポートフォリオ

Point ⑦ 効率的フロンティア（無リスク資産が存在する場合）

図1－4－3　効率的フロンティアと最適ポートフォリオ（無リスク資産あり）

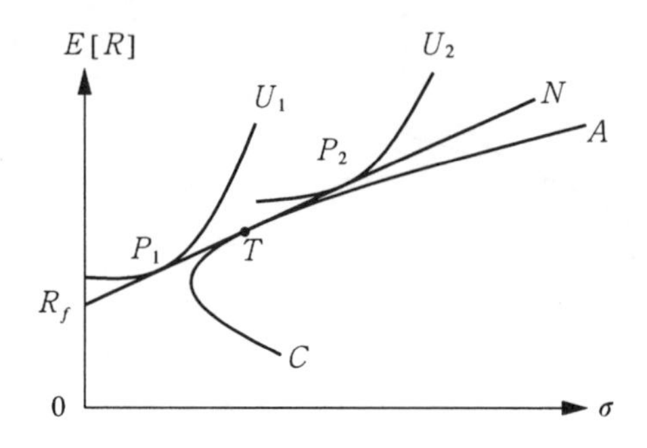

⑴　無リスク資産の導入

- リスク資産と無リスク資産が存在する場合、効率的フロンティアは無リスク資産を示す点R_f（無リスク利子率）からリスク資産の投資機会集合を示す双曲線$A-T-C$に引いた接線R_f-T-Nになる。
- 点Tはリスク資産のみから構成される唯一の効率的ポートフォリオであり、**接点ポートフォリオ**という。無リスク資産が存在すると、一義的に決り、⑶の**トービンの分離定理**が成立する。

⑵　最適ポートフォリオ

P_1：投資家1の最適ポートフォリオ（貸付ポートフォリオ）

w_f：$w_i = P_1-T$：P_1-R_fの投資比率で無リスク資産とリスク資産に投資

P_2：投資家2の最適ポートフォリオ（借入ポートフォリオ）

無リスク利子率で借入れ、すべてリスク資産（接点ポートフォリオ）に投資

⑶　トービンの分離定理

無リスク資産とリスク資産が存在する場合、投資家が最適ポートフォリオを選択する意思決定と、リスク資産のみから構成されるポートフォリオ（T）の決定とは分離可能である。

例題８

《2007（秋）．５．Ⅳ．６》

株式ポートフォリオと安全資産の特性は以下のとおりである。

	期待リターン	標準偏差
株式ポートフォリオ	7.0%	16%
安全資産	1.0%	0%

投資家の効用関数uが

$u=\mu_p-0.02\sigma_p^2$

μ_p：ポートフォリオの期待収益率

σ_p：ポートフォリオの収益率の標準偏差

と表されるものとする。

この投資家にとっての最適なポートフォリオを株式ポートフォリオと安全資産の２資産から作成するならば、株式ポートフォリオの保有割合はいくらですか。計算において期待収益率と標準偏差は、例えば7.0％は0.07ではなく７と表して行うこと。

解答  59%

解　説

まず、株式ポートフォリオの保有比率をwとして、株式ポートフォリオと安全資産からなるポートフォリオの期待収益率μ_pと収益率の標準偏差σ_pを表す。

期待収益率：$\mu_p=7w+1\times(1-w)=6w+1$

標 準 偏 差：$\sigma_p=16w$

次に、これを問題で与えられた効用関数に代入してwに関して整理すると、

$$u=\mu_p-0.02\sigma_p^2$$
$$=(6w+1)-0.02\times(16w)^2$$
$$=-5.12w^2+6w+1$$

これから分かるように、効用関数uはwの2次関数（上に凸の放物線）として表せるので、この投資家にとって最適ポートフォリオ（効用が最大）となるのは、接線の傾き（すなわち、微分係数）が0となる点である。

そこで、効用関数をwで微分して0となるwを求めればよい。

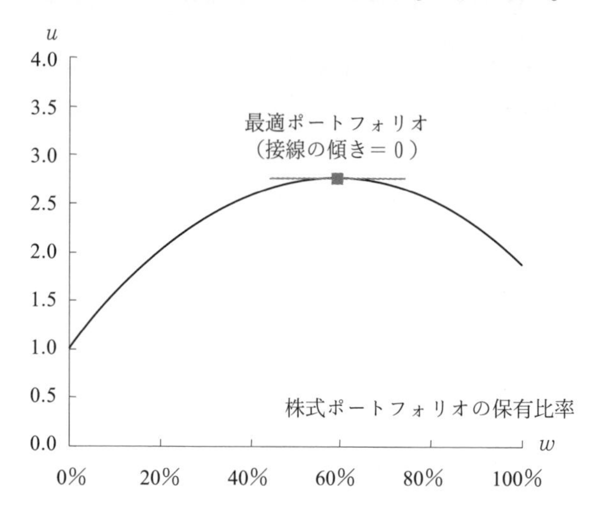

$$\frac{du}{dw} = -10.24w + 6 = 0$$

$$w = \frac{6}{10.24} = 0.5859375$$

$$\approx 59\%$$

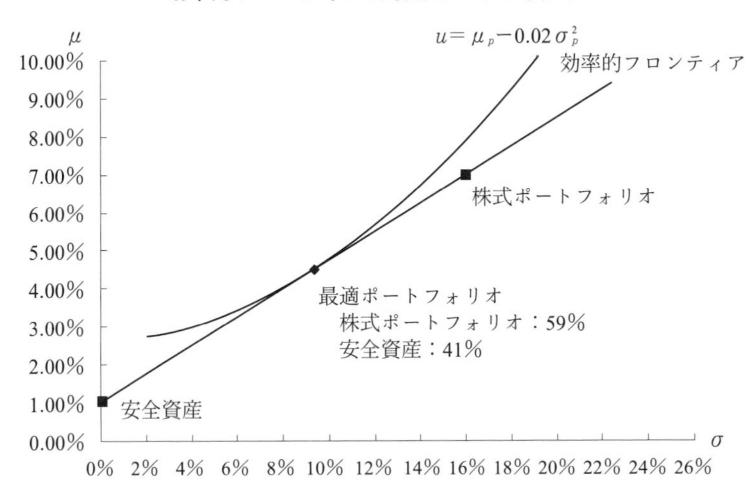
効率的フロンティアと最適ポートフォリオ
μ
$u=\mu_p-0.02\sigma_p^2$
効率的フロンティア
10.00%
9.00%
8.00%
7.00%
6.00%
5.00%
4.00%
3.00%
2.00%
1.00%
0.00%
株式ポートフォリオ
最適ポートフォリオ
株式ポートフォリオ：59%
安全資産：41%
安全資産
σ
0% 2% 4% 6% 8% 10% 12% 14% 16% 18% 20% 22% 24% 26%

5 CAPM

Point ① 資本市場線（CML）

$$E[R_P] = R_f + \frac{E[R_M] - R_f}{\sigma_M}\sigma_P$$

図1－5－1　資本市場線（CML）

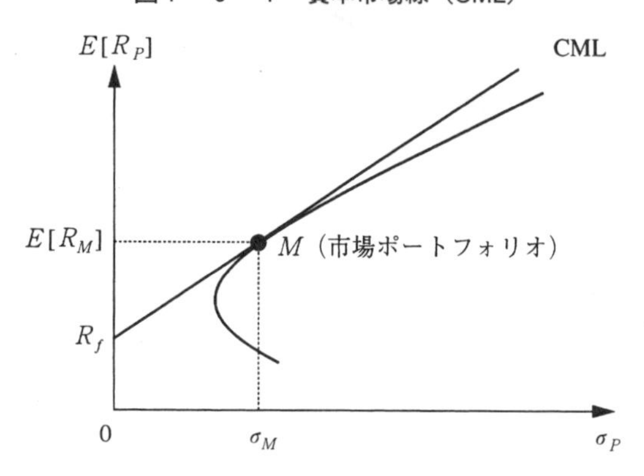

なお、この資本市場線（CML）は安全資産が存在する場合の効率的フロンティアを市場全体に拡張した概念であり、市場ポートフォリオは接点ポートフォリオを市場全体に拡張した概念にほかならない。

Point ② ゼロベータCAPM

安全資産のあるなしにかかわらず、市場の均衡状態において市場ポートフォリオは効率的ポートフォリオになり、この理論は**ゼロベータＣＡＰＭ**と呼ばれる。市場ポートフォリオMから双曲線に引いた接線がCMLであり、y切片をR_Zとする。また、貸出利子率をR_L、借入利子率をR_B、T_1、T_2をそれぞれR_L、R_Bから双曲線に引いた接線の接点とする。このとき、R_L～T_1～M～T_2～Nが効率的フロンティアで、この場合の市場の均衡状態は次図のようになる。

ここで、リスク回避度の高い投資家は安全資産（利子率R_Lで貸出し）と接点ポートフォリオT_1を組み合わせて運用するので、R_L～T_1上のポートフォリオを選択する。中程度のリスク回避度の投資家は、貸出しも借入れもせず、双曲線

T_1～T_2上のポートフォリオを選択する。そして、リスク回避度の低い投資家は自己資金とR_Bの利子率で借り入れた資金を合わせて接点ポートフォリオT_2に投資するため、T_2～N上のポートフォリオを選択する。したがって、危険資産ポートフォリオに関しては、すべての投資家が双曲線T_1～T_2から選ぶことになる。

２個の効率的ポートフォリオに正の投資比率で投資するポートフォリオは必ず効率的ポートフォリオであり、これを**２基金分離定理**という。双曲線T_1～T_2はT_1、T_2の組合せなので、効率的ポートフォリオであることが保証される。

図１－５－２　ゼロベータＣＡＰＭ

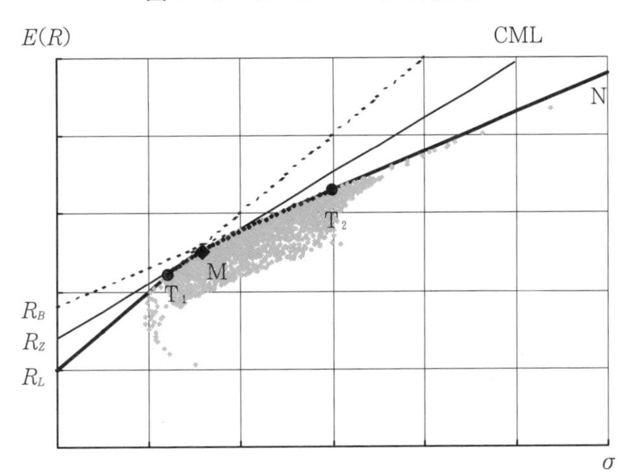

Point ③ 証券市場線（SML）

市場ポートフォリオに組み込まれている個別証券（ポートフォリオ）iの均衡期待収益率を考える。

$$E[R_i] = R_f + \left(\frac{E[R_M]-R_f}{\sigma_M}\right) \times \left(\frac{Cov(R_i,\ R_M)}{\sigma_M}\right)$$

（時間の市場価格）（リスクの市場価格）　（リスクの限界的寄与）

ここで、$\beta_i = \dfrac{Cov(R_i,\ R_M)}{\sigma_M^2}$とおくと、

CAPM：$E[R_i] = R_f + (E[R_M] - R_f)\beta_i$

が成立する。

図１－５－３　証券市場線（SML）

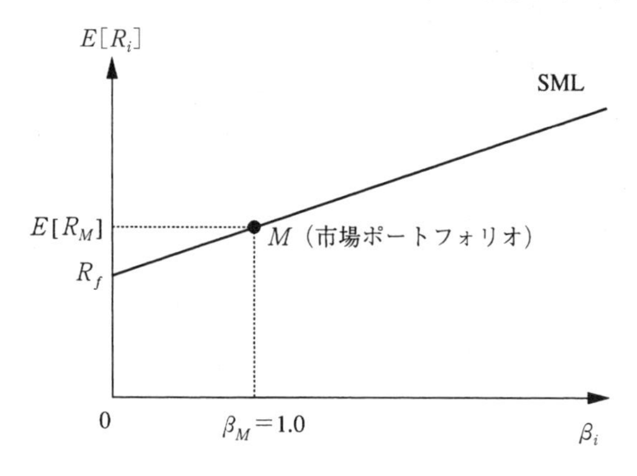

なお、CAPM に関連して次の諸点も重要である。

- ベータの計算

$$\beta_i = \frac{Cov(R_i,\ R_M)}{\sigma_M^2} = \frac{\rho_{iM}\sigma_i}{\sigma_M}$$

- 市場ポートフォリオのベータは1.0

$$\beta_M = 1.0$$

- ポートフォリオのベータ＝個別証券のベータの加重平均

$$\beta_P = \sum w_i \beta_i$$

Point ④ アルファ値

個別証券Aの期待収益率（E(R_A)）と均衡期待収益率（E(R_A^*)）を比較する。

図1－5－4　アルファ値

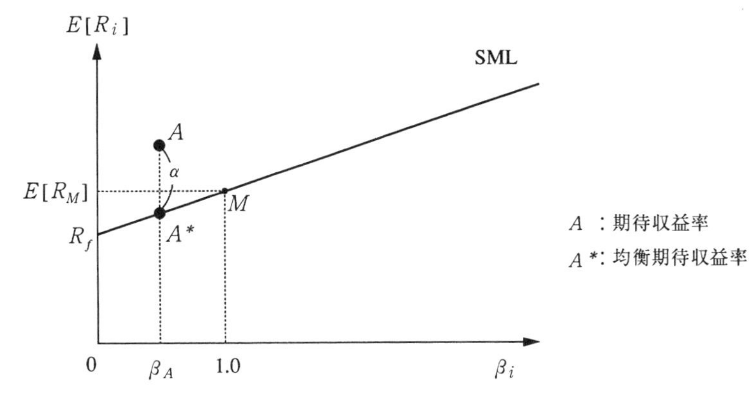

アルファ：α ＝ 期待収益率($E[R_i]$)－均衡期待収益率($E[R^*]$)

$\alpha > 0$ ：過小評価 ⇒「買い」

$\alpha < 0$ ：過大評価 ⇒「売り」

Point ⑤ CAPMと回帰分析（「計量分析」関連事項）

CAPMのベータβ_iは、証券iの市場ポートフォリオのリスクプレミアムに対する感応度を示しており、次のような関係がある。

$\beta_i > 1$　のとき　証券iは、市場ポートフォリオよりも相対的にリスクが大きい。
$\beta_i < 1$　のとき　証券iは、市場ポートフォリオよりも相対的にリスクが小さい。

CAPMの実証分析においては、CAPMに含まれる個別証券iと市場ポートフォリオの期待投資収益率のデータを入手することが困難なため、個別銘柄の株式投資収益率と市場ポートフォリオの代理変数とみなしたTOPIXなどの株価指数の投資収益率が用いられる。

さらに、実際の証券市場ではCAPMが前提としている条件が成立していないため、そのことから生ずる歪みをγとしてCAPMのなかに取り込み、次のような線形回帰モデルを考える。

$$R_{i,t} - R_f = \gamma + \beta(R_{M,t} - R_f) + \epsilon_t$$

ここで、

$R_{i,t}$　：個別銘柄iの株式投資収益率
$R_{M,t}$　：株価指数の投資収益率
ϵ_t　：誤差項

このモデルは、次のように変形することができる。

$$R_{i,t} = \alpha + \beta R_{M,t} + \epsilon_t$$

ここで、

$$\alpha = \gamma + R_f(1 - \beta)$$

これは、マーケット・モデルをもとにした線形回帰モデルとなっている。ただし、CAPMに対しては、その前提条件が現実の証券市場で成立しないとか、真の市場ポートフォリオを示すデータがないなど、実際の市場に適用するにはさまざまな問題が指摘されており、投資実務では、通常、直接的に用いられてはいない。

例題 9　マーケットに関するデータが以下のように推定されている。TOPIXに関してCAPMが成立していると仮定して各問に解答せよ。

	期待収益率	標準偏差	TOPIXとの相関
株式A	0.16	0.40	0.75
株式B	0.10	0.20	0.90
TOPIX	？？	0.25	1.00

問1　株式Aおよび株式Bの対TOPIXベータを計算せよ。

問2　CAPMによれば株式A、Bはともに均衡価格である。TOPIXの期待収益率および無リスク利子率を計算せよ。

問3　現在、120億円の運用資産がある。株式A、Bに投資しTOPIXと同じ期待収益率をもたらすポートフォリオPを組みたい。それぞれにいくら投資すればよいか。

問4　株式A、Bの相関係数は+0.6と推定されている。このとき問3のポートフォリオPのリスク（標準偏差）を計算せよ。

問5　資本市場線（CML）を描写し株式A、Bおよび市場ポートフォリオ（TOPIX）と問3のポートフォリオPをプロットせよ。

問6　証券市場線（SML）を描写し株式A、Bおよび市場ポートフォリオ（TOPIX）と問3のポートフォリオPをプロットせよ。

問7　株式Aを空売りし、運用資金の120億円と併せて株式Bを購入することにより、ベータが0.0となるようなポートフォリオQを組みたい。株式Aをどれだけ空売りすればよいか。

問8　問7でつくったポートフォリオQの期待収益率および標準偏差を計算せよ。

解答

問 1	株式Ａ	1.20	問 2	期待収益率	13.5%
	株式Ｂ	0.72		無リスク利子率	1.0%
問 3	株式Ａ	70億円	問 4	0.29	
	株式Ｂ	50億円			

問 5

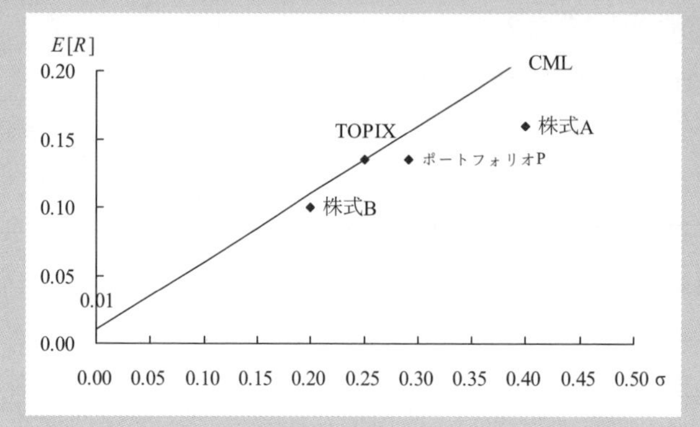

問 6

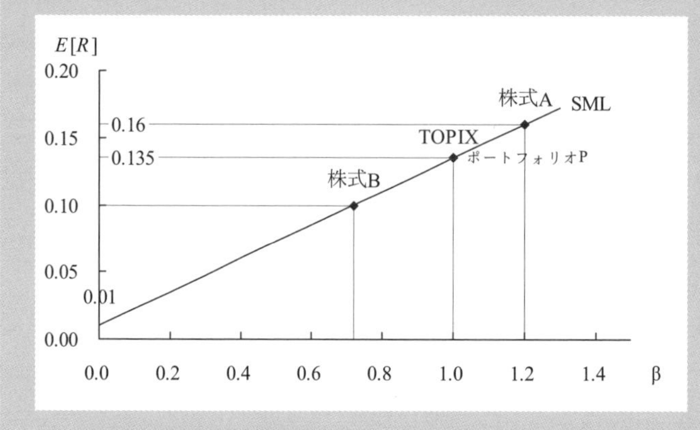

問 7　180億円空売りする

問 8　期待収益率　1.00%

　　　標準偏差　　0.5

解　説

問１　$\beta_i = \frac{Cov(R_i, R_M)}{\sigma_M^2} = \frac{\rho_{iM}\sigma_M\sigma_i}{\sigma_M^2} = \frac{\rho_{iM}\sigma_i}{\sigma_M}$

株式Ａ：$\beta_A = \frac{0.75 \times 0.40}{0.25} = 1.20$

株式Ｂ：$\beta_B = \frac{0.90 \times 0.20}{0.25} = 0.72$

問２　**CAPM**：$E[R_i] = \beta_i(E[R_M] - R_f) + R_f$

株式Aと株式Bについては、期待収益率 $E[R_i]$ とベータ β が判明しているので、市場ポートフォリオ（ここではTOPIX）の期待収益率 $\boldsymbol{E[R_M]}$ と無リスク利子率 R_f について２本の連立方程式をつくり、解けばよい。

株式Ａ：$0.16 = 1.20 \times (E[R_{TPX}] - R_f) + R_f$

$= 1.20E[R_{TPX}] - 0.20\,R_f$

株式Ｂ：$0.10 = 0.72 \times (E[R_{TPX}] - R_f) + R_f$

$= 0.72E[R_{TPX}] + 0.28\,R_f$

株式Aの式を1.4倍し、２本の式を足す。

$0.224 = 1.68E[R_{TPX}] - 0.28\,R_f$

$+)\quad 0.100 = 0.72E[R_{TPX}] + 0.28\,R_f$

$0.324 = 2.40E[R_{TPX}]$

$E[R_{TPX}] = 0.135 = 13.5\%$

$R_f = 0.01 = 1.0\%$

問3 $E[R_P] = w_A E[R_A] + w_B E[R_B]$

$$0.135 = 0.16\, w_A + 0.10(1 - w_A)$$

$$= 0.06\, w_A + 0.10$$

$$w_A = \frac{0.035}{0.06} = \frac{70}{120} \qquad w_B = 1 - \frac{70}{120} = \frac{50}{120}$$

なお、ポートフォリオPのベータは…

$$\beta_P = 1.20 \times \frac{70}{120} + 0.72 \times \frac{50}{120}$$

$$= 1.0$$

問4 $\sigma_P^2 = w_A^2 \sigma_A^2 + w_B^2 \sigma_B^2 + 2 w_A w_B \rho_{AB} \sigma_A \sigma_B$

$$= \left(\frac{7}{12}\right)^2 \times 0.40^2 + \left(\frac{5}{12}\right)^2 \times 0.20^2$$

$$+ 2 \times \frac{7}{12} \times \frac{5}{12} \times 0.6 \times 0.40 \times 0.20$$

$$= \frac{49 \times 0.16 + 25 \times 0.04 + 2 \times 7 \times 5 \times 0.6 \times 0.40 \times 0.20}{144}$$

$$= \frac{12.2}{144}$$

$$\sigma_P = \sqrt{\frac{12.2}{144}}$$

$$\fallingdotseq 0.29$$

問5 資本市場線（CML）はタテ軸に期待収益率、ヨコ軸に標準偏差をとった2パラメータ平面上で、切片 R_f と市場ポートフォリオを結んだ直線である。

資本市場線（CML）：$E[R_P] = \dfrac{E[R_M] - R_f}{\sigma_M} \sigma_P + R_f$

資本市場線上にある資産は市場ポートフォリオと無リスク資産の組み合わせ、すなわち効率的ポートフォリオである。投資可能なリスク資産で効率的でないものは、すべて資本市場線の下方に位置する。

問６　証券市場線（SML）はタテ軸に期待収益率、ヨコ軸にベータをとった平面上で、切片R_fと市場ポートフォリオを結んだ直線であり、この式こそがCAPMである。これは市場ポートフォリオに組み込まれてはいるが、それ自体は効率的でないリスク資産の評価式である。

証券市場線（SML）：$E[R_i] = \beta_i(E[R_M] - R_f) + R_f$

証券市場線上にある資産は、CAPMで評価した場合のフェアバリュー（均衡価格）であることを示す。証券市場線の上方に位置する資産は割安、下方に位置する資産は割高と判断される。

問７　株式A、Bの保有比率をw_A, $w_B(w_A + w_B = 1)$とし、株式A、Bの保有額をW_A, $W_B(W_A + W_B = 120)$とする。

ポートフォリオQのベータ：$\beta_Q = w_A \beta_A + w_B \beta_B$

$$= \frac{W_A}{120} \times 1.20 + \frac{120 - W_A}{120} \times 0.72$$

$$0.0 = 1.20 W_A + 86.4 - 0.72 W_A$$

$$W_A = -180 \qquad W_B = 300$$

問８　$E[R_Q] = w_A E[R_A] + w_B E[R_B]$

$$= \frac{-180}{120} \times 0.16 + \frac{300}{120} \times 0.10$$

$$= -0.24 + 0.25 = +0.01$$

$$\sigma_Q^2 = w_A^2 \sigma_A^2 + w_B^2 \sigma_B^2 + 2 w_A w_B \rho_{AB} \sigma_A \sigma_B$$

$$= \left(\frac{-180}{120}\right)^2 \times 0.40^2 + \left(\frac{300}{120}\right)^2 \times 0.20^2$$

$$+ 2 \times \frac{-180}{120} \times \frac{300}{120} \times 0.6 \times 0.40 \times 0.20$$

$$= 0.36 + 0.25 + (-0.36) = 0.25$$

$$\sigma_Q = \sqrt{0.25} = 0.5$$

ベータリスクはゼロであるが、標準偏差は決してゼロではない点に注意。ベータがゼロなので市場リスクは当然ゼロ。このポートフォリオQのリスクはすべて非市場リスクであり、しかもかなり大きい。にもかかわらず、期待リターンは無リスク資産と同じ1.00%にすぎない。危険愛好者であればポートフォリオQを選好し、もしかしたら得られるかもしれない大きなリターンに賭ける。しかし、MPTが想定する危険回避者は期待リターンが同じであれば、ポートフォリオQは決して選ばず、リスクのない無リスク資産を必ず選好する。

例題10

《2011（秋）．6．I．5》

安全資産が存在する場合のCAPMに関する次の記述のうち、正しいものはどれですか。

A　投資家が保有する危険資産ポートフォリオの構成は、リスク許容度によってそれぞれ異なる。

B　マーケット・リスクの価格とは、マーケット・ポートフォリオのシャープ比のことである。

C　安全資産を組み合わせることで、投資家の最適ポートフォリオはマーケット・ポートフォリオよりもシャープ比が大きくなる。

D　期待リターンはベータに比例するが、リスクプレミアムはベータに比例しない。

解答　B

解　説

A　正しくない。安全資産が存在し保有される限り、危険資産の最適組み合わせ（危険資産ポートフォリオの構成）は、リスク・リターンに関する投資家の選好と独立である（トービンの分離定理）。なお、安全資産が存在する場合のCAPMにおいて、投資家が保有する危険資産ポートフォリオは「マーケット・ポートフォリオ」であり、危険資産のみで構成される唯一の効率的ポートフォリオである。これは、市場の均衡状態において市場に存在するすべての危険資産を含み、その時価総額加重平均で構成される。

B　正しい。マーケット・リスクの価格は資本市場線（CML；Capital Market Line）の傾きであり、これはマーケット・ポートフォリオのシャープ比（シャープ・レシオ）である。

$$E[R_P]=\underbrace{\frac{E[R_M]-R_f}{\sigma_M}}_{\text{マーケット・リスクの価格}}\cdot\sigma_P+R_f$$

C　正しくない。危険資産ポートフォリオと安全資産の組み合わせは、資本市場線（CML）上のポートフォリオなので、シャープ比（シャープ・レシオ）は一定である。

D　正しくない。CAPMは以下の通り。

$$\overbrace{E[R_i]}^{\text{資産}i\text{の期待リターン}}=\beta_i(E[R_M]-R_f)+R_f$$

$$\underbrace{E[R_i]-R_f}_{\text{資産}i\text{のリスクプレミアム}}=\beta_i(E[R_M]-R_f)$$

ただし、$E[R_i]$：資産iの期待収益率、$E[R_M]$：マーケット・ポートフォリオの期待収益率、β_i：資産iのベータ、R_f：安全資産収益率（リスクフリー・レート）。

したがって、資産iの期待リターンはベータに比例せず、リスクプレミアムがベータに比例する。

例題11 《2016（春）. 6．Ⅰ．3》

ＣＡＰＭが想定する市場の均衡状態を前提とする次の記述のうち、正しくないものはどれですか。

A　資本市場線の傾きは、市場ポートフォリオのシャープ・レシオに等しい。

B　資本市場線の下側に位置する資産が存在する。

C　証券市場線の傾きは、市場ポートフォリオのリスクプレミアムに等しい。

D　証券市場線の下側に位置する資産が存在する。

解答 D

解　説

「市場の均衡状態」というのがポイント。期待収益率が証券市場線（ＳＭＬ）上になければＣＡＰＭの均衡状態ではない。

Ａ　正しい。ＣＡＰＭで資本市場線（ＣＭＬ）は市場にリスク資産と無リスク資産が存在する場合の「効率的ポートフォリオ」を描いたものであり、効率的ポートフォリオは市場ポートフォリオと無リスク資産の組合せである。資本市場線上の効率的ポートフォリオPの期待収益率は、

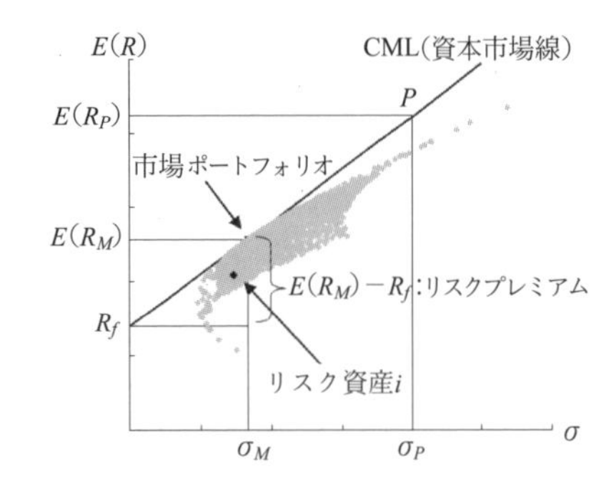

$$E[R_P]=\underbrace{\frac{E[R_M]-R_f}{\sigma_M}}_{\text{傾き}}\times\sigma_P+R_f$$

であり、資本市場線の傾きは市場ポートフォリオのシャープ・レシオに等しい。

Ｂ　正しい。ＣＡＰＭでは効率的ポートフォリオは資本市場線上にあり、それ以外の大半の資産は資本市場線の下側に存在する。

Ｃ　正しい。証券市場線は資産iのベータ（リスク）に対応した均衡収益率を描いたものである。資産iの均衡期待収益率は、

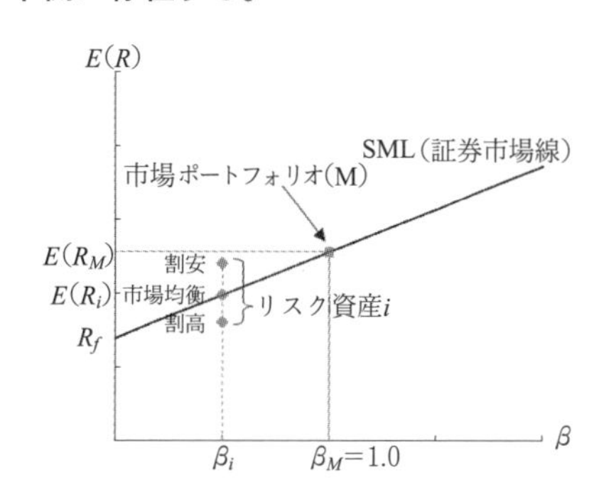

$$E[R_i] = \underbrace{(E[R_M]-R_f)}_{\text{傾き}} \times\beta_i + R_f$$

であり、証券市場線の傾きは市場ポートフォリオのリスクプレミアムである。

Ｄ　正しくない。期待収益率が証券市場線上になければ均衡状態ではなく、証券市場線よりも上側に位置すれば割安、証券市場線よりも下側に位置すれば割高である。「市場の均衡状態を前提とする」わけだから、証券市場線よりも下側に位置する資産は存在しない。

6　マーケット・モデル

Point ①　マーケット・モデル

$$R_i = \alpha_i + \beta_i R_M + e_i$$

ここで、

R_i　：個別証券iの投資収益率

α_i　：個別証券iの固有の値（定数）

β_i　：市場から受ける個別証券iへの影響の大きさ（定数）

R_M　：市場全体を表すポートフォリオ（M）の投資収益率

e_i　：R_Mの変動によって説明できない個別証券iに固有の動き

（仮定）

$e_i \sim N(0, \sigma_{ei}^2)$　：残差項は期待値０、分散σ_{ei}^2（一定）の正規分布に従う。

$Cov(e_i, R_M) = 0$　：個別証券の残差項は市場全体の収益率と無相関である。

$Cov(e_i, e_j) = 0$　$(i \neq j)$　：異なる個別証券の残差項は互いに無相関である。

Point ②　個別証券iのリスクとリターン

⑴　**期待投資収益率**

$$E(R_i) = \alpha_i + \beta_i E(R_M)$$

⑵　**個別証券iの分散**

$$\sigma_i^2 = \beta_i^2 \sigma_M^2 + \sigma_{ei}^2$$

σ_i^2　：総リスク

$\beta_i^2 \sigma_M^2$　：市場リスク（システマティック・リスク、市場に連動するリスク）

σ_{ei}^2　：非市場リスク（アンシステマティック・リスク、証券iに固有のリスク）

$$\beta_i = \frac{Cov(R_M, R_i)}{\sigma_M^2} = \frac{\rho_{iM}\sigma_i}{\sigma_M}$$

Point ③ ポートフォリオPのリスクとリターン

(1) 期待投資収益率

$$
\begin{aligned}
E(R_P) &= \sum_{i=1}^{n} w_i E(R_i) \\
&= \sum_{i=1}^{n} w_i \{\alpha_i + \beta_i E(R_M)\} \\
&= \sum_{i=1}^{n} w_i \alpha_i + E(R_M) \sum_{i=1}^{n} w_i \beta_i
\end{aligned}
$$

(2) ポートフォリオPの分散

$$
\begin{aligned}
\sigma_P^2 &= \sum_{i=1}^{n} w_i^2 \left(\beta_i^2 \sigma_M^2 + \sigma_{ei}^2\right) + \sum_{i=1}^{n} \sum_{j=1, j \neq i}^{n} w_i w_j \beta_i \beta_j \sigma_M^2 \\
&= \sum_{i=1}^{n} w_i^2 \beta_i^2 \sigma_M^2 + \sum_{i=1}^{n} \sum_{j=1, j \neq i}^{n} w_i w_j \beta_i \beta_j \sigma_M^2 + \sum_{i=1}^{n} w_i^2 \sigma_{ei}^2 \\
&= \left(\sum_{i=1}^{n} w_i^2 \beta_i^2 + \sum_{i=1}^{n} \sum_{j=1, j \neq i}^{n} w_i w_j \beta_i \beta_j \right) \sigma_M^2 + \sum_{i=1}^{n} w_i^2 \sigma_{ei}^2 \\
&= \left(\sum_{i=1}^{n} \sum_{j=1}^{n} w_i w_j \beta_i \beta_j \right) \sigma_M^2 + \sum_{i=1}^{n} w_i^2 \sigma_{ei}^2 \\
&= \left(\sum_{i=1}^{n} w_i \beta_i \right)^2 \sigma_M^2 + \sum_{i=1}^{n} w_i^2 \sigma_{ei}^2
\end{aligned}
$$

(3) 分散投資の効果

n個の証券に均等割合で投資することを考えると、各個別証券の投資比率w_iは１／nとなる。このとき、ポートフォリオの分散は、次のようになる。

$$
\begin{aligned}
\sigma_P^2 &= \left(\underbrace{\sum_{i=1}^{n} w_i \beta_i}_{=\beta_P} \right)^2 \sigma_M^2 + \sum_{i=1}^{n} w_i^2 \sigma_{ei}^2 \\
&= \beta_P^2 \sigma_M^2 + \frac{1}{n} \underbrace{\frac{1}{n} \sum_{i=1}^{n} \sigma_{ei}^2}_{=\bar{\sigma}_e^2} \\
&= \beta_P^2 \sigma_M^2 + \frac{1}{n} \bar{\sigma}_e^2
\end{aligned}
$$

ここで、$\beta_P^2 \sigma_M^2$は市場リスクであり、$\bar{\sigma}_e^2$／nは非市場リスクである。いま、銘柄数nを限りなく増やしていくと、$\bar{\sigma}_e^2$／nはゼロに近づいていく。このことは、個別証券の総リスクのなかで、非市場リスクは分散投資によって消去可能なリスクであるのに対し、市場リスクは分散投資によっても消去不可能なリスクとなることを意味している。

ポートフォリオの総リスクは、銘柄数を増やすことにより、σ_M^2まで限りなく逓減させることができる。これが**分散投資の効果**である。

図1－6－1　分散投資の効果

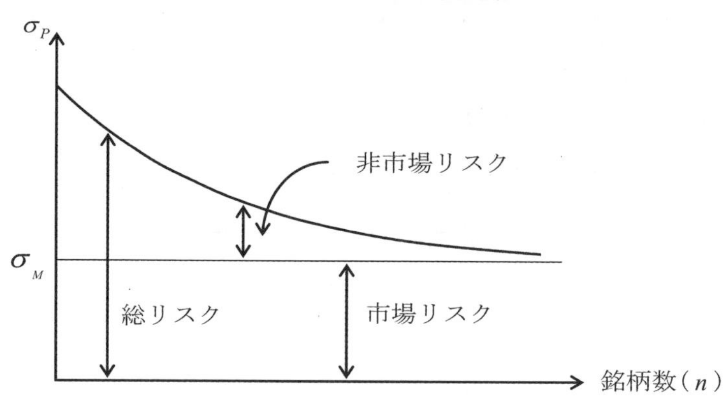

Point ④ 回帰分析とマーケット・モデル

(1) 線型回帰モデル

観測値を用いて、ある変数を他の変数の関数として捉えることを**回帰分析**といい、それらの関係を表したモデルを**線形回帰モデル**という。マーケット・モデルは、ある証券iの投資収益率R_iが、市場全体の投資収益率R_Mと**誤差項**e_iとによって生成される過程を示しており、線形回帰モデルとして捉えることができる。このとき、市場全体の投資収益率R_Mを**説明変数**（または、**独立変数**）と呼び、証券iの投資収益率R_iを**被説明変数**（または、**従属変数**）と呼ぶ。回帰分析では、最小2乗法を使って、α_iとβ_iの値を推定する。

⑵　**決定係数R^2**

$$R^2 = 1-\frac{\sigma_{ei}^2}{\sigma_i^2}$$

$$= \left\{\frac{Cov(R_i, R_M)}{\sigma_i \sigma_M}\right\}^2 = \rho_{iM}^2$$

決定係数R^2は、線形回帰モデルとみなしたマーケット・モデルの**あてはまり具合**を示す尺度として使われる。決定係数R^2は、

$$0 \leqq R^2 \leqq 1$$

の間の値をとり、1に近いほどマーケット・モデルのあてはまりがよく、0に近いほどあてはまりが悪いことを示す。さらに決定係数は、**個別証券の総リスクのうち市場リスクの占める割合**を示している。

⑶　**t検定**

被説明変数を確率変数とみなしたとき、そこで考えている線形回帰モデルにおいて、説明変数がつねに効果をもつ保証はない。そのため計量分析では、説明変数がそのモデルで意味のある変数であるかどうかを確かめることが重要となる。そこで、「モデルに含まれている説明変数が、被説明変数に対してまったく影響を与えない」ということを帰無仮説とした統計的検定を行う必要がある。この統計的検定を**t検定**という。

t検定では、「ある説明変数に対する回帰係数の推定値が真の値である」ということ、例えば真の値が0の場合、

$$H_0 : \beta = 0$$

を帰無仮説として、説明変数の係数βがゼロかどうかを直接検討する。このように回帰係数の値が0と異なるかどうかを判断するためには、回帰係数をその推定誤差で割った相対的な大きさを求め、その相対的な大きさを統計的に検定すればよい。この相対的な大きさを表す検定統計量として、**t値**が用いられる。

推定された回帰係数$\hat{\beta}$のt値は次のようになる（注：ここで、推定された回帰係数$\hat{\beta}$は、平均0、標準偏差σ_β（未知）の正規分布に従う母集団から得られたと仮定する）。

$$t_{\hat{\beta}} = \frac{推定値-「真の値」}{標準誤差} = \frac{\hat{\beta}-0}{s_{\hat{\beta}}}$$

ここで、

$\hat{\beta}$　：推定された回帰係数

$s_{\hat{\beta}}$　：$\hat{\beta}$ の標準誤差

このt値は、自由度が「(データ数h) マイナス (説明変数の個数) マイナス 1」(ここでは、$h-1-1$となる) のt分布に従う。対立仮説が

$$H_1 : \beta \neq 0$$

という両側検定の場合、$|t_{\hat{\beta}}| > k$のときに帰無仮説を棄却するというルールを適用する。帰無仮説が棄却されたとき、その説明変数は対象としているモデルのなかで意味をもつことが統計的基準で判断されたこととなる。ここで、臨界値kが問題となるが、有意水準が5％の両側検定のとき、kは2近辺の値をとるので（例えば、自由度が無限大のとき1.960となる)、実務界では$k=2$と考えることが多い（P.108 t分布表参照)。

例題12

以下の問1から問4に答えよ。

I社株について、マーケット・モデルに基づいて分析を行うこととした。マーケット・モデルは次のように表される。

$$R_I = \alpha + \beta R_M + e$$

ここで、

R_I　：I社株の月次株式投資収益率

α、β　：パラメーター

R_M　：市場全体を表すポートフォリオの投資収益率

e　：攪乱項

ただし、市場全体を表すポートフォリオの投資収益率をTOPIXの投資収益率で代表させることにする。(表) は、このマーケット・モデルの推定結果を示している。

（表）マーケット・モデルの推定結果（×1年1月〜×5年12月）

	α		β
推定値	0.62		1.37
t値	1.14		14.87
サンプル数		60	
決定係数		0.79	
残差の標準偏差		4.18	

問1　（表）の推定結果に従えば、TOPIXが2％変動したとき、I社の株式投資収益率は次のうちどれだけ変動するか。

A　1.37％

B　2.12％

C　2.74％

D　3.36％

問2　I社株の総リスクのうち、市場リスクが占める割合は次のうちどれか。

A　4.18％

B　33％

C　62％

D　79％

問3　表のマーケット・モデルの推定結果に示されている統計値の解釈について、次の記述のうち正しいものはどれか。必要に応じて章末P.93のt分布表を利用せよ。

A　有意水準5％のもとで、α、βともに統計的に有意である。

B　有意水準5％のもとで、α、βともに統計的に有意でない。

C　有意水準5％のもとで、αは統計的に有意であるが、βは統計的に有意でない。

D　有意水準5％のもとで、αは統計的に有意でないが、βは統計的に有意である。

問4　ここで推定されたマーケット・モデルについて、次の記述のうち正しいものはどれか。

A　TOPIXの回帰係数（β）は、I社株のリスクのうちI社に固有の要因に基づくリスクの尺度となる。

B　この分析結果より、I社株はTOPIX（市場全体の動き）よりも相対的にリスクが大きいことがわかる。

C　定数項の回帰係数（α）の推定結果より、I社株はほぼ証券市場線上にあることがわかる。

D　定数項の回帰係数（α）は、市場全体に共通したリターンの尺度となる。

解答　問1　C　　問2　D　　問3　D　　問4　B

解　説

問1　TOPIXの回帰係数（β）の解釈

TOPIXの回帰係数（β）は、個別銘柄の株式投資収益率の動きとTOPIXの変動の関係を示す尺度となっている。例えば、TOPIXが1％変動したとき、個別銘柄の株式投資収益率はβ％変動することとなる。（表）の推定結果に従えば、I社株のβの値は1.37となっており、いまTOPIXが2％変動したとすると、I社の株式投資収益率は2.74％変動することとなる。

問2　決定係数

決定係数は、回帰モデルのあてはまりのよさを表す尺度（統計量）であり、0から1までの範囲の値をとる。ここで推定したマーケット・モデルに対して、決定係数が1に近いことは、個別銘柄の株式投資収益率の動きのうち、TOPIXの動きで説明される割合が大きいことを意味している。さらに、マーケット・モデルにおける決定係数は、個別銘柄の株式の総リスクのうち、市場リスクの占める割合も示している。（表）の推定結果に従えば、決定係数は0.79となっており、I社株の総リスクのうち、市場リスクが占める割合は79%であることがわかる。

問3　t検定

t検定は、独立変数の係数がゼロとなることを帰無仮説とした統計的検定である。データはサンプル数60、回帰係数1つなので自由度は60−1−1＝58。t分布表には自由度58の欄はないが、60とほぼ同じ水準と考えられる。有意水準5%のもとであるから、自由度60とa＝0.025(2a＝0.05)が交わるところがt値の臨界値である。(表)の回帰分析の結果から、定数項（α）とTOPIXの回帰係数（β）のt値がそれぞれ2.00以上となっているかどうかをみてみると、βだけが帰無仮説を棄却していることがわかる。このことより、有意水準5%のもとで、αは統計的に有意ではないが、βは統計的に有意であることがわかる。

自由度 ＼ a 2a	.250 (.500)	.200 (.400)	.150 (.300)	.100 (.200)	.050 (.100)	.025 (.050)	.010 (.020)	.005 (.010)	.0005 (.0010)
⋮									
40	.681	.851	1.050	1.303	1.684	2.021	2.423	2.704	3.551
50	.679	.849	1.047	1.299	1.676	2.009	2.403	2.678	3.496
60	.679	.848	1.045	1.296	1.671	2.000	2.390	2.660	3.460
70	.678	.847	1.044	1.294	1.667	1.994	2.381	2.648	3.435
⋮									

問4　マーケット・モデルの性質

A，B　リスク尺度としてのβ

個別銘柄の株式のリスクは、その銘柄固有の要因に基づいた非市場リスクと、市場全体に共通する要因に基づいた市場リスクに分解される。βは、このうち、市場リスクの尺度となる。いま、ある個別銘柄株のβの値が1.3であるとすると、市場全体の投資収益率の変動率が1%のとき、その個別銘柄株の投資収益率は1.3%変動することとなり、市場全体の値動きよりも3割ほど大きく変動することとなる。このため、次のような関係がいえる。

β＞1のとき　その銘柄株は、市場ポートフォリオ（市場全体）よりも相対的にリスクが大きい。

$\beta<1$のとき　その銘柄株は、市場ポートフォリオ（市場全体）よりも相対的にリスクが小さい。

C，D　定数項α

マーケット・モデルにおけるαは、個別銘柄の株式に固有の値（定数）であり、アンシステマティック・リターン（個別銘柄株に固有のリターン）の一部となる。ここで推定されたマーケット・モデルのβが、若干の仮定をおいたCAPMのβの推定量となっているのに対して、αは、CAPMにおけるαとは異なったものとなっている。このため、推定されたαの値がゼロに非常に近くても、または、t検定において帰無仮説が受容されたとしても、その個別銘柄株が証券市場線上にあることを意味しない。

例題13

《2011（秋）．6．Ⅰ．8》

市場リスクと非市場リスクに関する次の記述のうち、正しくないものはどれですか。

A　非市場リスクは、銘柄分散によって削減することができる。

B　個別証券のトータルリスクは、市場リスクと非市場リスクに分解することができる。

C　金利変動リスクは、市場リスクと考えることができる。

D　均衡において、非市場リスクが大きいほど、リスクプレミアムは大きくなる。

解答　D

解　説

A　正しい。ポートフォリオの組み入れ資産の数を増やすこと（銘柄分散）によって、非市場リスクは削減ないし消去することができる。

B　正しい。マーケット・モデルによるリスクの分解は以下の通り。

$$\underbrace{\sigma_i^2}_{\text{トータルリスク}} = \underbrace{\beta_i^2\sigma_M^2}_{\text{市場リスク}} + \underbrace{\sigma_{\varepsilon i}^2}_{\text{非市場リスク}}$$

ただし、σ_i：個別証券iのリターンの標準偏差、β_i：個別証券iのベータ、σ_M：マーケット・ポートフォリオのリターンの標準偏差、$\sigma_{\varepsilon i}$：個別証券iの残差の標準偏差。

C　正しい。

D　正しくない。均衡においてはCAPMが成立し、市場リスク（β）が大きいほどリスクプレミアムは大きくなる。

$$\underbrace{E[R_i]-R_f}_{\text{資産}i\text{のリスクプレミアム}} = \beta_i(E[R_M]-R_f)$$

ただし、$E[R_i]$：資産iの期待収益率、$E[R_M]$：マーケット・ポートフォリオの期待収益率、β_i：資産iのベータ、R_f：安全資産収益率（リスクフリー・レート）。

7　マルチ・ファクター・モデル

CAPM（資本資産評価モデル）やマーケット・モデルは、1つのファクターである証券（ポートフォリオ）の収益率を説明しようとするものであったが、複数のファクターで説明しようとするのがマルチ・ファクター・モデルである。

マルチ・ファクター・モデルについては、S. Rossによる**裁定価格理論（APT）**を中心に整理しておきたい。

Point ①　マルチ・ファクター・モデルの基本

いま、ある証券i（$i=1,2,\cdots,n$）の収益率をR_iとし、この証券の収益率が各証券にも共通のk個のファクターであるF_j（$j=1,2,\cdots,k$）の1次関数として、

$$R_i=a_i+b_{i1}F_1+b_{i2}F_2+\cdots+b_{ik}F_k+e_i$$

ただし、a_i：証券iに固有の定数、

b_{ij}：証券iの第j共通ファクターに対する感応度（エクスポージャー）、

e_i：証券iに固有の撹乱項（期待値0）

で表されるものとする。

これらの証券からなるポートフォリオの収益率R_Pは、

$$R_P=w_1R_1+w_2R_2+\cdots+w_nR_n=\sum_{i=1}^{n}w_iR_i$$
$$=\sum_{i=1}^{n}w_i(a_i+b_{i1}F_1+b_{i2}F_2+\cdots+b_{ik}F_k+e_i)$$
$$=\sum_{i=1}^{n}w_i(a_i+e_i)+\sum_{j=1}^{k}(w_1b_{1j}+w_2b_{2j}+\cdots+w_nb_{nj})F_j$$

で表せるから、このポートフォリオのj番目のファクターに対する感応度b_{Pj}は次のように表せる。

ポートフォリオのファクター感応度

$$b_{Pj}=w_1b_{1j}+w_2b_{2j}+\cdots+w_nb_{nj}=\sum_{i=1}^{n}w_i\,b_{ij}$$

＝（各証券への投資比率×ファクター感応度）の合計

マルチ・ファクター・モデルを仮定して回帰分析を行う場合、説明変数を何にするかが問題となる。

Point ② APT（裁定価格理論）

(1) APT

マルチ・ファクター・モデルにおける均衡モデルとして、S. RossによるAPT（裁定価格理論）がある。

APT（Arbitrage Pricing Theory、裁定価格理論）は、無裁定理論を用いたリスクの価格決定の考え方である。

前ページのマルチ・ファクター・モデルにおいて、第jファクターのファクター・ポートフォリオ（そのファクターの感応度がちょうど1で、その他のファクターの感応度がすべて0であるようなポートフォリオ）のリスク・プレミアムをλ_jで表すと、無裁定理論が成立すれば、各証券の期待収益率は次のように表せる。

APT（裁定価格理論）

$$E[R_i] = R_F + b_{i1}\lambda_1 + b_{i2}\lambda_2 + \cdots + b_{ik}\lambda_k$$
$$= R_F + \sum_{j=1}^{k} b_{ij}\lambda_j$$

ポートフォリオの期待収益率

＝無リスク利子率＋（ファクター感応度×リスク・プレミアム）の合計

(2) APTのファクター

マルチ・ファクター・モデルないしはAPTに従う場合、資産の収益率はファクターのリターンに影響を受ける。しかし、ファクターは具体的に何かとなった場合、理論モデルとしてのAPTからは、何を変数とするかは明らかにはならない。実際に変数として何を選択するかは、分析者によって重要な課題となる。以下には、代表的なものとして、APTの提唱者であるロスらによるマクロファクター・モデルと、効率的市場仮説で有名なファーマらによる3ファクター・モデルとをあげる。

(a)　チェン＝ロール＝ロスによるマクロファクター・モデル

マクロファクターのプレミアム

	鉱工業生産	インフレ予測変化	インフレ変化	リスクプレミアム	タームプレミアム
リスクプレミアム（λ）	13.589%	−0.125%	−0.629%	7.205%	−5.211%
（t 値）	(3.561)	(−1.640)	(−1.979)	(2.590)	(−1.690)

出所：Nai-fu Chen, Richard Roll, and Stephen A. Ross, 1986, Economic Forces and the Stock Market, *Journal of Business* 59, 383-403

ロスらによるマクロファクター・モデルでは、次のようなファクターが取り上げられ、解釈が加えられている。

1)　鉱工業生産ファクター：鉱工業生産の変化率

係数（エクスポージャー）が1上昇すれば、このファクターから上乗せされる期待リターンは約13.6%である。鉱工業生産の増減というリスク要因に対して、市場参加者は高い期待リターンを要求している。

2)　インフレ予測変化ファクター：期待インフレ率の変化

インフレは実質的な購買力の低下につながる。インフレ予測変化ファクターに対するリスクプレミアムは−0.125%と負の値になっており、株式保有が他の資産の実質価値額の低下に対するヘッジになると市場参加者が考えているとすれば、インフレ予測変化ファクターによる期待リターンの低下を許容していると言える。

3)　インフレ変化ファクター：予期せぬインフレ率の変化

インフレ予測変化ファクター同様、インフレ変化ファクターに対するリスクプレミアムは−0.629%と負の値になっている。

4)　リスクプレミアム・ファクター：低格付債券と国債のリターンの差

低格付債券と国債のリターンの差の拡大は、リスク回避度とリスク水準の変化を反映していると言える。リスクプレミアム・ファクターに対するリスクプレミアムは7.205%と正の値になっており、リスク回避度とリスク水準の変化に対して、市場参加者は高い期待リターンを要求している。

5)　タームプレミアム・ファクター：長期国債と短期国債のリターンの差

　タームプレミアム・ファクターに対するリスクプレミアムは－5.211%と負の値になっており、エクスポージャーがプラスの株式の期待リターンを低下させる。長期債リターンが上昇、つまり金利低下時には株式価格が高くなるのは当然であるため、エクスポージャーがプラスの株式はマイナスのものに比べて魅力に乏しい。

(b)　ファーマ＝フレンチによる3ファクター・モデル

ファーマ＝フレンチのファクター・プレミアム

	マーケット	SMB	HML
リスクプレミアム（λ）	5.92%	3.94%	4.47%

出所：小林孝雄•芹田敏夫著　日本証券アナリスト協会編「新•証券投資論〔Ⅰ〕理論編」日本経済新聞出版社　2009年

　ファーマらによる3ファクター・モデルでは、次のようなファクターが取り上げられている。

1．マーケット・ファクター：株式マーケット・ポートフォリオのリターンと無リスク利子率の差

2．サイズ・ファクター（SMB）：小型株と大型株のリターンの差

3．バリュー・ファクター（HML）：バリュー株（割安株：簿価・時価比率の高い株式）とグロース株（成長株：簿価・時価比率の低い株式）のリターンの差

　しかし、なぜ小型株やバリュー株にプレミアムがつくのかについては、いまだに議論が継続中である。

例題14

《1997. 2・2次試験》

APT（裁定価格理論）に立脚したマルチ・ファクター・モデルに基づいて株式ポートフォリオの運用を行っている。ファクターとして、鉱工業生産指数、マーケットリスク、原油価格、株式時価総額の4つの変数が選ばれている。

次表は、各ファクターに対するリスク・プレミアムと代表的な4社の株式のエクスポージャーを示したものである。

ファクターに対するリスク・プレミアムとエクスポージャーの大きさ

ファクター	エクスポージャー				リスク・プレミアム(%)
	A社	B社	C社	D社	
鉱工業生産指数	0.71	0.93	−0.29	1.19	0.65
マーケットリスク	0.92	0.68	1.12	0.75	7.86
原油価格	−0.45	−0.87	0.59	−0.23	0.43
株式時価総額	1.41	−0.12	0.48	0.38	−0.27

問1　無リスク利子率を1.5%とすると、A社の株式の期待収益率はいくらになるか（解答は%単位とし、小数第2位を四捨五入せよ）。

問2　自己資金をA社とC社に投資してマーケットリスクのエクスポージャーを1とするには，どのような割合で資金配分すればよいか。

解答　問1　8.6%　　問2　A社：60%　　C社：40%

解　説

問1　期待収益率

APTの式に数値をそのままあてはめればよい。

$$E(R_A) = R_F + b_{A,鉱}\lambda_{鉱} + b_{A,マ}\lambda_{マ} + b_{A,原}\lambda_{原} + b_{A,株}\lambda_{株}$$

$$= 1.5\% + 0.71 \times 0.65\% + 0.92 \times 7.86\%$$

$$+ (-0.45) \times 0.43\% + 1.41 \times (-0.27\%)$$

$$= 8.6185\%$$

ただし、R_F：無リスク利子率、$b_{A,j}$：A社株式のファクターjのエクスポージャー、λ_j：ファクターjのリスクプレミアム、j＝{鉱工業生産指数、マーケットリスク、原油価格、株式時価総額}。

問2　エクスポージャーの調整

エクスポージャーの調整　0.92A＋1.12C＝1

投資比率は合計100%　A＋C＝1

0.92×A＋1.12×(1－A)＝1

A、Cへの投資比率　A＝0.6、C＝0.4

例題15

《2016（春）．6．Ⅰ．4》

ファーマ＝フレンチの3ファクター・モデルのファクター・プレミアムが図表1の通り、あるポートフォリオのファクター・エクスポージャーが図表2の通りである。APTを前提とすると、このポートフォリオのリスクプレミアム（＝期待リターン－リスクフリー・レート）はいくらか。

図表1　ファクター・プレミアム

	マーケット	サイズ	バリュー
プレミアム	2.00%	1.00%	1.50%

図表2　あるポートフォリオのファクター・エクスポージャー

	マーケット	サイズ	バリュー
エクスポージャー	1.05	0.10	−0.09

A　−0.5%

B　0.3%

C　1.0%

D　1.8%

E　2.1%

解答 ▶ **E**

解　説

APT（裁定価格理論）を前提とするファーマ＝フレンチ３ファクター・モデルは以下の通り。

$$E[R_P]-R_f=\underbrace{\beta_{p,MKT}\,f_{MKT}}_{\text{マーケット}}+\underbrace{\beta_{p,SMB}\,f_{SMB}}_{\text{サイズ}}+\underbrace{\beta_{p,HML}\,f_{HML}}_{\text{バリュー}}$$

ただし、f_i：ファクター・プレミアム（図表１）、$\beta_{p,i}$：あるポートフォリオpのファクター・エクスポージャー（図表２）。

添え字iは、MKT：マーケット・ファクター（市場）、SMB：サイズ・ファクター（時価総額）、HML：バリュー・ファクター（PBR）であり、上記式に数値を代入する。

$$\underbrace{E[R_P]-R_f}_{\text{リスクプレミアム}}=1.05\times2.00\%+0.10\times1.00\%-0.09\times1.50\%=2.065\%\approx2.1\%$$

なお、f_i：ファクターのファクター・プレミアム（図表１）の具体的内容は以下の通り。

マーケット　$f_{MKT} \equiv R_{MKT} - R_f$

サイズ　$f_{SMB} \equiv R_{Small} - R_{Big}$　(Small Minus Big)

バリュー　$f_{HML} \equiv R_{High} - R_{Low}$　(High Minus Low)

ただし、R_{MKT}：市場インデックスのリターン、R_f：リスクフリー・レート、R_{Small}：小型株インデックスのリターン、R_{Big}：大型株インデックスのリターン、R_{High}：高BPR（バリュー株）インデックスのリターン、R_{Low}：低BPR（グロース株）インデックスのリターン。大型株・小型株＝時価総額の大小、BPR（純資産株価倍率）＝PBRの逆数。

例題16

《2023（春）．5．Ⅰ．5》

APT（裁定価格理論）に関する次の記述のうち、正しいものはどれか。

A　APTでは、多数の銘柄を含む大規模なポートフォリオを構築しても、ポートフォリオの固有リスクは無視できないと想定されている。

B　APTで想定される資産価格のもとでは、投資金額（元手）がゼロであるポートフォリオからプラスの利益を獲得することはできない。

C　APTでは、ファクター・エクスポージャーが変動することにより、証券価格が変化すると想定している。

D　APTは、平均・分散アプローチに基づいて行動する投資家を想定し、どのように資産価格が決定されるかを分析するモデルである。

解答　B

解　説

A　正しくない。APT（裁定価格理論）では、多数の銘柄を含む大規模なポートフォリオを構築することにより分散効果が働き、ポートフォリオの固有リスクは無視することができると考える。

B　正しい。APT が想定する資産価格のもとでは、元手ゼロでプラスの利益を生む裁定取引（arbitrage）はできない。

C　正しくない。APT ではファクター・エクスポージャーによって、証券やポートフォリオのリターンにどの程度の変動が発生するのかが決まり、その変動リスクを負担する対価として期待リターンが決まる。

D　正しくない。平均・分散アプローチに基づいて行動する投資家を想定して、どのように資産価格が決定されるかを分析するモデルは CAPM（資本資産評価モデル）である。

8　ポートフォリオ・マネジメントと評価

Point ①　ポートフォリオ・マネジメント・プロセス

ポートフォリオとは、複数の資産を組み合わせたものであり、協会通信テキストによれば、実務上のポートフォリオは3層構造で管理されることが多いという。

- アセット・ミックス：複数の資産クラスで構成されたポートフォリオ
- マネジャー・ミックス：ある資産クラス内で、複数のマネジャーで構成されたポートフォリオ
- 個別証券ポートフォリオ：ある資産クラス内で、あるマネジャーの投資戦略に従って構築された個別銘柄ポートフォリオ

図1－9－1　ポートフォリオ・マネジメント・プロセス

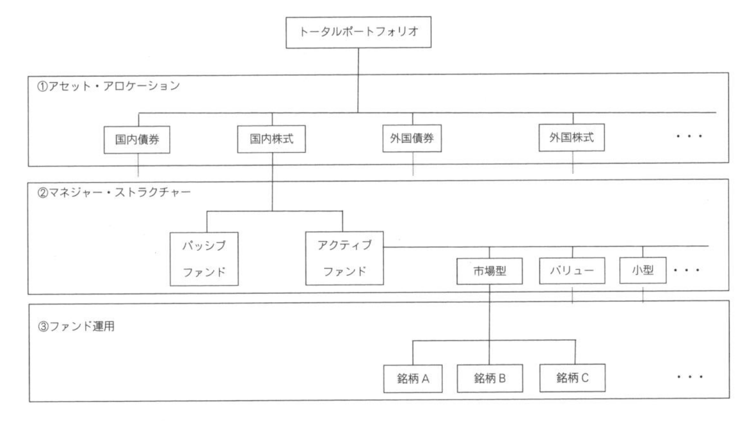

出所：野村證券作成

1．投資目的や目標リターン、制約条件などを投資政策として明文化し、どの資産クラスにどれだけの資金を配分するかという戦略的アセット・アロケーションを決定する。

2．この戦略的アセット・アロケーションを実行するために、各マネジャーに対する運用資金の配分を決め、以下のようなマネジャー・ストラクチャーの策定と管理を行う。

①　資産クラスのベンチマークに沿ってパッシブ運用を行うか、ベンチマーク

を上回る収益率を狙うアクティブ運用を行うか。

② アクティブ運用の場合、さまざまな投資スタイルや運用手法の複数のマネジャーをどのように組み合わせれば、各資産クラスでポートフォリオを最適化できるか。

3．運用を委託されたマネジャーが、指定された資産クラス内で組み入れ銘柄を選定しポートフォリオを策定、売買を執行する。

Point ② 戦略的アセット・アロケーション

⑴ 将来の期待リターンの推計

さまざまな資産クラスの過去のリターンに関する調査では、以下のようなことが明らかになっている。

① 平均リターンは計測時期によって、大きく異なる結果が得られている。

② リスク（リターンの標準偏差）は計測時期にかかわらず比較的安定しているとされる。ただし、一時的な暴落があると上昇する。

③ リターンの相関係数も比較的安定しているとされる。ただし、経済構造の変化などによって変わることがある。

戦略的アセット・アロケーションの策定に必要な、各資産クラスの将来のリターン、標準偏差、相関係数のうち、標準偏差と相関係数についてはヒストリカル・データを用いてさほど大きな問題は生じないとされるが、リターンの予測は非常に難しい。

⑵ 期待リターンの推計方法

想定するポリシー・アセットミックスの期間が長期である年金運用では、これまでは長期の平均リターンを期待リターンとして使用するケースが多かった。しかし最近では、長期のリターンでも水準が変化することが知られるようになり、将来予測に基づく推計方法が採用されるようになってきた。期待リターンの推計方法としてよく用いられるものに、ビルディングブロック法がある。

株式の期待リターンを推計する場合は、

期待リターン＝物価上昇率＋実質短期金利＋株式リスクプレミアム

と、要素を３つに分け、個々の要素を推計し、合計することで期待リターンが求められる。

うち、株式リスクプレミアムの推計手法には、次表のような３つの手法がある。

株式リスクプレミアムの推計手法

	①サーベイ・プレミアム	②ヒストリカル・プレミアム	③インプライド・プレミアム
方法	一般投資家やポートフォリオ・マネジャーを対象にしてリスクプレミアム水準のサーベイ（調査）を実施して集計する手法	TOPIX等の市場インデックスを用いて過去の長期的なリスクプレミアム水準を計測する手法	企業価値評価モデルなどの定量的なモデルを用いてリスクプレミアムを推計する手法
特徴	投資家が要求するリスクプレミアム水準を直接計測することが可能	計算が容易で、客観性が高い	企業の将来キャッシュフローの予測など、フォワードルッキングなリターン推計が可能
留意点	主観的な要素が入らざるを得ず、足元の株価の動きや、調査方法、調査対象に結果が左右されやすく客観性が低い	選択するデータ期間の長さや時期により結果が大きく異なるフォワード・ルッキングな視点は入っていない	モデルの選択や、各種パラメーターの設定により結果が左右されやすい

出所：野村證券作成

また債券の場合には、その価格は金利の影響を受けるため、経済シナリオを用いて期待リターンを推計する、シナリオ・アプローチが用いられる。

例題17 《2023（春）. 6 . Ⅰ . 2》

ポリシー・アセットミックス策定時の期待リターンの推計に関する次の記述のうち、正しくないものはどれか。

A　ビルディング・ブロック法の代表例としては、「株式の期待リターン＝物価上昇率＋実質短期金利＋期間プレミアム」とする方法が挙げられる。

B　企業価値評価モデルなどの定量的なモデルを用いて、市場株価に基づき推計された株式リスクプレミアムは、インプライド・プレミアムと呼ばれる。

C　足元の市場環境や将来の見通しを考慮したうえで期待リターンを推計する手法は、フォワードルッキングなアプローチと呼ばれる。

D　各資産の過去のリターンの平均に基づく推計値は、短期的のみならず長期的に見てもその水準が変化すると考えられている。

解答 A

解　説

A　正しくない。株式の期待リターンをビルディング・ブロック法によって算出する際は、物価上昇率と実質短期金利に株式リスクプレミアムを加えるのが代表的な方法である。

Point ③ 戦略的アセット・アロケーションのプロセス

実務的には、次のような点を考慮しながらアセット・アロケーションを行う。

ＰＬＡＮ（投資政策の策定）

投資家の投資期間、投資目標、制約条件、リスク許容度などを総合的に勘案し、最適な資産配分（アセット・アロケーション）を決定する。

↓

ＤＯ（運用の実行）

投資政策で決定した資産配分を実際に行う。

↓

CHECK（投資成果の評価）

資産運用における投資パフォーマンスの決定要因として、アセット・アロケーションが最も重要である。イボットソンらによる投資パフォーマンスの実証研究において、次のような結論が得られた。

① リターンの時系列変動

実際のファンドの時系列リターンを、ポリシー・アセットミックスから計算されるポリシー・リターンで回帰分析した結果、その決定係数は約90％であった。

② リターンの水準

各ファンドのポリシー・アセットミックスの複利年率リターンを、実際のファンドの複利年率リターンで割ると、その平均は約100％であった。したがって、すべてのファンドのリターンの平均は、ポリシー・アセットミックスから計算されるリターンとほぼ等しいといえる。

↓

ACTION（運用プロセスの対策・改善）

資本市場の期待値や投資家のリスク許容度という前提条件が、政策策定時から変化した場合には、必要に応じてアセット・アロケーションを修正する。

（→ ＤＯへ戻る）

Point ④ 効率的市場仮説

E.Famaによる効率性に関する市場の３分類

情報の種類 ／ ３フォームの効率性	過去の株価系列（チャート分析）	利用可能なすべての公開情報（ファンダメンタル分析）	利用可能なすべての情報（インサイダー取引）
ウィーク・フォーム	×	○	○
セミストロング・フォーム	×	×	○
ストロング・フォーム	×	×	×

○：利用価値あり（市場は織り込んでいない）

×：利用価値なし（市場は織り込んでいる）

Point ⑤ アノマリー

効率的市場仮説に反する変則性。一定の規則性が観察されるが、理由が未だ不明なものをいう。

ex. PER効果…低PERの株式は高PERの株式に比べて高い収益率を上げていること。

PBR効果…低PBRの株式は高PBRの株式に比べて高い収益率を上げていること。

規模効果…企業規模（時価総額）の大きい企業（大型株）よりも小さい企業（小型株）の投資収益率の方が高い傾向にあること。

Point ⑥ 運用形態

- アクティブ運用：「市場は効率的でない」＝アノマリーなどを利用することにより市場平均を上回るパフォーマンスが得られる
- パッシブ運用：「市場は効率的」＝市場平均を上回るパフォーマンスは得られない

⇨インデックス・ファンドなど

Point ⑦ パッシブ運用

パッシブ運用とは、特定のベンチマークのリスクとリターンを再現することを目的とする運用であり、ベンチマークは市場インデックス、あるいはそのサブ・インデックスの中から選ばれる。インデックスは市場全体の動きを代表するものという特性上、得られるリターンも平均的なものになる。

⑴　パッシブ運用の合理性

あえてベンチマークを上回るアクティブ・リターンを狙わず、当初から平均的なリターンを目標とする理由として、以下のようなことが指摘される。

①　CAPMの存在

CAPMによれば、リスク資産のポートフォリオとしては真の市場ポートフォリオのみが効率的ということになる。真の市場ポートフォリオが特定不可能であるとしても、株式市場の大部分の銘柄で構成される市場インデックスであれば、真の市場ポートフォリオに近似できると考えられる。したがって、市場インデックスをベンチマークとし、このリターンを再現することが最も効率的な運用となる。

②　実証分析結果の影響

市場インデックスに勝ち続けたファンドが存在せず、多くのファンドがインデックスを下回るパフォーマンスしか上げられていないという実証分析結果の影響が考えられる。

アクティブ運用によりインデックスを上回るには、市場の上昇に追随し下落を回避するといったタイミング能力や、アルファ（アクティブ・リターン）の獲得が期待できる銘柄の選択能力が必要となり、情報入手・分析、意思決定、売買執行に伴う運用コストがパッシブ運用に比べ高くなる。こういったコストをかけてもインデックスを上回ることが困難であるならば、はじめからインデックスと同じ結果を狙うべきである。

⑵　パッシブ運用の手法

前述の通り、パッシブ運用とは特定のベンチマーク、つまり特定のインデックスのリスクとリターンを再現することを目的とする運用であり、このように設計されたポートフォリオをインデックス・ファンドと呼ぶ場合がある。パッシブ運用におけるポートフォリオの構築方法について、協会通信テキストでは、**a）完全法**、**b）層化抽出法**、**c）最適化法**がとり上げられている。

a）完全法

ベンチマークに含まれるすべての銘柄をベンチマークと同じウェイトで組み入れ、アクティブ・ウェイトをゼロにする。ベンチマークの構成に異動があった場合には、それに応じて銘柄の入替えやウェイト調整を行って、アクティブ・ウェイトをゼロに維持し続ける。

極めて単純で、ポートフォリオの構築・メンテナンスができれば確実性が高いが、実際には困難である。それは、以下のような事柄がトラッキング・エラーを増加させ、とくに取引コストはパフォーマンスの劣化を引き起こすためである。

① 市場インデックスは、その計算において取引コストが考慮されていないが、実際にはポートフォリオ構築の段階で取引コストが発生する。

② 流動性などの問題から、売買価格がベンチマークの計算に用いられる価格とは必ずしも一致しない。

③ 最低取引単位でしか売買できないためベンチマークでの正確なウェイト通りの売買は困難である。

④ ベンチマークの構成銘柄に異動が起こった場合、あるいは資本異動などによりベンチマークにおけるウェイトが変化した場合、ポートフォリオのリバランス（ウェイト調整）を行う必要があるが、その度に売買価格と計算価格の不一致や取引コストが発生する。

⑤ 特に債券インデックスは一般的に構成銘柄が非常に多く、債券運用の場合は全ての銘柄をポートフォリオに組み入れることは難しい。

上記の理由から、完全法によるパッシブ・ポートフォリオの構築は非常に困難である。このため、実際にはベンチマーク構成銘柄の中から一部だけを取り出してポートフォリオを構築する。この手法は、協会通信テキストではb)層化抽出法とc)最適化法に分類されている。

b)　層化抽出法（サンプリング法）

ベンチマーク構成銘柄を、リターンを特徴づける特性を基準に、いくつかの部分集合に分割する。次に各部分集合からその集合の動きを代表する銘柄を抽出し、各部分集合の時価総額に応じた額だけポートフォリオに組み入れる。

c)　最適化法

ポートフォリオの銘柄構成比率がベンチマークとは異なるためトラッキング・エラーが生じるが、これをゼロに近づけることによりポートフォリオをインデックスに近似させる方法。パラメータの数を絞り込んだファクター・モデルを使って、数理計画法によりトラッキング・エラーを最小化する最適ポートフォリオを導く。

Point ⑧ パフォーマンス評価

(1) 収益率の尺度

① 金額加重収益率（r_d）

$$V_0+\sum_{i=1}^{n-1}\frac{C_i}{(1+r_d)^{t_i}}-\frac{V_n}{(1+r_d)^{t_n}}=0$$

V_0：測定期間の期初におけるポートフォリオ価値

C_i：測定期間中、i番目に発生したキャッシュ・フロー（追加は＋、引出は－）

V_n：測定期間の期末におけるポートフォリオ価値

t_i：期初からi番目のキャッシュ・フロー発生までの期間

② 時間加重収益率（r_t）

$$r_1=\left(\frac{V_1}{V_0}\times\frac{V_2}{V_1+C_1}\times\frac{V_3}{V_2+C_2}\times\cdots\times\frac{V_n}{V_{n-1}+C_{n-1}}\right)^{\frac{1}{t_n}}-1$$

V_0：測定期間の期初におけるポートフォリオ価値

V_i：i番目のキャッシュ・フロー発生直前のポートフォリオ価値（$i=1, 2, \cdots, n-1$）

C_i：測定期間中、i番目に発生したキャッシュ・フロー（追加は＋、引出は－）

V_n：測定期間の期末におけるポートフォリオ価値

t_n：測定期間

③ 修正ディーツ法による収益率（r_a）

$$r_a=\frac{V_t-V_{t-1}-NCF_t}{V_{t-1}+FW_t}$$

V_{t-1}：測定期間の期初におけるポートフォリオの価値

NCF_t：測定期間に発生したネットキャッシュフロー

FW_t：測定期間中のキャッシュフローとその発生期間との積和

V_t：測定期間の期末におけるポートフォリオの価値

金額加重収益率はポートフォリオそのもののパフォーマンスの評価には適しているが、運用担当者の運用能力を評価するのには適していない。これに対して、時間加重収益率はキャッシュ・フローや単位期間の収益率の順序の影響を中立化させ、運用者の運用成績を測定するのに適している。精密な時間加重収益率の測定法は日次厳密法とも呼ばれ、日々の時価評価が必要なため実務における負担が重い。このため、修正ディーツ法と呼ばれる時間加重収益率の近似値を求める簡便法が用いられる。

(2) リスク調整後収益率測度

① シャープの測度

$$\theta_S = \frac{R_P - R_f}{\sigma_P}$$

② トレイナーの測度

$$\theta_T = \frac{R_P - R_f}{\beta_P}$$

③ ジェンセンのアルファ

$$\alpha = R_P - [R_f + (R_M - R_f)\beta_P]$$

$$= R_P - CAPM$$

R_P　：ポートフォリオの収益率

R_f　：無リスク利子率

σ_P　：ポートフォリオの収益率の標準偏差

β_P　：ポートフォリオのベータ

R_M　：市場ポートフォリオの収益率

④ 情報比（インフォメーション・レシオ、IR）

$$IR = \frac{\alpha}{\omega}$$

α：ポートフォリオのアクティブ・リターン（超過リターン）

ω：ポートフォリオのアクティブ・リスク

なお計算問題では、次の関係を使う場合がある。

α＝ポートフォリオの超過収益率

＝r_P（ポートフォリオ・リターン）－r_B（ベンチマーク・リターン）

ω＝TE（トラッキング・エラー）＝$\sqrt{s_P^2 + s_B^2 - 2\rho_{PB}s_Ps_B}$

s_P　：ポートフォリオ・リターンの標準偏差

s_B　：ベンチマーク・リターンの標準偏差

ρ_{PB}：ポートフォリオ・リターンとベンチマーク・リターンの相関係数

運用資産が複数の投資家（ないしは運用機関）によって運用されている場合、リスク指標としては標準偏差を使用するよりもベータの方がよい。したがって、このような場合は、トレイナーの測度あるいはジェンセンのαが適している。

また、リスクの異なる資産を比較するような場合は、ジェンセンのαといった証券市場線からの距離による比較ではなく、リスク1単位当たりのリスクプレミアムにより比較すべきである。したがって、このような場合は、シャープの測度やトレイナーの測度が適している。

そして、情報比はアクティブ運用のパフォーマンス評価に使用されるが、アクティブ運用をする上で取ったリスクに対し、どれだけ超過収益を得ているかという効率性を表す。

例題18　**パフォーマンス評価に関する以下の設問に解答せよ。**

問1　A氏、B氏ともにTOPIX完全連動型のインデックス・ファンドを2年間運用した。当初の設定金額はいずれも100万円であったが、1年後にA氏のファンドからは50万円の資金引き出しがあり、B氏のファンドには100万円の追加出資があった。

2年間のTOPIXの動きは以下のとおりである。

	当初	1年後	2年後
TOPIX	1500	1350	1620

(1)　A氏、B氏のファンドの金額加重収益率を計算せよ。

(2)　A氏、B氏のファンドの時間加重収益率を計算せよ。

問2　以下のデータから、ファンドAについてシャープの測度、トレイナーの測度、ジェンセンのαを計算せよ。

	収益率	標準偏差	β
ファンドA	13.0%	15.0%	1.20
インデックス	12.0%	10.0%	1.00
無リスク資産	5.0%	0.0%	0.00

解答

問1	(1) A氏 −1.35%	B氏 +9.06%	
	(2) A氏 +3.92%	B氏 +3.92%	
問2	シャープの測度	0.533	
	トレイナーの測度	6.67	
	ジェンセンのα	−0.4%	

解 説

問1 TOPIXのパフォーマンスは1年目が−10%、2年目が+20%であるから、2人のファンドの状態は以下のようになる。

	当初	−10%	1年後	+20%	2年後
TOPIX					
A氏	100万円	→	90万円 (−50万円) 40万円	→	48万円
B氏	100万円	→	90万円 (+100万円) 190万円	→	228万円

(1) 金額加重収益率 r_d

A氏：$100+\dfrac{-50}{1+r_d}=\dfrac{48}{(1+r_d)^2}$ $\qquad 100+\dfrac{-50}{R}=\dfrac{48}{R^2}$

$$100R^2-50R-48=0$$

$$R=\frac{-(-50)+\sqrt{(-50)^2-4\times 100\times(-48)}}{2\times 100}$$

$$=0.98654\cdots\approx 0.9865$$

$$r_d=R-1=0.9865-1\approx -1.35\%$$

B氏：$100+\dfrac{+100}{1+r_d}=\dfrac{228}{(1+r_d)^2}$ $\qquad 100+\dfrac{+100}{R}=\dfrac{228}{R^2}$

$$100R^2+100R-228=0$$

$$R=\frac{-100+\sqrt{100^2-4\times100\times(-228)}}{2\times100}$$

$$=1.09059\cdots\approx1.0906$$

$$r_d=R-1=1.0906-1\approx9.06\%$$

(2)　時間加重収益率 r_t

A氏：$r_t=\left(\frac{90}{100}\times\frac{48}{40}\right)^{\frac{1}{2}}-1=\sqrt{(1-0.10)\times(1+0.20)}-1$

$$=0.039230\cdots\approx3.92\%$$

B氏：$r_t=\left(\frac{90}{100}\times\frac{228}{190}\right)^{\frac{1}{2}}-1=\sqrt{(1-0.10)\times(1+0.20)}-1$

$$=0.039230\cdots\approx3.92\%$$

すなわち、時間加重収益率は幾何平均計算を行うものである。

問2　シャープの測度：$\theta_S=\frac{R_A-R_f}{\sigma_A}=\frac{13.0-5.0}{15.0}=0.5333\cdots\approx0.533$

トレイナーの測度：$\theta_T=\frac{R_A-R_f}{\beta_A}=\frac{13.0-5.0}{1.20}=6.666\cdots\approx6.67$

ジェンセンの α：$\alpha=R_A-[\beta_A(R_M-R_f)+R_f]$

$$=13.0-[1.20\times(12.0-5.0)+5.0]$$

$$=-0.4\%$$

例題19　アクティブ運用されている、ある株式投資信託とベンチマークのデータは以下の表のとおりである。これを参考にして以下の各問に答えなさい。

	投資収益率（年率%）	投資収益率の標準偏差（年率%）	相関係数
株式投資信託	10	12	0.8
ベンチマーク	8	10	

問１　株式投資信託のベンチマークに対するトラッキング・エラー（超過リターンの標準偏差）はいくらになりますか。

問２　株式投資信託のインフォメーション・レシオはいくらになりますか。

解答　問１　7.2%　　問２　0.28

解　説

問１　トラッキング・エラー（TE）は以下のように求められる。

$$TE = \sqrt{s_P^2 + s_B^2 - 2\rho_{P,B} s_P s_B}$$

$$= \sqrt{0.12^2 + 0.1^2 - 2 \times 0.8 \times 0.12 \times 0.1} = 0.0721\ldots \approx 7.2\%$$

ただし、s_P：ポートフォリオ収益率の標準偏差、s_B：ベンチマーク収益率の標準偏差、$\rho_{P,B}$：ポートフォリオとベンチマーク収益率の相関係数。

問２　インフォメーション・レシオ（IR）は以下のように求められる。

$$IR = \frac{\text{アクティブ・リターン}}{\text{トラッキング・エラー}} = \frac{r_P - r_B}{TE} = \frac{\alpha}{\omega} = \frac{10\% - 8\%}{7.2\%} = 0.277\ldots \approx 0.28$$

⑶　ベンチマーク比較による評価

リスク調整後パフォーマンス測定はCAPMにその理論的根拠を置いているが、CAPMの重要な前提条件が非現実的との批判が高まるにつれて、その有効性に疑問が出てきた。そこでリスクに対する調整が組み込まれたベンチマーク比較によるパフォーマンス評価が急速に普及してきた。

ベンチマークはファンドマネジャーが特別の戦略的洞察を持っていない場合の中立的ポートフォリオの状態をいう。投資戦略を実行することはポートフォリオがベンチマークより乖離することを意味するので、ベンチマーク比較によるパフォーマンス測定は自動的にリスク調整後の測定を行うことになる。

自分のニーズに合うテーラーメイドのベンチマークを**ノーマルポートフォリオ**といい、投資哲学、意思決定過程、運用機関の特性、キャッシュ・ポジション政策その他を基準にして策定される。しかし、いかに注意深くノーマルポートフォリオを策定したとしてもパフォーマンス評価が完全になるわけではない。適切なノーマルポートフォリオを用いることによりファンドマネジャーの評価の誤差は著しく減少するが、評価から運・不運等の偶然性が排除されるわけではない。

●ベンチマークに必要な条件

ベンチマークとなるインデックスには次のような性質が要求される。

良いインデックスの条件

項目	内容
完全性	投資対象とする市場の時価総額、国のカバレッジ、企業の組み入れといった投資機会全体を正確に反映していること
投資可能性	実際に組み入れることのできる銘柄でインデックスが構築されていること（例：海外資産では外国人投資家が投資できない銘柄が除外されていること）
明確で公表されたルールと公明なガバナンス	銘柄入れ替えルールなどインデックス構築方法が公表され、ルールに透明性があること
正確で完全なデータ	リターンおよび構築銘柄に関するデータが正確、完全で即座に利用できること
投資家による支持	インデックスが広く認知され、標準的に利用されていること
リバランス取引の流動性	指数ポートフォリオのリバランスにおいて、クロス取引の機会、デリバティブ等、流動性があり取引コストが低い取引手段があること
低い回転率と取引コスト	構成銘柄の入れ替えによる回転率が低く、インデックスに追随するための取引コストが抑えられていること

出所：ショーンフェルド編「アクティブ・インデックス投資」の第6章をもとに作成

⑷　ユニバース比較の注意点

類似の多数のファンドの中で、特定のファンドの相対的なパフォーマンスに注目する方法を**ユニバース比較**または**ピア比較**という。特定のファンドの相対的パフォーマンスが統計的に意味を持つには、ユニバースを構成するファンドに十分な数が必要である。

ユニバースの分類ではアクティブ、パッシブといった運用スタイルや投資哲学、意思決定ルールなどファンドマネジャーの固有の運用スタイルを考慮してファンドを分類し、相対的パフォーマンス比較を行う。

ユニバース比較を行う場合に次のような点に注意すべきである。

①　残存者バイアス

パフォーマンスの悪いポートフォリオが解約により投資ユニバースからはずされ、結果的に過去に良好なパフォーマンスを残したポートフォリオが多く含まれてしまう。

②　遡及バイアス

新規組入れファンドのリターンを遡及的に算入することによる上方バイアス。マネジャーが（複数のファンドの中から）過去の収益率が高いファンドのデータのみを選択的に提供することによるバイアス、都合の良いデータ期間を選ぶことによるバイアスも含まれる。

③　自己選択バイアス

リターン実績を開示しないファンドが存在することによる上方・下方バイアス。成功したファンドが（新規顧客開拓の必要がないために）データ提供を停止することによる下方バイアスなどがある。

④　分類のバイアス

マネジャーの運用手法や運用対象はさまざまだが、ユニバース分類の数は限られる。ユニバース分類の基準が大まかな場合、実は異質なポートフォリオを同じものとして比較してしまう。

⑤　サンプルのバイアス

ユニバースを構成する際、ユニバースの信頼性確保のためポートフォリオの数を増やすことに重点が置かれてしまう場合がある。同一マネジャーが同一手法で運用する類似のポートフォリオが複数入り、特定マネジャーのバイアスがかかる。

9　機関投資家と個人投資家

Point ① 機関投資家とは

機関投資家は顧客（個人投資家）などから大量の資金を預かり、有価証券など様々な資産に投資する大口投資家である。機関投資家には、運用資産の保有者であるアセットオーナーの側面と、アセットオーナーから資産を預かり、その運用、管理を行うアセットマネジャーの側面がある。個人から、アセットオーナー、アセットマネジャー、証券市場を通じて投資先に資金が渡る投資の流れから、配当などで投資収益が個人に還元される一連の流れは、インベストメント・チェーンと呼ばれる。機関投資家としては、投資顧問会社、投資信託委託会社、年金基金、信託銀行、生命保険会社などがある。

Point ② 機関投資家の運用プロセス

機関投資家は、次のようなプロセスを経て資産運用を行う。

Ⅰ　投資対象とする資産・証券の範囲（投資ユニバース）の決定

Ⅱ　長期的に標準的と考える資産配分（ポリシー・アセットミックスまたは基本ポートフォリオ）の設定

Ⅲ　当面の資産配分（アセット・アロケーション）の決定

Ⅳ　投資候補としている具体的な銘柄や発行体（投資対象銘柄）の分析

Ⅴ　実際の投資銘柄の選定と売買数量（売買案）の決定

Ⅵ　Ⅴを受けた、売買の注文（売買発注）と約定（売買成立）

Ⅶ　売買成立した銘柄に関する支払いと受渡し（決済）

Ⅷ　購入した証券と手元流動性の管理（ファンド管理）

Ⅸ　リスク・リターンなどのポートフォリオの運用結果を調べ、それまでの運用プロセスの効果を分析（パフォーマンス分析）

Ⅹ　Ⅸを受けた、アセット・アロケーションや売買案の再検討（フィードバック）

一連のプロセスのうち、提供できるサービスは機関投資家のタイプによって異なる。投資一任業務ではⅦ、Ⅷ以外のサービスを提供し、Ⅶ、Ⅷの機能は本来の投資家か信託銀行が担う。投資信託委託業等ではⅣ～Ⅵの機能を中心に、運用ファンドに関してⅢ、Ⅸ、Ⅹの機能が提供される。投資助言・代理業務では、Ⅳ、Ⅴに対する情報提供にとどまる。

Point ③　受託者責任（フィデューシャリー・デューティー、fiduciary duty）

受託者責任はフィデューシャリー・デューティー（職業倫理・行為基準では信任義務と訳す）の訳語であり、ポートフォリオ・マネジメントに従事する受託者（フィデューシャリー）が、受益者に負うべき義務をいう。機関投資家はアセットオーナーに代わって、その資産の運用・管理を行うため受託者責任が生じる。受託者責任には受益者の最善の利益を図るよう行動しなければならないとする**忠実義務**と、受託者が専門家として要求される注意、配慮を払い、また専門的な技能を発揮し、さらに勤勉さを発揮することが要求される**注意義務**がある。英米では、**注意義務**を**プルーデント・インベスター・ルール**（思慮ある投資家の準則）と呼ぶ。

フィデューシャリー・デューティー確立のため、金融庁は2017年に「顧客本位の業務運営に関する原則」を公表した。同原則はプリンシプルベース・アプローチを採用し、一部を実施しない場合は実施しない理由の説明が求められる。そして、その目的は金融事業者（金融商品の販売、助言、商品開発、資産管理、運用等を行う全ての金融機関等）が顧客本位の業務運営におけるベスト・プラクティスを目指す上で有用な原則を定めるもので、金融事業者は、顧客本位の業務運営を実現するために明確な方針を策定・公表し、さらにその取組状況を定期的に公表し、見直すものとされる。具体的には、顧客の最善の利益の追求、利益相反の適切な管理、手数料等の明確化、重要な情報の分かりやすい提供、顧客にふさわしいサービスの提供、従業員に対する適切な動機づけの枠組み等が挙げられている。

例題20 《2023（春）．6．Ⅰ．1》

ポートフォリオ・マネジメントにおける受託者責任に関する次の記述のうち、正しくないものはどれか。

A　ポートフォリオ・マネジメントにおける受託者責任は、受託者が受益者に対して負うものである。

B　ポートフォリオ・マネジメントにおける受託者責任は、フィデューシャリー・デューティーに由来する。

C　忠実義務とは、受託者が職務を遂行する際、専ら受益者の利益を考慮し、自己や第三者の利益を図らないことである。

D　善管注意義務とは、自己の保有財産に求めるのと同等の注意を、職務遂行をするうえでも払うことである。

解答 ▶ D

解　説

受託者責任はフィデューシャリー・デューティー（Fiduciary Duty）の訳語で（Bは正しい）、ポートフォリオ・マネジメントにおける受託者責任はそれに携わる者が受託者として受益者に対して負うべき義務である（Aは正しい）。

受託者責任には、より具体的には、忠実義務と善管注意義務が含まれる。忠実義務は、受託者が職務を遂行する際には専ら受益者の利益を考慮し、自分自身や第三者の利益を図らないことをいう（Cは正しい）。善管注意義務は、専門家（年金基金の理事や運用機関）が、その地位や職責にふさわしい一般的な知識に基づいて払うべき注意義務のことをいい、「自己の財産に求めるのと同一の注意」より高い水準が求められる（Dは正しくない）。

例題21

《2023（春）. 6. Ⅰ. 3》

機関投資家の資産運用に関する次の記述のうち、正しくないものはどれか。

A　様々な顧客から委託された大量の資金の運用や管理を行う法人投資家は、機関投資家に含めることが一般的である。

B　投資信託の運用成果を受け取る権利は受益権と呼ばれ、運用成果は資金の投資額（受益権の数量）に応じて投資家に分配されることになる。

C　投資信託委託会社として投資信託の運用を行うことができるのは、金融商品取引法上の第一種金融商品取引業と投資運用業である。

D　機関投資家の運用では、投資ユニバースの決定、投資対象銘柄の分析、売買案の決定、パフォーマンス分析といった運用のプロセスが定められているのが一般的である。

解答　C

解　説

C　正しくない。金融商品取引法に規定された金融商品を取り扱う業務が金融商品取引業であり、取り扱う内容に応じて、第一種金融商品取引業、第二種金融商品取引業、投資運用業、投資助言・代理業の4つに分類される。これらのうち、投資信託委託会社として投資信託の運用が行えるのは、投資運用業だけである。第一種金融商品取引業への登録のみでは、投資信託の運用を行うことはできない。

Point ④ 年金基金

(1) 年金制度

企業年金には確定給付企業年金、確定拠出年金と混合型（中間型）がある。

① 確定給付企業年金（DB）

DB は予め給付額が決められている方式である。企業年金の給付と掛金、運用収益の間には「給付＝掛金＋運用収益」の関係があり、一定の運用収益を想定し、それを勘案したうえでプランスポンサーとしての母体企業が拠出する掛金額を算定する。そのため、運用収益を多く（少なく）見込むほど、必要な掛金額は少なく（多く）なる。運用成績が振るわず年金の原資が不足した場合、母体企業は掛金を追加で拠出する。したがって、資産運用リスクは企業が負っており、母体企業は将来の給付見込み額を年金資産の期待する運用収益率（予定利率）で割り引いて算定した現在価値である退職給付債務から現在の年金資産の額を控除した額を、負債として貸借対照表に計上する。

② 確定拠出年金（DC）

DC（企業型）では予め拠出金は決められているが、将来の給付額は運用成績によって変動する。DC（企業型）では加入者自身が運用商品を選択するため、資産運用リスクは加入者自身が負い、母体企業は負債の計上は不要である。なお、DC には個人型もあり、「iDeCo」と呼ばれている。

③ 混合型（中間型）

・キャッシュバランス・プラン（CB プラン）

CB プランは DB での母体企業の資産運用リスクを軽減する混合型制度の１つで、給付額の水準が国債利回りなどの経済指標に連動するものである。例えば、給付が金利動向に合わせて調整される制度の場合、金利の低下で給付額が減少するので、割引率の低下による債務の現在価値の増加を抑制する効果がある。

・リスク分担型企業年金

リスク分担型企業年金は DB と DC の中間型の制度で、母体企業に運用リスクが偏る DB と加入者にリスクが偏る DC の間をとって、企業と加入者でリスクを分担する。母体企業はリスクに対応する掛金を拠出する。それでカバーしきれない場合には、加入者の給付の減額が行われる。逆に運用成績が良い場合には給付が増額される。

⑵　年金財政と退職給付会計

代表的な機関投資家としては、年金基金が挙げられる。企業年金制度では、年金財政上の取り扱いと退職給付会計の間に次のような相違点がある。

年金財政と退職給付会計の相違点

	年金財政	退職給付会計
目的	給付を確実に行うこと（受給権保護） ⇒計画通りの積立てが行われているか検証（積立不足の場合、積立計画を見直し）	財務状況の適正な開示 ⇒コスト・資金の負担能力を企業外部のステークホルダーに知らしめる
開示対象	企業内部（企業、加入者）が中心 監督官庁	投資家、債権者など
積立目標（債務）	責任準備金など	退職給付債務
利率（割引率）	予定利率	優良な債券の利回り

出所：三菱 UFJ 信託銀行作成

例題22

《2023（春）．６．Ⅰ．４》

日本の年金制度に関する次の記述のうち、正しくないものはどれか。

A　企業年金制度には、厚生年金基金、確定給付企業年金、確定拠出年金（企業型）がある。

B　確定給付企業年金では、運用収益が想定を下回り年金財政上の不足が発生したとき、事業主と加入者が折半で追加の掛金拠出を行う。

C　確定給付企業年金を持つ企業では、将来の年金給付を現在価値（現価）に換算する場合、一般に年金財政と退職給付会計においては異なる利率（割引率）が用いられる。

D　確定給付企業年金では、予定利率を高く設定すると掛金額は少なくなり、予定利率を低く設定すると掛金額は多くなる。

B

解　説

A　正しい。

B　正しくない。確定給付企業年金では、資産運用の成果が振るわず、不足が発生した場合は事業主が追加で掛金を拠出する。

C　正しい。

D　正しい。保有すべき年金債務の現在価値は、将来の給付見込み額を年金の期待運用収益率（予定利率）で割り引く。確定給付の場合、予定利率が高いほど年金債務の現在価値は小さくなり、掛金額が少なくなる。予定利率が低いほど年金債務の現在価値は大きくなり、掛金額が多くなる。

Point ⑤　ESG 投資

近年、機関投資家の投資行動に関して、ESG の重要性が高まっている。ESG 情報は環境（Environment）、社会（Social）、ガバナンス（Governance）の頭文字をとった非財務情報の１つで、ESG 投資は中長期的視点から、それらの要素を投資プロセスに組み入れるものである。既存の投資戦略に ESG 要素を組み入れた手法は ESG インテグレーションと呼ばれる。なお、ESG 投資の手法には次のようなものがある。

投資手法	概要
ネガティブ・スクリーニング（Negative/Exclusionary screening）	武器製造やギャンブルなどESGの観点から問題のある企業を投資対象から除外
ポジティブ・スクリーニング（Positive/Best-in-class screening）	同業種の中でESG評価の高いセクター・企業・プロジェクトを投資対象として組み入れ
規範に基づくスクリーニング（Norms-based screening）	国連グローバル・コンパクトなどの国際的ESG基準を満たしていない企業を投資対象から除外
ESGインテグレーション（ESG integration）	ビジネスモデルや財務諸表の分析だけでなく、ESG分析も投資の意思決定プロセスに組み込む
サステナビリティ・テーマ投資（Sustainability themed investing）	気候変動・食糧・農業・水資源・エネルギーなど、持続可能性に関する特定のテーマに投資
インパクト投資（Impact/Community investing）	社会問題や環境問題の解決や地域開発を目的とした投資
議決権・エンゲージメント（Corporate engagement and Shareholder action）	議決権行使や投資先企業との対話を通じて、ESGへの取り組みを促すなど企業行動に影響を与える

出所：GSIA（Global Sustainable Investment Alliance）資料をもとに作成

Point ⑥ 日本版スチュワードシップ・コード

ボイスに関連するものとして、2014年2月（2017年5月、2020年3月改訂）に≪日本版スチュワードシップ・コード≫が公表され、機関投資家に対するスチュワードシップ責任について、以下のように規定されている。

> 「スチュワードシップ責任」とは、機関投資家が、投資先企業やその事業環境等に関する深い理解のほか運用戦略に応じたサステナビリティ（ESG要素を含む中長期的な持続可能性）の考慮に基づく建設的な「目的を持った対話」（エンゲージメント）などを通じて、当該企業の企業価値の向上や持続的成長を促すことにより、顧客・受益者（最終受益者を含む）の中長期的な投資リターンの拡大を図る責任を意味する。

≪日本版スチュワードシップ・コード≫では、上記のようにスチュワードシップ責任を規定するとともに、上場企業の株式に投資する機関投資家に対して、その責任を遂行することを求めている。

また、前述のように企業に対しては適切なガバナンス機能の構築、運用が法規定により求められている。このように機関投資家、企業双方の役割を明確化するとともに、適切に行使されることで、より質の高い企業統治が実現され、企業の持続的な成長と顧客・受益者の中長期的な投資リターンの確保が図られることが期待されている。

なお、このコードでは、スチュワードシップ責任のほか、機関投資家の種類と役割、「プリンシプルベース・アプローチ」、「コンプライ・オア・エクスプレイン」といった概念が規定されているとともに、8つの原則が示されている。

機関投資家は、運用機関とアセットオーナーに大別される。

運用機関とは、資金の運用等を受託し自ら企業への投資を担う資産運用者としての機関投資家である。投資先企業との日々の建設的な対話を通じて、当該企業の企業価値の向上に寄与することが期待されるとともに、アセットオーナーの期待するサービスを提供できるよう、その意向の適切な把握などに努めることを役割とする。

アセットオーナーとは、資金の出し手を含む資産保有者としての機関投資家である。スチュワードシップ責任を果たす上での基本的な方針を示した上で、自ら、あるいは委託先である運用機関の行動を通じて、投資先企業の企業価値の向上に寄与することが期待されるとともに、運用機関の評価に当たり、短期的な視点のみに偏ることなく、本コードの趣旨を踏まえた評価に努めることを役割とする。

「プリンシプルベース・アプローチ」（原則主義）とは、機関投資家が、各々の置かれた状況に応じて、自らのスチュワードシップ責任をその実質において適切に果たすことができるとする考え方である。

「コンプライ・オア・エクスプレイン」とは、機関投資家が、自らの個別事情に照らして実施することが適切でないと考える原則があれば、それを「実施しない理由」を十分に説明することにより、一部の原則を実施しないとする考え方である。

日本版スチュワードシップ・コードの８つの原則については以下のとおりである。

1. 機関投資家は、スチュワードシップ責任を果たすための明確な方針を策定し、これを公表すべきである。
2. 機関投資家は、スチュワードシップ責任を果たす上で管理すべき利益相反について、明確な方針を策定し、これを公表すべきである。
3. 機関投資家は、投資先企業の持続的成長に向けてスチュワードシップ責任を適切に果たすため、当該企業の状況を的確に把握すべきである。
4. 機関投資家は、投資先企業との建設的な「目的を持った対話」を通じて、投資先企業と認識の共有を図るとともに、問題の改善に努めるべきである。
5. 機関投資家は、議決権の行使と行使結果の公表について明確な方針を持つとともに、議決権行使の方針については、単に形式的な判断基準にとどまるのではなく、投資先企業の持続的成長に資するものとなるよう工夫すべきである。
6. 機関投資家は、議決権の行使も含め、スチュワードシップ責任をどのように果たしているのかについて、原則として、顧客・受益者に対して定期的に報告を行うべきである。
7. 機関投資家は、投資先企業の持続的成長に資するよう、投資先企業やその事業環境等に関する深い理解のほか運用戦略に応じたサステナビリティの考慮に基づき、当該企業との対話やスチュワードシップ活動に伴う判断を適切に行うための実力を備えるべきである。

8．機関投資家向けサービス提供者は、機関投資家がスチュワードシップ責任を果たすに当たり、適切にサービスを提供し、インベストメント・チェーン全体の機能向上に資するものとなるよう努めるべきである。

Point ⑦ コーポレートガバナンス・コード

2015年6月1日（2021年6月改訂）より、東京証券取引所の上場規則として「コーポレートガバナンス・コード」の適用が開始された。前述の日本版スチュワードシップ・コードが投資する側としての機関投資家の責任を規定しているのに対し、このコーポレートガバナンス・コードは投資される側としての企業の責任を規定したものとなっている。また、「プリンシプルベース・アプローチ」や「コンプライ・オア・エクスプレイン」といった考え方が、このコードにおいても取り入れられている。

コーポレートガバナンス・コードでは、コーポレートガバナンスについて、以下のように規定されている。

> 本コードにおいて、「コーポレートガバナンス」とは、会社が株主をはじめ顧客・従業員・地域社会等の立場を踏まえた上で、透明・公正かつ迅速・果断な意思決定を行うための仕組みを意味する。
> 本コードは、実効的なコーポレートガバナンスの実現に資する主要な原則を取りまとめたものであり、これらが適切に実践されることは、それぞれの会社において持続的な成長と中長期的な企業価値の向上のための自律的な対応が図られることを通じて、会社、投資家、ひいては経済全体の発展にも寄与することとなるものと考えられる。

・5つの基本原則

コーポレートガバナンス・コードは、5つの基本原則をベースとして、基本原則を支える原則、補充原則により構成されている。

【基本原則1　株主の権利・平等性の確保】

上場会社は、株主の権利が実質的に確保されるよう適切な対応を行うとともに、株主がその権利を適切に行使することができる環境の整備を行うべきである。

また、上場会社は、株主の実質的な平等性を確保すべきである。

少数株主や外国人株主については、株主の権利の実質的な確保、権利行使に係る環境や実質的な平等性の確保に課題や懸念が生じやすい面があることから、十分に配慮を行うべきである。

具体的な項目として、

・政策保有株式の保有に関する合理的な説明

・買収防衛策の必要性・合理性の説明

・関連当事者間の取引に関する適切な手続きの策定および取締役会による監視

などが挙げられる。

【基本原則2　株主以外のステークホルダーとの適切な協働】

上場会社は、会社の持続的な成長と中長期的な企業価値の創出は、従業員、顧客、取引先、債権者、地域社会をはじめとする様々なステークホルダーによるリソースの提供や貢献の結果であることを十分に認識し、これらのステークホルダーとの適切な協働に努めるべきである。

取締役会・経営陣は、これらのステークホルダーの権利・立場や健全な事業活動倫理を尊重する企業文化・風土の醸成に向けてリーダーシップを発揮すべきである。

具体的な項目として、

・中長期的な企業価値向上の基礎となる経営理念および行動基準の策定

などが挙げられる。

【基本原則3　適切な情報開示と透明性の確保】

上場会社は、会社の財政状態・経営成績等の財務情報や、経営戦略・経営課題、リスクやガバナンスに係る情報等の非財務情報について、法令に基づく開示を適切に行うとともに、法令に基づく開示以外の情報提供にも主体的に取り組むべきである。

その際、取締役会は、開示・提供される情報が株主との間で建設的な対話を行う上での基盤となることも踏まえ、そうした情報（とりわけ非財務情報）が、正確で利用者にとって分かりやすく、情報として有用性の高いものとなるようにすべきである。

具体的な項目として、

・経営陣・取締役の報酬の決定および取締役・監査役候補の指名の方針と手続きの公表

などが挙げられる。

【基本原則4　取締役会等の責務】

上場会社の取締役会は、株主に対する受託者責任・説明責任を踏まえ、会社の持続的な成長と中長期的な企業価値の向上を促し、収益力・資本効率等の改善を図るべく、

(i)　企業戦略等の大きな方向性を示すこと

(ii)　経営陣幹部による適切なリスクテイクを支える環境整備を行うこと

(iii)　独立した客観的な立場から、経営陣（執行役及びいわゆる執行役員を含む）・取締役に対する実効性の高い監督を行うこと

をはじめとする役割・責務を適切に果たすべきである。

こうした役割・責務は、監査役会設置会社（その役割・責務の一部は監査役及び監査役会が担うこととなる）、指名委員会等設置会社、監査等委員会設置会社など、いずれの機関設計を採用する場合にも、等しく適切に果たされるべきである。

具体的な項目として、

・独立社外取締役を、プライム市場上場会社は少なくとも3分の1（その他の市場の上場会社においては2名）以上選任

・独立社外取締役の独立性判断基準の策定および開示

などが挙げられる。

【基本原則5　株主との対話】

上場会社は、その持続的な成長と中長期的な企業価値の向上に資するため、株主総会の場以外においても、株主との間で建設的な対話を行うべきである。

経営陣幹部・取締役（社外取締役を含む）は、こうした対話を通じて株主の声に耳を傾け、その関心・懸念に正当な関心を払うとともに、自らの経営方針を株主に分かりやすい形で明確に説明しその理解を得る努力を行い、株主を含むステー

クホルダーの立場に関するバランスのとれた理解と、そうした理解を踏まえた適切な対応に努めるべきである。

具体的な項目として、

・株主との建設的な対話の体制整備

・収益力・資本効率などに関する目標の提示および株主に対する説明

などが挙げられる。

例題23　《2023（春）．6．Ⅱ．2》

ESG 投資とスチュワードシップ責任に関する次の記述のうち、正しくないものはどれか。

A　ESG 投資が広がった背景には、将来において財務面に反映され得るリスクや収益機会に関する非財務情報の考慮、持続的な経済活動の支援があるとされる。

B　環境問題や社会問題、企業統治の問題など、長期的に企業価値向上を牽引する要素を投資実務で考慮しないことは、受託者責任に反するという考え方も存在する。

C　ESG 運用手法の主流は、近年、ネガティブ・スクリーニングから ESG インテグレーションに変化した。

D　日本版スチュワードシップ・コードでは、「目的を持った対話」として、運用者である機関投資家と運用の受益者のエンゲージメントが求められている。

解答 　D

解　説

D　正しくない。スチュワードシップ・コードは、機関投資家が投資先企業との「目的を持った対話（エンゲージメント）」などを通じて、企業の持続的成長と顧客・受益者の中長期的な投資リターンの拡大という責任を果たすための行動原則である。

Point ⑧ 個人投資家

機関投資家と異なり、個人投資家は勤労所得を得てそこから日々の生活費を賄い、残りを貯蓄や投資に充てている。また、個人のニーズはライフサイクルによって変わってくる。前述のとおり、現役時代は勤労所得の一部を貯蓄や投資に回して金融資産を蓄え資産形成を行うが、退職後はその金融資産から生活費を取り崩していくことになる。

個人投資家の場合、投資家の富は市場で売買できない「人的資本」と市場で取引可能な「金融資産」で構成されると考えるのが適切とされる。ここで、毎年の労働所得を人的資本が生み出す配当あるいは利息と捉えると、人的資本の価値（HC）は投資家の毎年の所得（LI）の現在価値であり、以下のように記述することができる。

$$HC = \sum_{t=1} \frac{LI_t}{(1+k)^t}$$

ただし、LI_t：t 期の勤労所得、k：割引率。

人的資本は、時間の経過に従い定年までに稼ぎ出す労働収入が減少してゆくので、資産価値が低下する。また、投資家の病気や死亡によって資産価値が失われるのであれば、生命保険によってヘッジする必要があり、金融資産はこの生命保険の購入を含めて選択される。生命保険は人的資本を原資産とするプット・オプションの買いといえる。

金融機関では、資産（Asset）と負債（Liability）を総合管理（Management）するALM（Asset Liability Management）と呼ばれる手法が採用されている。個人投資家においても、実物資産（自宅など）や金融資産・年金を資産、将来必要となる出費（キャッシュ・アウトフロー）の現在価値を負債とみなして家計を貸借対照表化することで、ALMを利用することができる。

例題24

《2023（春）. 6．Ⅰ．5》

個人投資家の資産運用に関する次の記述のうち、正しくないものはどれか。

A　人的資本の経済的な価値は、個人の将来の勤労所得を現在価値に割り引いた総額として把握することが可能である。

B　個人投資家は、家計の財政状態を資産・負債の両面で考慮して資産運用を行うことが望ましい。

C　個人投資家の投資目的およびリスク許容度は、家計の財政状態の変化や年齢の経過に応じて変化することがある。

D　生命保険（死亡保険）への加入は、人的資本を原資産とするオプションと捉えると、プット・オプションの売りポジションを持つことに相当する。

解答  D

解　説

D　正しくない。保険契約者から見れば、生命保険への加入は、人的資本を原資産とするプット・オプションの買いポジションを持つことに相当する。

t分布表（抜粋）

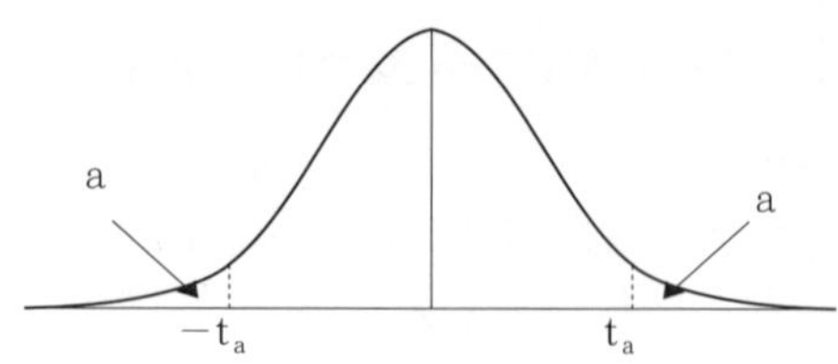

自由度 ＼ a (2a)	.250 (.500)	.200 (.400)	.150 (.300)	.100 (.200)	.050 (.100)	.025 (.050)	.010 (.020)	.005 (.010)	.0005 (.0010)
1	1.000	1.376	1.963	3.078	6.314	12.706	31.821	63.657	636.619
2	.816	1.061	1.386	1.886	2.920	4.303	6.965	9.925	31.599
3	.765	.978	1.250	1.638	2.353	3.182	4.541	5.841	12.924
4	.741	.941	1.190	1.533	2.132	2.776	3.747	4.604	8.610
5	.727	.920	1.156	1.476	2.015	2.571	3.365	4.032	6.869
6	.718	.906	1.134	1.440	1.943	2.447	3.143	3.707	5.959
7	.711	.896	1.119	1.415	1.895	2.365	2.998	3.499	5.408
8	.706	.889	1.108	1.397	1.860	2.306	2.896	3.355	5.041
9	.703	.883	1.100	1.383	1.833	2.262	2.821	3.250	4.781
10	.700	.879	1.093	1.372	1.812	2.228	2.764	3.169	4.587
11	.697	.876	1.088	1.363	1.796	2.201	2.718	3.106	4.437
12	.695	.873	1.083	1.356	1.782	2.179	2.681	3.055	4.381
13	.694	.870	1.079	1.350	1.771	2.160	2.650	3.012	4.221
14	.692	.868	1.076	1.345	1.761	2.145	2.624	2.977	4.140
15	.691	.866	1.074	1.341	1.753	2.131	2.602	2.947	4.073
20	.687	.860	1.064	1.325	1.725	2.086	2.528	2.845	3.850
30	.683	.854	1.055	1.310	1.697	2.042	2.457	2.750	3.646
40	.681	.851	1.050	1.303	1.684	2.021	2.423	2.704	3.551
50	.679	.849	1.047	1.299	1.676	2.009	2.403	2.678	3.496
60	.679	.848	1.045	1.296	1.671	2.000	2.390	2.660	3.460
70	.678	.847	1.044	1.294	1.667	1.994	2.381	2.648	3.435
80	.678	.846	1.043	1.292	1.664	1.990	2.374	2.639	3.416
⋮									
∞	.674	.842	1.036	1.282	1.645	1.960	2.326	2.576	3.290

第2章

債券分析

1. 傾向と対策

「債券分析」のテーマは、「債券価格と利回り（金利水準）の関係」および「現在価値」に尽きると言ってよいだろう。何はともあれ、最も重要な「複利最終利回り（ytm：yield to maturity）」を中心に据えて、1次レベルにおいては単利最終利回り、実効利回り、直接利回りといった、さまざまな利回り概念と計算に慣れる必要がある。

「最終利回り」は文字通り、ある債券を購入して満期保有した場合のいわば1年あたりの投資収益率であり、複利であれば利息に対する利息（クーポンの再投資）を計算に含め、単利であれば含めない。債券市場では複利最終利回りが提示され、現実の債券投資・債券運用においても最も重要な利回りである。とくにデフォルト・リスクのない割引債（ゼロ・クーポン債）の複利最終利回りは「スポット・レート」と呼ばれ、特別な意味をもつ。

続いてスポット・レートとフォワード・レートの関係、およびパー・レートといった概念も必須事項。このあたりをしっかり理解しておかないと、金利期間構造の理論や保有期間利回りをはじめとする多くの計算問題に全く対応できないという惨事に見舞われる。債券の計算問題は面倒なものが多いが、かなり画一的なので慣れてしまえばこっちのもの。むしろ得点源になりやすい。また関数電卓が、それなりに威力を発揮する分野でもある。

あとは債券投資のリスク。大きなものとして金利変動リスクと信用リスク（デフォルト・リスク）は必須、できればコーラブル債の途中償還リスクあたりまで押さえておきたい。金利変動リスクは債券利回り（金利）が変化することによる債券価格の変動リスクであり、まずデュレーションとコンベクシティの式を覚え、これらを用いた債券価格変化率の近似計算ができるようにしておく必要がある。信用リスクは利払いや元本の返済が契約通りに行われない債務不履行リスクであり、このリスクを表象しているのが「格付け」である。したがって、格付けに関する制度・理論を押さえた上で、信用リスクのある社債の価格評価ができるようにしておきたい。なお、証券アナリスト試験では国債はデフォルトリスク・フリーという位置付けなので、割引国債の複利最終利回りはスポット・レートである。一方、社債については、通常、デフォルト・リスクがある。

総まとめテキストの項目と過去の出題例

「総まとめ」の項目	過去の出題例	重要度
債券の種類	2022年春・第３問・Ⅰ問１ 2023年秋・第３問・Ⅰ問１、問３ 2024年春・第３問・Ⅰ問１	B
債券利回りの計算	2022年春・第３問・Ⅱ問１、問４ Ⅲ問２ 2022年秋・第３問・Ⅰ問２ Ⅱ問２、問３ Ⅲ問３、問４ 2023年春・第３問・Ⅱ問１ 2023年秋・第３問・Ⅱ問１、問２ Ⅲ問１、問３ 2024年春・第３問・Ⅱ問１、問３ Ⅲ問２、問３	A
スポット・レートとフォワード・レートおよび債券利回りの理論	2022年春・第３問・Ⅰ問２、問５ Ⅲ問１、問３～問５ 2022年秋・第３問・Ⅱ問１ Ⅲ問１、問２、問５ 2023年春・第３問・Ⅲ問１～問５ 2023年秋・第３問・Ⅲ問２、問４、問５ 2024年春・第３問・Ⅲ問４、問５	A
リスクと格付け	2022年春・第３問・Ⅰ問３ 2022年秋・第３問・Ⅰ問３ 2023年春・第３問・Ⅰ問３、問４ 2023年秋・第３問・Ⅰ問４ 2024年春・第３問・Ⅰ問３	A
債券価格の変動		C
デュレーションとコンベクシティ	2022年春・第３問・Ⅱ問２、問３、問５ 2022年秋・第３問・Ⅰ問５ Ⅱ問４、問５ 2023年春・第３問・Ⅰ問１、問２ Ⅱ問２～問５ 2023年秋・第３問・Ⅱ問３～問５ 2024年春・第３問・Ⅰ問２、問５ Ⅱ問２、問４、問５ Ⅲ問１	A
債券市場	2022年秋・第３問・Ⅰ問１ 2023年秋・第３問・Ⅰ問２	B
証券化商品	2022年春・第３問・Ⅰ問４ 2022年秋・第３問・Ⅰ問４ 2023年春・第３問・Ⅰ問５ 2023年秋・第３問・Ⅰ問３ 2024年春・第３問・Ⅰ問４	A

2. ポイント整理と実戦力の養成

1　債券の種類

債券の分類

基準	分類	備考
発行体（発行機関）	国債（国の発行する債券）、地方債（地方公共団体の発行する債券）、社債（事業会社の発行する債券）など	
満期までの期間	短期債（1年以内）、中期債（1～5年程度）、長期債（6～10年程度）、超長期債（10年超）、永久債	
利息支払い	利付債（クーポン債）・割引債（ゼロ・クーポン債）	割引債の場合、償還価格である額面に比べ発行価格は低くなる（アンダーパー）が、償還価格と発行価格の差が金利に相当する。
	固定利付債（クーポン・レートが固定されている債券）、変動利付債（時間の経過に伴ってクーポン・レートが変動する債券）	
元金返済方法	満期一括償還方式、コーラブル債（期限前償還条項付債券）など	コーラブル債は金利低下時により低金利の資金での借り換えを可能にする。 コーラブル債はノンコーラブル債に比べ価格は低くなる
その他の条件	新たな証券の発行を請求する権利が付与された債券	転換社債（CB、転換社債型新株予約権付社債）が代表例
	他の証券の価格や経済指数等の変動と元利金の支払いが関連する債券	株価指数リンク債、物価連動国債が代表例

2　債券利回りの計算

Point ①　複利最終利回り：満期まで保有する場合の内部収益率

(1)　利付債

$$P=\frac{C}{1+y}+\frac{C}{(1+y)^2}+\frac{C}{(1+y)^3}+\cdots+\frac{C+F}{(1+y)^n}$$

$$=\sum_{t=1}^{n}\frac{C}{(1+y)^t}+\frac{F}{(1+y)^n}$$

(2)　割引債

$$P=\frac{F}{(1+y)^n}$$

$$y=\sqrt[n]{\frac{F}{P}}-1=\left(\frac{F}{P}\right)^{\frac{1}{n}}-1$$

P：債券価格　　y：複利最終利回り
C：クーポン　　n：残存期間
F：償還価格

Point ②　実効利回り（利子累積最終利回り）

実効利回りとは、利付債に投資する場合に満期前に発生するクーポンはすべて再投資し、満期日に償還価額と共に一括回収するという仮定をおいてその間の投資収益率を求めたものである。ここで、購入時の複利最終利回り５％、クーポン・レート８％、額面100円、年１回利払い、残存年数４年の債券を例に取り上げる。クーポンの再投資レートは３％とする。

購入価格	$\frac{8}{1+0.05}+\frac{8}{(1+0.05)^2}+\frac{8}{(1+0.05)^3}+\frac{108}{(1+0.05)^4}\approx 110.64$円
償還価額（４年後）	100円
クーポンと再投資収益	$8\times1.03^3+8\times1.03^2+8\times1.03+8\approx33.47$円

つまり、債券を110.64円で購入し、４年間運用した結果、133.47円になったとみなせる。そのときの利回り（実効利回り）を r（年率）とすると、次のように計算できる。

$$110.64\times(1+r)^4=133.47$$

$$(1+r)^4=\frac{133.47}{110.64}$$

$$r=0.04801\ldots\approx 4.80\%$$

Point ③ 保有期間利回り（所有期間利回り）

$$P=\frac{C}{1+r}+\frac{C}{(1+r)^2}+\frac{C}{(1+r)^3}+\cdots+\frac{C+S}{(1+r)^n}$$

S：売却価格

n：保有期間

r：複利保有期間利回り

もっとも、保有期間利回りで実際に出題が多いのは、債券を１年間保有した場合の保有期間利回りである。価格 P で購入して、１年後にクーポンを得て、その直後に S で売却する場合には、保有期間利回り r は、

$$r=\frac{C+S}{P}-1$$

で求められる。

前記は再投資利子率に内部収益率と同じ値を適用する場合である。しかし、途中売却のケースで、再投資レートを仮定して求める場合もあり、ホライゾンリターンとも呼ばれる。

ここで、購入時の複利最終利回り5％、クーポン・レート8％、額面100円、年1回利払い、残存年数3年の債券を例に取り上げる。また、この債券を2年間保有した後に売却し（利払い直後）、投資期間末の複利最終利回りは4％、クーポンの再投資レートは3％とする。

購入価格	$\frac{8}{1+0.05}+\frac{8}{(1+0.05)^2}+\frac{108}{(1+0.05)^3}\approx 108.17$円
売却価格（2年後）	$\frac{108}{1+0.04}\approx 103.85$円
クーポンと再投資収益	$8\times 1.03+8=16.24$円

年率のホライゾンリターン r_h は次のようになる。

$$r_h=\left(\frac{\text{クーポンと再投資収益}+\text{売却価格}}{\text{購入価格}}\right)^{(1/\text{保有年数})}-1$$

$$=\sqrt{\frac{16.24\text{円}+103.85\text{円}}{108.17\text{円}}}-1\approx 5.37\%$$

Point ④　パー・イールド

価格が額面に等しい債券をパー債（par bond）と呼ぶが、パー・イールドとはパー債の最終利回りのことをいう。パー債の最終利回りはクーポン・レートに等しいので、パー・イールドはパー債のクーポン・レートと等しく、割引債の複利最終利回りであるスポット・レートを用いて次のように計算する。

$$c=\frac{1-\frac{1}{(1+r_{0,n})^n}}{\frac{1}{1+r_{0,1}}+\frac{1}{(1+r_{0,2})^2}+\cdots+\frac{1}{(1+r_{0,n})^n}}$$

c：クーポン・レート、$r_{0,t}$：t 年物スポット・レート、n：期間

パー債の価格は額面Fと等しいので、次のような関係が成立する。

$$F=\frac{cF}{1+r_{0,1}}+\frac{cF}{(1+r_{0,2})^2}+\cdots+\frac{cF}{(1+r_{0,n})^n}+\frac{F}{(1+r_{0,n})^n}$$

この式を整理すると、

$$c\times\left\{\frac{1}{1+r_{0,1}}+\frac{1}{(1+r_{0,2})^2}+\cdots+\frac{1}{(1+r_{0,n})^n}\right\}=1-\frac{1}{(1+r_{0,n})^n}$$

となるから、これをクーポン・レートcについて整理すれば、前の公式が得られる。

Point ⑤ スワップ・レート

金利スワップは同一通貨の変動金利と固定金利（スワップ・レート）の等価交換である。発行日の変動利付債の価格は額面に等しいので、これと等価の固定利付債はパー債券である。このため、金利スワップにおけるスワップ・レートはスワップ契約時のパー債券のクーポンレートであり、これはパー・イールドに他ならない。ただし、スワップ・レートは金融機関の貸借金利なので信用リスクがあり、国債のパー・イールドよりも高い値となる。

Point ⑥ 年2回転化の複利計算（半年複利）

$$P=\frac{C_1^0}{1+\frac{y}{2}}+\frac{C_1^1}{\left(1+\frac{y}{2}\right)^2}+\frac{C_2^0}{\left(1+\frac{y}{2}\right)^3}+\frac{C_2^1}{\left(1+\frac{y}{2}\right)^4}+\cdots$$

$$+\frac{C_n^0}{\left(1+\frac{y}{2}\right)^{2n-1}}+\frac{C_n^1+F}{\left(1+\frac{y}{2}\right)^{2n}}$$

C_i^0　：i期の上半期のクーポン

C_i^1　：i期の下半期のクーポン

y　：半年複利利回り（年率）

Point ⑦ 直接利回り

$$y_{直} = \frac{C}{P}$$

$y_{直}$：直接利回り

Point ⑧ 単利最終利回り

（利付債）

$$y_{単} = \frac{C + \frac{F-P}{n}}{P}$$

（割引債）

$$y_{単} = \frac{\frac{F-P}{n}}{P}$$

$y_{単}$：単利最終利回り

例題1　**債券利回りの計算に関する以下の設問に解答せよ。なお、債券の額面は1枚につきいずれも100円、解答にあたっては円または%表示で小数第3位を四捨五入せよ。**

問1　いまから4年後に償還期限を迎える割引債を88円で購入した。満期まで保有した場合の複利最終利回りはいくらか。

問2　残存期間2年、クーポン・レート5%（年1回利払い）の利付債を利払い日直後に98円で購入した。満期まで保有した場合の複利最終利回りはいくらか。

問3　残存期間3年、クーポン・レート4.0%（年1回利払い）の利付債が利払い日直後に複利最終利回り7.0%で取引されているとすると、この債券価格はいくらか。

問4　問3の債券が複利最終利回り4.0%で取引されているとすると、この債券価格はいくらか。

問5　クーポン・レート3.0%（年1回利払い）で4年後に満期を迎える利付債を利払い日直後に100円で購入し、2年後の利払い日直後に102円で売却した。

この債券の複利保有期間利回りはいくらか。

問6　問5の債券のクーポンを年率5.0%で再投資し、満期時に元利金を一括回収した場合の実効利回りはいくらか。

問7　クーポン・レート年率3.0%（年2回利払い）で2年後に満期を迎える利付債が利払い日直後に最終利回り（半年複利）4.0%で取引されている。この債券価格はいくらか。

問8　クーポン・レート年率4.0%（年2回利払い）で1年後に満期を迎える利付債の利払い日直後の価格が99円であった。この債券の最終利回り（年2回転化の複利）はいくらか。

解答

問1	3.25%	問2	6.09%	問3	92.13円
問4	100円	問5	3.98%	問6	3.09%
問7	98.10円	問8	5.04%		

解　説

問1

$$88=\frac{100}{(1+y)^4}\qquad y=\sqrt[4]{\frac{100}{88}}-1=0.032474\cdots$$

$$\approx 3.25\%$$

問2

$$98=\frac{5}{1+y}+\frac{5+100}{(1+y)^2}$$

$1+y=R$ とおいて、両辺に R^2 をかけて整理する。

$$98R^2-5R-105=0$$

$$R=\frac{-(-5)+\sqrt{(-5)^2-4\times98\times(-105)}}{2\times98}=1.06092\cdots$$

$$\approx 1.0609$$

$$y=R-1$$

$$=0.0609=6.09\%$$

問３　$P=\dfrac{4}{1+0.07}+\dfrac{4}{(1+0.07)^2}+\dfrac{4+100}{(1+0.07)^3}$

$=92.1270\cdots$

≈ 92.13円

問４　クーポン・レート c ＝複利最終利回り $y \Leftrightarrow$ 債券価格 P ＝ 償還価格 F

$$P=\underbrace{\sum_{t=1}^{n}\frac{C}{(1+y)^t}}+\frac{F}{(1+y)^n}$$

↑

この部分は有限等比級数なので、以下の公式で計算できる。

$$S_n=\frac{a(1-k^n)}{1-k} \qquad a：初項 \qquad k：公比$$

$$P=\frac{\dfrac{C}{1+y}\left\{1-\left(\dfrac{1}{1+y}\right)^n\right\}}{1-\dfrac{1}{1+y}}+\frac{F}{(1+y)^n}$$

$$=\frac{\dfrac{C}{1+y}\left\{1-\dfrac{1}{(1+y)^n}\right\}}{\dfrac{1+y-1}{1+y}}+\frac{F}{(1+y)^n}$$

$$P-\frac{F}{(1+y)^n}=\frac{C-\dfrac{C}{(1+y)^n}}{y}$$

$$C=c\times F \qquad \left(\begin{array}{l} c：クーポン・レート \\ C：クーポン収入 \end{array}\right)$$

$$yP-\frac{yF}{(1+y)^n}=cF-\frac{cF}{(1+y)^n} \qquad c=y$$

$$cP=cF=C \qquad \therefore P=F$$

したがって、計算するまでもなく債券価格は額面と同じ100円。前述のパー・イールド参照。

問５　保有期間利回りは買付日から売却日までの保有期間における投資収益率で、これは実際の債券投資では満期前に途中売却することが多いことに対応したものである。計算式は基本的に最終利回りと同じ。償還価格を売却価格におきかえればよい。

$$100 = \frac{3}{1+r} + \frac{3+102}{(1+r)^2}$$

$$100R^2 - 3R - 105 = 0$$

$$R = \frac{-(-3)+\sqrt{(-3)^2-4\times100\times(-105)}}{2\times100}$$

$$= 1.039804\cdots$$

$$r = R-1$$

$$= 0.039804\cdots$$

$$\approx 3.98\%$$

問６　実効利回りでは、満期前のクーポンはすべて再投資されるので、手元にキャッシュは残らない。したがって、満期日の元利一括回収額を順次、求めてゆく。

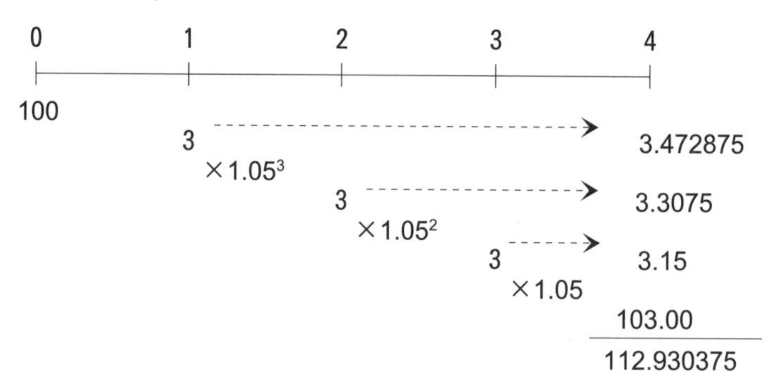

$$100\times(1+y)^4 = 112.930375$$

$$(1+y)^4 = 1.12930375$$

$$1+y = 1.030867\cdots \qquad y \approx 0.0309$$

$$= 3.09\%$$

問7

$$P=\frac{\frac{3}{2}}{1+\frac{0.04}{2}}+\frac{\frac{3}{2}}{\left(1+\frac{0.04}{2}\right)^2}+\frac{\frac{3}{2}}{\left(1+\frac{0.04}{2}\right)^3}+\frac{\frac{3}{2}+100}{\left(1+\frac{0.04}{2}\right)^4}$$

$$=\frac{1.5}{1.02}+\frac{1.5}{1.02^2}+\frac{1.5}{1.02^3}+\frac{101.5}{1.02^4}$$

$$=98.09613\cdots$$

$$\approx 98.10\text{円}$$

問8

$$99=\frac{\frac{4}{2}}{1+\frac{y}{2}}+\frac{\frac{4}{2}+100}{\left(1+\frac{y}{2}\right)^2}=\frac{2}{R}+\frac{102}{R^2}$$

$$99R^2-2R-102=0$$

2次方程式の解の公式※より、

$$R=\frac{-(-2)+\sqrt{(-2)^2-4\times99\times(-102)}}{2\times99}=1.0251897\cdots$$

$$\approx 1.02519$$

$$R=1+\frac{y}{2}$$

$$y=(R-1)\times2=0.02519\times2$$

$$=0.05038$$

$$\approx 5.04\%$$

※　2次方程式の解の公式

$$ax^2+bx+c=0\ (a\neq0)$$

$$\Rightarrow x=\frac{-b\pm\sqrt{b^2-4ac}}{2a}$$

例題 2　債券利回りの計算に関する以下の設問に解答せよ。なお、債券の額面はいずれも100円、解答にあたっては％表示で小数第３位を四捨五入せよ。

問１　４年後に満期となる割引債額面100円を80円で購入した。
　この割引債の単利最終利回りを求めなさい。

問２　クーポン・レート６％、残存期間２年、償還価額100円、利払い年１回の債券を105円で購入した。
　この利付債の直接利回り、単利最終利回り、複利最終利回りを求めなさい。

問３　クーポン・レート６％、残存期間２年、償還価額100円、利払い年１回の債券を100円で購入した。
　この利付債の直接利回り、単利最終利回り、複利最終利回りを求めなさい。

問４　クーポン・レート６％、残存期間２年、償還価額100円、利払い年１回の債券を95円で購入した。
　この利付債の直接利回り、単利最終利回り、複利最終利回りを求めなさい。

解答

問１　6.25%
問２　直接利回り　5.71%　単利最終利回り　3.33%
　　　複利最終利回り　3.37%
問３　直接利回り　6.00%　単利最終利回り　6.00%
　　　複利最終利回り　6.00%
問４　直接利回り　6.32%　単利最終利回り　8.95%
　　　複利最終利回り　8.84%

解　説

問1

$$y_{単} = \frac{\frac{F-P}{n}}{P} = \frac{\frac{100-80}{4}}{80} = 0.0625$$

（解答）6.25%

問2

$$y_{直} = \frac{C}{P} = \frac{6}{105} = 0.05714\cdots$$

（解答）5.71%

$$y_{単} = \frac{6+\frac{100-105}{2}}{105} = 0.03333\cdots$$

（解答）3.33%

$$P = \sum_{t=1}^{n} \frac{C}{(1+y)^t} + \frac{F}{(1+y)^n}$$

$$105 = \frac{6}{1+y} + \frac{106}{(1+y)^2}$$

$$105 \times (1+y)^2 - 6 \times (1+y) - 106 = 0$$

$$y = \frac{-(-6)+\sqrt{(-6)^2-4\times 105\times(-106)}}{2\times 105} - 1$$

$$= 0.03372\cdots$$

（解答）3.37%

問3

$$y_{直}=\frac{6}{100}=0.06$$

（解答）6.00%

$$y_{単}=\frac{6+\dfrac{100-100}{2}}{100}=0.06$$

（解答）6.00%

$$100=\frac{6}{1+y}+\frac{106}{(1+y)^2}$$

$$100\times(1+y)^2-6\times(1+y)-106=0$$

$$y=\frac{-(-6)+\sqrt{(-6)^2-4\times100\times(-106)}}{2\times100}-1$$

$$=0.06$$

（解答）6.00%

問4

$$y_{直}=\frac{6}{95}=0.06315\cdots$$

（解答）6.32%

$$y_{単}=\frac{6+\dfrac{100-95}{2}}{95}=0.08947\cdots$$

（解答）8.95%

$$95=\frac{6}{1+y}+\frac{106}{(1+y)^2}$$

$$95\times(1+y)^2-6\times(1+y)-106=0$$

$$y=\frac{-(-6)+\sqrt{(-6)^2-4\times95\times(-106)}}{2\times95}-1$$

$$=0.08836\cdots$$

（解答）8.84%

一般的には、以下のような関係が成立する。

オーバーパー債券	（債券価格＞額面）		クーポン・レート＞最終利回り
パー債券	（債券価格＝額面）	⇔	クーポン・レート＝最終利回り
アンダーパー債券	（債券価格＜額面）		クーポン・レート＜最終利回り

オーバーパー債券	単利最終利回り＜複利最終利回り＜直接利回り
パー債券	単利最終利回り＝複利最終利回り＝直接利回り
アンダーパー債券	単利最終利回り＞複利最終利回り＞直接利回り

例題3

《2011（春）. 4．Ⅰ．2》

債券の利回りに関する次の記述のうち、正しくないものはどれですか。

A　最終利回りがクーポン・レートより大きい固定利付債はオーバーパー債券となる。

B　アンダーパー債券では、最終利回りの方が直接利回りより大きい。

C　オーバーパー債券では、最終利回りの方が直接利回りより小さい。

D　最終利回りにはインカムゲインによるリターンとキャピタルゲインによるリターンが含まれる。

解答  A

解　説

A　正しくない。最終利回りがクーポン・レートよりも大きい固定利付債はアンダーパー債券となる。

B　正しい。

C　正しい。

D　正しい。

3　スポット・レートとフォワード・レート

Point ①　スポット・レート：割引債の複利最終利回り

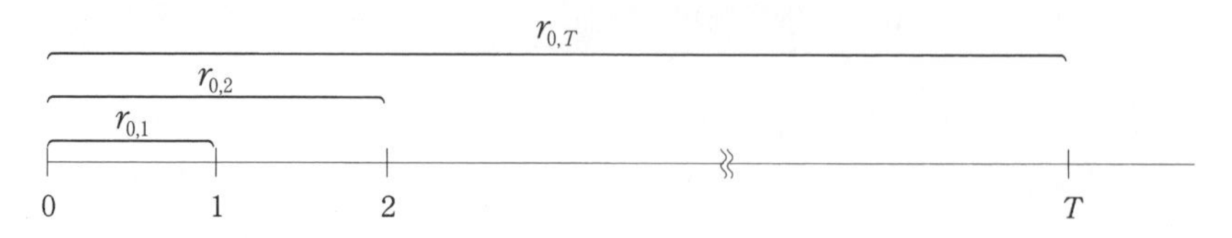

$$P=\frac{F}{(1+r_{0,T})^T}$$

P：償還まで T 年の割引債の価格

F：償還価格（額面）

T：残存期間

$r_{0,T}$：T 年物スポット・レート（T=1, 2, 3, …）

Point ②　フォワード・レート：金利先渡取引の収益率

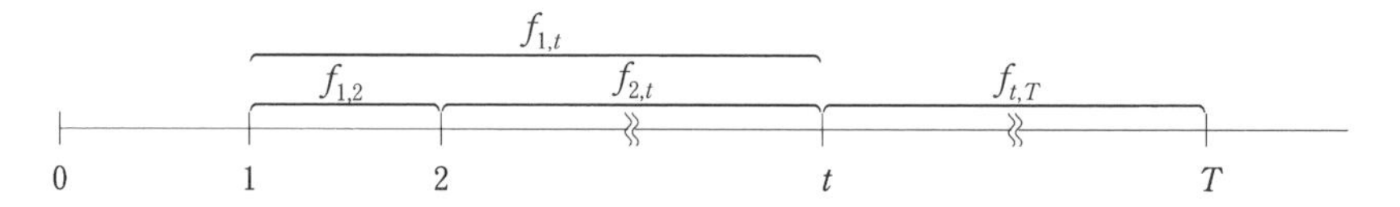

Point ③　スポット・レートとフォワード・レートの関係

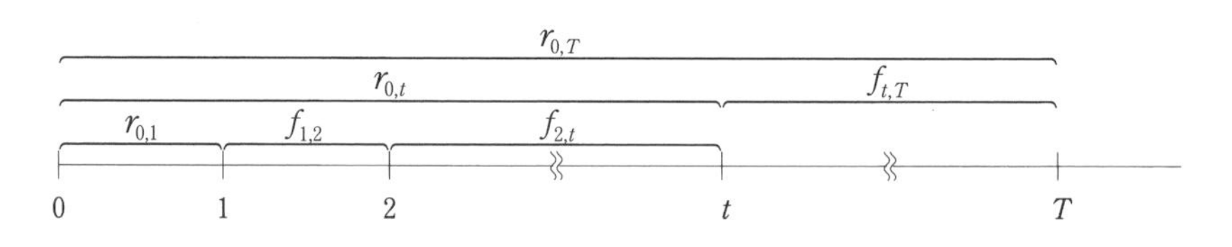

$$(1+r_{0,T})^T=(1+r_{0,t})^t(1+f_{t,T})^{T-t}$$

４　債券利回りの理論

Point ①　利回りの期間構造

イールド・カーブ：満期以外の条件を一定にしておくため、割引債についてのイールド・カーブを描くことが多い。これをとくにスポット・イールド・カーブという。

図２－４－１　イールド・カーブ

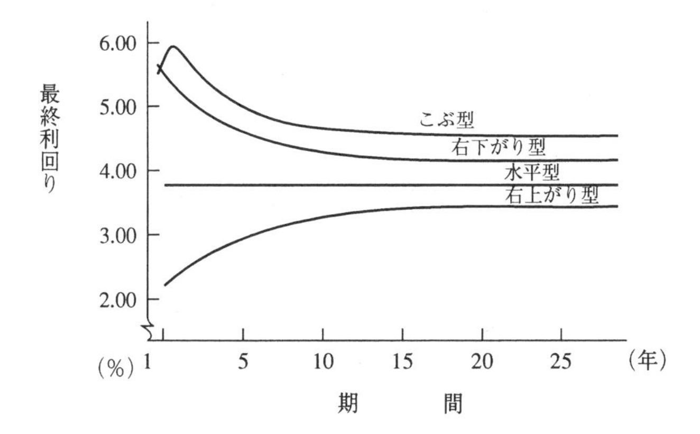

右下がり：$r_{0,1} > r_{0,2} > r_{0,3} > \cdots > r_{0,T}$　（短期金利 ＞ 長期金利）

水　　平：$r_{0,1} = r_{0,2} = r_{0,3} = \cdots = r_{0,T}$　（短期金利 ＝ 長期金利）

右上がり：$r_{0,1} < r_{0,2} < r_{0,3} < \cdots < r_{0,T}$　（短期金利 ＜ 長期金利）

⑴　純粋期待仮説

「t年後からT年後にかけてのフォワード・レート（$f_{t,T}$）は、t年後に成立している$T-t$年物スポット・レートの期待値（$E[r_{t,T}]$）に等しい」、

$f_{t,T} = E[r_{t,T}]$

または、「長期金利は、将来の短期金利の期待値の幾何平均である」

⑵　流動性プレミアム仮説

「短期の投資にくらべ長期投資の方が流動性リスクが大きいので、リスク・プレミアムがついている。t年後からT年後にかけてのフォワード・レートは、t年後に成立している$T-t$年物スポット・レートの期待値にリスク・

プレミアムを加えたものである」

$f_{t,T} = E[r_{t,T}] + RP$

($RP =$ リスク・プレミアム)

伝統的な流動性プレミアム仮説は、現在では長期債は短期債に比べ価格変動リスクが大きいため、リスク・プレミアム（ターム・プレミアム）が上乗せされて長期金利の方が高くなるという「リスク・プレミアム仮説」（ターム・プレミアム仮説と呼ぶこともある）に形を変えて存続している。この仮説によれば、現実の金融市場において右上がりの利回り曲線（順イールド）が出現する頻度が高いことをうまく説明できる。

(3) 市場分断仮説

「債券市場は投資家および債券発行者の固有の事情（資金の性格など）により満期ごとに分断された状態で成立し、それぞれの市場ごとの需給関係で利回りが決定される」

例題 4

利回りの期間構造に関する以下の設問に解答せよ。

現在、1年物スポット・レート（$r_{0,1}$）が2.2%、1年物フォワード・レート（$f_{t-1,t}$）は以下のとおりである。

$f_{1,2}$ ：3.00%

$f_{2,3}$ ：3.60%

$f_{3,4}$ ：4.00%

$f_{4,5}$ ：4.25%

問 1 上のデータと整合的な2年物スポット・レート（$r_{0,2}$）を計算せよ。

問 2 上のデータと整合的な4年物スポット・レート（$r_{0,4}$）を計算せよ。

問 3 上のデータと整合的な1年後から3年後にかけての2年物フォワード・レート（$f_{1,3}$）を計算せよ。

問 4 1年後の1年物スポット・レートの期待値が2.70%であるとすると、1年後から2年後にかけての1年間の流動性プレミアムはいくらか。

問 5 上のデータからどのような形状のスポット・イールド・カーブが観察されるか。

解答

問1　2.60%　　問2　3.20%　　問3　3.30%
問4　0.30%
問5　右上がりのスポット・イールド・カーブが観察される。

解　説

問1
$$(1+r_{0,2})^2=(1+r_{0,1})(1+f_{1,2})$$
$$=(1+0.022)(1+0.030)$$
$$r_{0,2}=\sqrt{1.022\times1.030}-1$$
$$=0.025992\cdots\approx2.60\%$$

問2
$$(1+r_{0,4})^4=(1+r_{0,1})(1+f_{1,2})(1+f_{2,3})(1+f_{3,4})$$
$$=(1+0.022)(1+0.030)(1+0.036)(1+0.040)$$
$$=1.134177\cdots\approx1.13418$$
$$r_{0,4}=\sqrt[4]{1.13418}-1$$
$$=0.031978\cdots\approx3.20\%$$

問3
$$(1+r_{0,2})^2(1+f_{2,3})=(1+r_{0,1})(1+f_{1,3})^2$$
$$(1+0.026)^2(1+0.036)=(1+0.022)(1+f_{1,3})^2$$
$$f_{1,3}=\sqrt{1.090572336\div1.022}-1$$
$$=0.033003\cdots\approx3.30\%$$

問4　流動性プレミアム仮説に従えば、
$$f_{1,2}=E[r_{1,2}]+リスク・プレミアム(RP)$$
よって、
$$3.00\%=2.70\%+RP$$
$$RP=0.30\%$$

問5　データから判明するすべてのスポット・レートを計算すると次のようになる。

$r_{0,1} = 0.022$

$r_{0,2} = 0.026$

$r_{0,3} = \sqrt[3]{(1+0.022)(1+0.030)(1+0.036)} - 1 \approx 0.029$

$r_{0,4} = 0.032$

$r_{0,5} = \sqrt[5]{(1+0.032)^4(1+0.0425)} - 1 \approx 0.034$

したがって、右上がりのスポット・イールド・カーブが観察される。

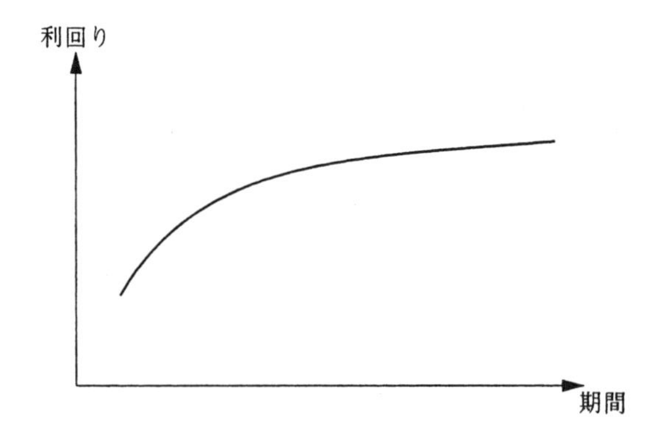

例題5

《2009（秋）．4．Ⅰ．2》

金利の期間構造を説明する仮説に関する次の記述のうち、正しくないものはどれか。

A 「純粋期待仮説」では、現在の長期金利には将来の短期金利の期待が含まれると説明する。

B 「流動性プレミアム仮説」では、現実に右上がりの利回り曲線が多く観察されることがうまく説明できる。

C 「流動性プレミアム仮説」では、短期金利には流動性プレミアムが上乗せされると説明する。

D 「市場分断仮説」では、短期金利は短期資金市場の需給で、長期金利は長期資金市場の需給で決まると説明する。

解答 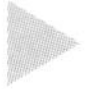 C

解　説

流動性プレミアム仮説では、長期金利には、長期債の流動性が低いことからくるプレミアム（流動性プレミアム）が上乗せされて、短期金利よりも高くなっていると説明される。

Point ② スポット・レート・カーブ、フォワード・レート・カーブとパー・イールド・カーブの関係

スポット・レート・カーブ、フォワード・レート・カーブとパー・イールド・カーブには、次のような関係がある。

(1) スポット・レートが右上がり（順イールド）の場合

期間t－1年からt年までについて考える。

t－1年物のスポット・レートを$r_{0,t-1}$、t年物のスポット・レートを$r_{0,t}$とする。スポット・レートが右上がりだと$r_{0,t}>r_{0,t-1}$となるため、

$$(1+r_{0,t})^{t-1} > (1+r_{0,t-1})^{t-1}$$

となる。これをスポット・レートとフォワード・レートの関係式$(1+r_{0,t})^{t}=(1+r_{0,t-1})^{t-1}(1+f_{t-1,t})$に当てはめると、

$$1+r_{0,t}<1+f_{t-1,t}$$

の関係が出てくる。したがって、

$$r_{0,t}<f_{t-1,t}$$

となり、スポット・レートが右上がりのとき、スポット・レートよりそれに対応するt－1年からt年にかけてのフォワード・レートの方が大きい。そのため**フォワード・レート・カーブはスポット・レート・カーブより上に位置する。**

また、パー・イールドにはキャッシュフロー発生時のスポット・レートの加重平均のような性質があり、スポット・レートが右上がりのときは満期時点よりも小さい満期前のスポット・レートの影響も受けて、同じ満期のスポット・レートより小さくなる。したがって、**パー・イールド・カーブはスポット・レート・カーブより下に位置する。**

なお、このときのスポット・レート・カーブとパー・イールド・カーブ、フォワード・レート・カーブの関係は次の通り。

図２－４－２　スポット・レート・カーブが右上がりの場合

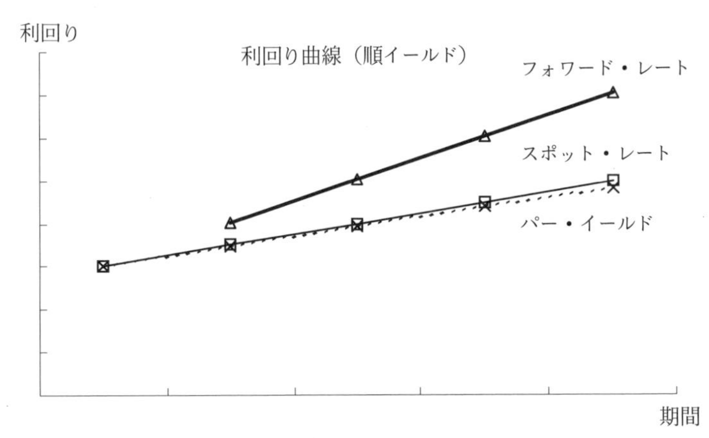

⑵　スポット・レートが水平の場合

スポット・レートが水平だと$r_{0,t}=r_{0,t-1}$から、

$$(1+r_{0,t})^{t-1}=(1+r_{0,t-1})^{t-1}$$

となる。これをスポット・レートとフォワード・レートの関係式に当てはめると、

$$1+r_{0,t}=1+f_{t-1,t}$$

の関係が出てくる。したがって、

$$r_{0,t}=f_{t-1,t}$$

となり、スポット・レートが水平のとき、それに対応するt－１年からt年にかけてのフォワード・レートはスポット・レートと等しい。そのため**フォワード・レート・カーブはスポット・レート・カーブと等しく、また、パー・イールド・カーブとも等しい。**

図2－4－3　スポット・レート・カーブが水平の場合

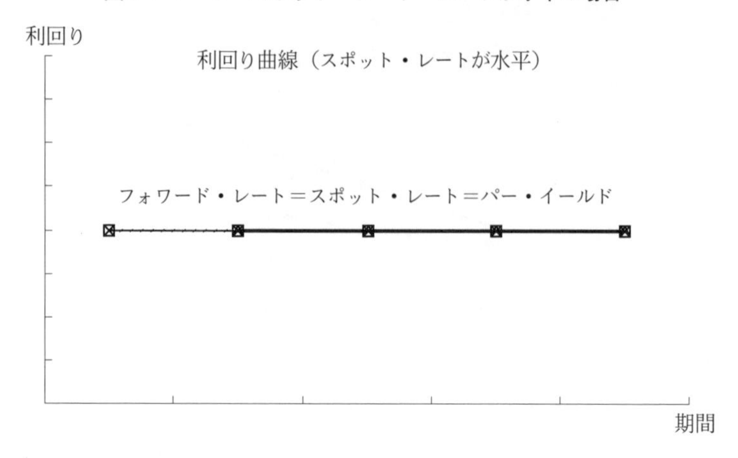

⑶　スポット・レートが右下がり（逆イールド）の場合

スポット・レートが右下がりだと$r_{0,t} < r_{0,t-1}$から、

$(1+r_{0,t})^{t-1} < (1+r_{0,t-1})^{t-1}$

となる。これをスポット・レートとフォワード・レートの関係式に当てはめると、

$$1+r_{0,t} > 1+f_{t-1,t}$$

の関係が出てくる。したがって、

$$r_{0,t} > f_{t-1,t}$$

となり、スポット・レートが右下がりのとき、スポット・レートよりそれに対応するt－1年からt年にかけてのフォワード・レートの方が小さい。そのため**フォワード・レート・カーブはスポット・レート・カーブより下に位置する。**

また、スポット・レートが右下がりのときは、満期時点よりも大きい満期前のスポット・レートの影響も受けるため、パー・イールドは同じ満期のスポット・レートより大きくなる。したがって、**パー・イールド・カーブはスポット・レート・カーブより上に位置する。**

図2－4－4　スポット・レート・カーブが右下がりの場合

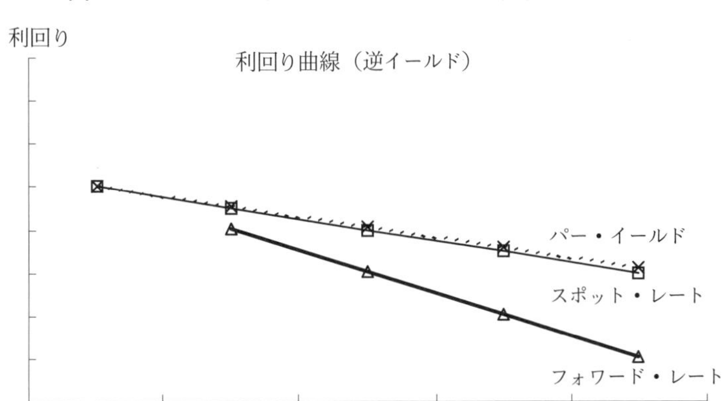

Point ③ スポット・レートと利付債の複利最終利回りの関係

利付債の複利最終利回り：将来のキャッシュ・フロー（クーポン収入、および償還価格または売却価格）の現在価値と現在の債券価格を等しくさせる各期間に共通の割引率（＝1期間当たりの平均投資収益率）

(1) 利付債の複利最終利回り（y）を使って債券価格を計算する。

$$P=\frac{C}{1+y}+\frac{C}{(1+y)^2}+\cdots+\frac{C+F}{(1+y)^n}$$

P　：債券価格

C　：クーポン収入

F　：償還価格

n　：残存期間

y　：複利最終利回り

例題6

《2022（春）.3. Ⅰ.2》

債券の利回り曲線に関する次の記述のうち、正しくないものはどれか。

A　債券分析の基礎となるスポットレートは市場で容易に観察できるため、一般的に利回り曲線はスポットレートを用いて描かれる。

B　横軸に期間、縦軸にスワップ金利をとった利回り曲線はスワップレート・カーブと呼ばれ、パーイールド・カーブとなっている。

C　純粋期待仮説では、現在の長期金利に織り込まれているフォワードレートは将来の短期金利の期待値に等しいと説明される。

D　市場分断仮説は、長期債市場と短期債市場では参加者が異なっており、市場ごとの需給によって金利が決まると説明される。

解答　A

解説

A　正しくない。スポットレートは「デフォルトリスクのない割引債の最終利回り」とされるが、日本の債券市場は国債も社債も大半が利付債であり、割引債は非常に少ない。また、利付債の元本部分とクーポン部分を切り離した、いわゆるストリップス債（元本利子分離債）もほとんど流通していない。このため、スポットレートを市場で観察することはきわめて難しい。

図２－４－５　複利最終利回りと債券価格

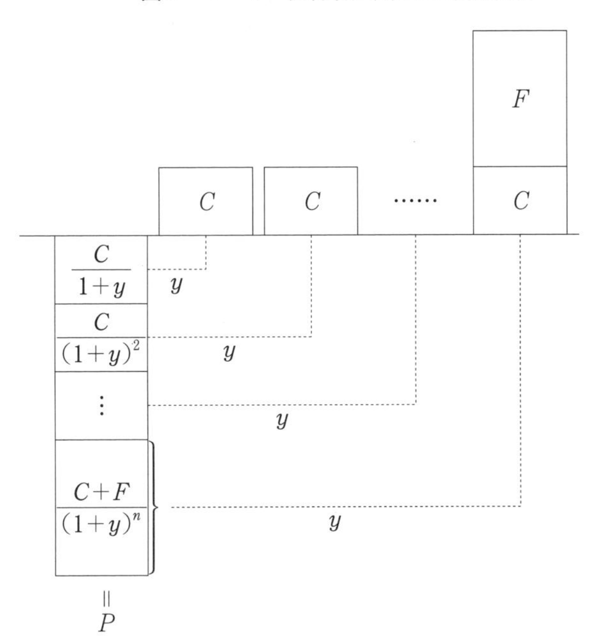

各期のキャッシュ・フローを、共通の割引率（y）で現在価値に割り引く。

⑵　将来のキャッシュ・フローを個々の割引債と考え、**利付債を割引債のポートフォリオと捉える**ことで債券価格を計算する。

$$P^{*}=\frac{C}{1+r_{0,1}}+\frac{C}{(1+r_{0,2})^{2}}+\cdots+\frac{C+F}{(1+r_{0,n})^{n}}$$

$r_{0,i}$ ：i 年物のスポット・レート（i 年物の割引債の複利最終利回り）

図２－４－６　スポット・レートと債券価格

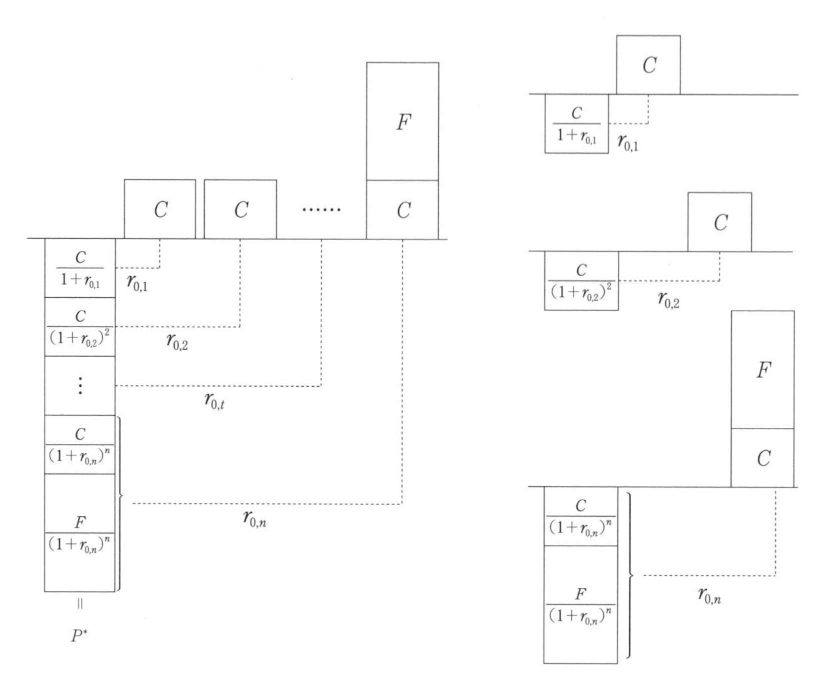

将来のキャッシュ・フローを、それがもたらされるタイミングに対応したスポット・レート（$r_{0,t}$）で現在価値に割り引き合計する。

Point ④　保有期間利回り

このところ、証券アナリスト１次レベルでは「金利の期間構造に関する理屈を知っているかどうか試す」といった趣の問題が、ほぼ毎回登場している。１次レベルは選択式なので、この手の問題は、与えられた数値を使った実際の計算処理は必要ない場合が多い。以下の３つを覚えておきたい。

(1)　純粋期待仮説

「１年後のスポット・レート・カーブが、現在のスポット・レート・カーブから予想されるとおりに、つまり１年後のスポット・レート・カーブが、現在の１年後スタートのt年物フォワード・レートになった場合」の１年間の保有期間利回りを考える。これは純粋期待仮説通りに、現在のフォワード・レートが将来のスポット・レートとして実現した場合ということに他ならず、現在観察されている１年後スタート２年後エンドの１年物フォワード・レート$f_{1,2}$が１年後に１年物スポット・レートとなり、現在観察されている１年後スタート３年後エンドの２年物フォワード・レート$f_{1,3}$が１年後に２年物スポット・レートとなり、現在観察されている１年後スタート４年後エンドの３年物フォワード・レート$f_{1,4}$が１年後に３年物スポット・レートとなり、…ということを意味する。この場合、あらゆる年限の割引債・利付債の１年間の保有期間利回りは１年物スポット・レートに等しくなる。

簡単のため、t年物割引債（最終利回り：$r_{0,t}$）に１年間投資した場合の投資収益率（保有期間利回り）を考える。現在のt年物割引債は１年後には$t-1$年債になっている。純粋期待仮説が成立している場合、この１年後の$t-1$年債（現在のt年債）の最終利回りは「現在の１年後スタートt年後エンドの$t-1$年物フォワード・レート（$f_{1,t}$）」ということになる。現在のt年債の最終利回りは言うまでもなくt年物スポット・レート（$r_{0,t}$）である。保有期間利回りをrとすると、スポット・レートとフォワード・レートの関係$(1+r_{0,t})^t=(1+r_{0,1})(1+f_{1,t})^{t-1}$から$r=r_{0,1}$、つまり１年物スポット・レートとなる。

$$r=\frac{P_1-P_0}{P_0}=\frac{P_1}{P_0}-1=\frac{\dfrac{F}{(1+f_{1,t})^{t-1}}}{\dfrac{F}{(1+r_{0,t})^t}}-1=\frac{(1+r_{0,t})^t}{(1+f_{1,t})^{t-1}}-1$$

$$\Leftrightarrow (1+r)(1+f_{1,t})^{t-1}=(1+r_{0,t})^t$$

ただし、P_0：現在のt年物割引債の価格、

P_1：１年後の$t-1$年物割引債の価格、F：額面。

(2)　ローリング・イールド

次に、「１年後のスポット・レート・カーブが、現在とまったく同じであった場合」の１年間の保有期間利回りを考える。これは、俗に「ローリング（イールド）」と呼ばれ、実質的に１年物フォワード・レートをとってゆくこ

とになる。

簡単のため、t年物割引債（最終利回り：$r_{0,t}$）に1年間投資した場合の投資収益率（保有期間利回り）を考える。1年後にはこのt年債は$t-1$年債になっている。スポット・レート・カーブが変化していなければ、$t-1$年債（現在のt年債）の最終利回りは$t-1$年物スポット・レート（$r_{0,t-1}$）になっている。保有期間利回りをrとすると$r=f_{t-1,t}$、つまり$t-1$年後スタートt年後エンドの1年物フォワード・レート$f_{t-1,t}$に等しくなる。

$$r=\frac{P_1-P_0}{P_0}=\frac{P_1}{P_0}-1=\frac{\dfrac{F}{(1+r_{0,t-1})^{t-1}}}{\dfrac{F}{(1+r_{0,t})^{t}}}-1=\frac{(1+r_{0,t})^{t}}{(1+r_{0,t-1})^{t-1}}-1=f_{t-1,t}$$

ただし、P_0：現在のt年物割引債の価格、

P_1：1年後の$t-1$年物割引債の価格、F：額面。

実質的にフォワード・レートをとってゆくことになるので、短期の金利ほど低く長期の金利ほど高い「順イールド」を前提とした場合、順イールドの環境下で長期債を購入し、一定期間経過後に売却することで単純に満期まで保有するより利回りが高くなる効果がある。

なお、証券アナリスト試験1次レベルではほとんど登場しないが、利付債に投資した場合は、結果が異なるので注意が必要である。**t年物利付債に投資し、1年後のスポット・レート・カーブが現在と全く同じ場合、保有期間利回りは定義通りに「期間1年の保有期間利回り」を計算する**。1年後にクーポンCを受け取り、1年後の利付債価格P_1で売却するわけだから、以下のようになる。

$$r=\frac{C+(P_1-P_0)}{P_0}$$

ただし、P_0：現在のt年物利付債の価格、

P_1：1年後の$t-1$年物利付債の価格。

これらをまとめると、次のように整理できる。

1年後のスポット・レート・カーブと1年間の保有期間利回り（r）

<table>
<tr><th>1年後の
イールド・カーブ</th><th>①1年後のt年スポット・レート
＝現在の1年後からt年後にかけてのフォワード・レート
(1)　純粋期待仮説が実現</th><th>②変化しない
1年後のt年スポット・レート
＝現在のt年スポット・レート
(2)　ローリング・イールド</th></tr>
<tr><td>t年割引債に
1年間投資</td><td rowspan="2">$r=r_{0.1}$
現在の1年物スポット・レート</td><td>$r=f_{t-1,t}$
1年物フォワード・レート</td></tr>
<tr><td>t年利付債に
1年間投資</td><td>$r=\frac{C+(P_1-P_0)}{P_0}$</td></tr>
</table>

(3)　1年後の最終利回りが現在と同じ場合

1年後に債券の最終利回りが投資時点と同じであれば、保有期間利回りは最終利回りに等しい。これは当たり前の話だが、一般化して利付債について考えると以下の通りである。なお、かえってわかりにくくなるかもしれないので、「当たり前の話だ」と理解しておいたほうがよいかもしれない。

現在の利付債価格をP_0とする。「1年後に債券の最終利回りが投資時点と同じであれば」の最終利回りをyとする。現在の残存年数をn年とすると、現在の利付債価格P_0は以下のようになる。

$$P_0=\sum_{t=1}^{n}\frac{C}{(1+y)^t}+\frac{F}{(1+y)^n}$$

1年後の利付債価格をP_1とする。1年後、この利付債の残存年数は$n-1$年となる。一方、最終利回りは変化せずyのままだから、1年後の利付債価格P_1は以下のようになる。

$$P_1=\sum_{t=1}^{n-1}\frac{C}{(1+y)^t}+\frac{F}{(1+y)^{n-1}}$$

保有期間利回りをrとすると、1年後にクーポンCを受け取り、利付債は1年後に価格P_1となるから、保有期間利回りrは以下のように計算される。

$$r=\frac{(C+P_1)-P_0}{P_0}=\frac{C+P_1}{P_0}-1$$

この式に、上記のP_0とP_1を代入する。

$$r=\frac{C+P_1}{P_0}-1=\frac{C+\sum_{t=1}^{n-1}\frac{C}{(1+y)^t}+\frac{F}{(1+y)^{n-1}}}{\sum_{t=1}^{n}\frac{C}{(1+y)^t}+\frac{F}{(1+y)^n}}-1$$

$$=\frac{C+\sum_{t=1}^{n-1}\frac{C}{(1+y)^t}+\frac{F}{(1+y)^{n-1}}}{\frac{1}{1+y}\left\{\sum_{t=1}^{n}\frac{C}{(1+y)^{t-1}}+\frac{F}{(1+y)^{n-1}}\right\}}-1$$

$$=\frac{C+\sum_{t=1}^{n-1}\frac{C}{(1+y)^t}+\frac{F}{(1+y)^{n-1}}}{\frac{1}{1+y}\left\{C+\sum_{t=1}^{n-1}\frac{C}{(1+y)^t}+\frac{F}{(1+y)^{n-1}}\right\}}-1$$

$$=\frac{C+P_1}{\frac{1}{1+y}\{C+P_1\}}-1=\frac{1}{\frac{1}{1+y}}-1=1+y-1$$

$$=y$$

つまり、r（保有期間利回り）$=y$（最終利回り）となる。上記のような複雑な式の展開をするまでもなく、債券の「最終利回り」というのは、ある債券を購入して、満期まで保有した場合の１年当たりの投資収益率＝保有期間利回りなので、「１年後に債券の最終利回りが投資時点と同じ」ということは、現在の１年当たりの投資収益率と１年後の投資収益率が同じということであり、１年間の保有期間利回りが現在、そして１年後の投資収益率、つまり最終利回りであることは自明であろう。

例題７

債券分析に関する以下の設問に解答せよ。なお、解答の前提として以下の〈表〉を参照し、また、各問における債券の額面はすべて100円とする。

〈表〉

スポット・イールド・カーブ

残存期間	最終利回り
１年	0.75%
２年	1.00%
３年	1.50%
４年	2.20%
５年	3.00%

問１　クーポン・レート３％（年１回利払い）、残存期間４年の国債の価格はいくらか。

問２　クーポン・レート５％（年１回利払い）、残存期間２年の国債の複利最終利回りはいくらか。

問３　３年から４年にかけての１年物フォワード・レートはいくらか。

問４　問１の債券購入直後にスポット・イールド・カーブが上方に0.50%だけ平行移動し、そのまま１年間続いたとする。問１の債券に１年間投資した場合の保有期間利回りを求めよ。

解答

問１　103.20円　　問２　1.00%　　問３　4.33%
問４　2.65%

解　説

問1　将来発生するすべてのキャッシュ・フローを、そのキャッシュ・フロー・タイミングに対応したスポット・レートで割り引き、合計すればよい。

$$\frac{3}{1+0.0075}+\frac{3}{(1+0.0100)^2}+\frac{3}{(1+0.0150)^3}+\frac{3+100}{(1+0.0220)^4}\approx 103.20\text{円}$$

問2　まず、債券価格を求める。

$$\frac{5}{1+0.0075}+\frac{5+100}{(1+0.0100)^2}\approx 107.89\text{円}$$

最終利回りを y とすると、

$$\frac{5}{1+y}+\frac{5+100}{(1+y)^2}=107.89\text{円}$$

$$y\approx 1.00\%$$

問3

$$(1+0.0220)^4=(1+0.0150)^3(1+f_{3,4})$$

$$f_{3,4}\approx 4.33\%$$

問4　問1の債券の1年後の価格 S を求める。

$$S=\frac{3}{1+0.0075+0.005}+\frac{3}{(1+0.0100+0.005)^2}+\frac{3+100}{(1+0.0150+0.005)^3}$$

$$\approx 102.93$$

となる。現在の価格は問1より103.20円だから、保有期間利回り r は、

$$r\fallingdotseq\frac{3+102.93}{103.20}-1\approx 0.0265=2.65\%$$

例題８

債券に関する以下の設問に解答せよ。計算については小数第３位を四捨五入せよ。

現在、市場に以下のような国債Ａ、国債Ｂ、国債Ｃ（すべて年１回利払）がある。

	国債Ａ	国債Ｂ	国債Ｃ
残存期間	２年	３年	８年
額面	100円	100円	100円
クーポンレート	4.00％	8.00％	2.00％
最終利回り	???	7.00％	4.00％
価格	???	???	???

問１　現在、１年物割引国債（額面100円）が95.24円で取り引きされている。この国債に基づく１年物スポットレートを計算せよ。

問２　現在、２年物割引国債（額面100円）が89.00円で取り引きされている。この国債に基づく２年物スポットレートを計算せよ。

問３　問１・問２の計算結果に基づき、１年後から２年後にかけてのフォワードレートを計算せよ。

問４　資産価値は、その資産が将来もたらすキャッシュ・フローの現在価値（ＰＶ；Present Value）の合計と捉えることができる。

⑴　国債Aの１年目のキャッシュ・フロー現在価値を、スポットレートを使って計算せよ。

⑵　国債Aの２年目のキャッシュ・フロー現在価値を、スポットレートを使って計算せよ。

⑶　スポットレートに基づいて計算された、国債Aの価値はいくらか。

問５　国債Ｂはいくらで取り引きされているか。

問６　国債Ｃはいくらで取り引きされているか。

解答

問１　5.00％　　問２　6.00％　　問３　7.01％
問４　⑴　3.81円　　⑵　92.56円　　⑶　96.37円
問５　102.62円　　問６　86.53円

解　説

問1

$$95.24=\frac{100}{1+r_{0,1}} \qquad r_{0,1}=\frac{100}{95.24}-1=0.04997\cdots\approx 5.00\%$$

問2

$$89.00=\frac{100}{(1+r_{0,2})^2} \qquad r_{0,2}=\sqrt[2]{\frac{100}{89.00}}-1=0.05999\cdots\approx 6.00\%$$

問3

$$(1+r_{0,T})^T=(1+r_{0,t})^t(1+f_{t,T})^{T-t}$$

$$(1+r_{0,2})^2=(1+r_{0,1})^1(1+f_{1,2})^{2-1}$$

$$1.06^2=1.05\times(1+f_{1,2})$$

$$f_{1,2}=\frac{1.06^2}{1.05}-1=0.070095\cdots\approx 7.01\%$$

問4

(1) $\frac{4}{1.05}=3.8095\cdots\approx 3.81$円　(2) $\frac{4+100}{1.06^2}=92.5596\cdots\approx 92.56$円

(3) $3.81+92.56\approx 96.37$円

問5

$$\frac{8}{1.07}+\frac{8}{1.07^2}+\frac{108}{1.07^3}=102.624\cdots\approx 102.62\text{円}$$

問6

$$P=\sum_{t=1}^{n}\frac{C}{(1+y)^t}+\frac{F}{(1+y)^n}$$

P：債券価格、C：クーポン、F：額面、y：最終利回り、n：期間

$$P=\frac{2}{1+0.04}+\frac{2}{(1+0.04)^2}+\cdots+\frac{2}{(1+0.04)^8}+\frac{100}{(1+0.04)^8}$$

$=86.534...$

≈ 86.53円

例題 9

《2009（春）. 4 . Ⅱ》

現在、国債市場から推計された金利は図表のとおりである。利付債のクーポンは年1回払い、金利はすべて1年複利で計算しなさい。

図表　国債市場から推計された金利

期間t	t年のスポット・レート	t－1年後スタートの1年物フォワード・レート	1年後スタートのt年物フォワード・レート	残存t年の割引国債の価格＊	パー・イールドの利付債の利回り
1年	3.00 %	－ %	5.21 %	97.09 円	3.00 %
2年	4.10	5.21	5.26	92.28	（e）
3年	4.50	（b）	（c）	87.63	4.47
4年	5.10	6.92	5.76	（d）	5.03
5年	（a）	5.60	－	？	5.13

＊ 額面はいずれも100円。－は該当数字なし。

問1　5年のスポット・レート（a）は何%ですか。

A　4.90%

B　5.00%

C　5.10%

D　5.20%

E　5.30%

問2　今から2年後スタート3年後までの1年物フォワード・レート（b）は何%ですか。

A　4.90%

B　5.00%

C　5.10%

D　5.20%

E　5.30%

問3　今から1年後スタートの3年物フォワード・レート（c）は何%ですか。

A　5.41%

B　5.51%

C　5.61%

D　5.71%

E　5.81%

問4　残存4年、額面100円の割引国債の現在の価格（d）はいくらですか。

A　78.81円

B　79.69円

C　80.27円

D　81.96円

E　82.09円

問5　2年物のパー・イールド利付債の利回り（e）は何%ですか。

A　3.98%

B　4.00%

C　4.08%

D　4.10%

E　4.20%

問6　1年後のスポット・レート・カーブが現在とまったく同じであったとしたとき、いま残存4年の割引国債（利回り5.10%）に投資した場合の1年間の保有期間利回りは何%ですか。

A　3.00%

B　5.10%

C　5.76%

D　5.81%

E　6.92%

問7　1年後のスポット・レート・カーブが現在のスポット・レート・カーブから予想されるとおりに（表の1年後スタートのt年物フォワード・レートのように）なったとしたとき、いま残存4年の割引国債に投資した場合の1年間の保有期間利回りは何%になりますか。

A　3.00%

B　5.10%

C　5.76%

D　5.81%

E　6.92%

問8　いま額面100円、利払いは年1回でクーポン・レート4%、残存4年の利付国債がある。表の金利の下では価格はいくらですか。

A　96.15円

B　96.32円

C　96.50円

D　96.72円

E　97.04円

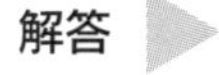

解答

問1　D　問2　E　問3　E　問4　D　問5　C　問6　E
問7　A　問8　B

解　説

金利期間構造は以下の通り。

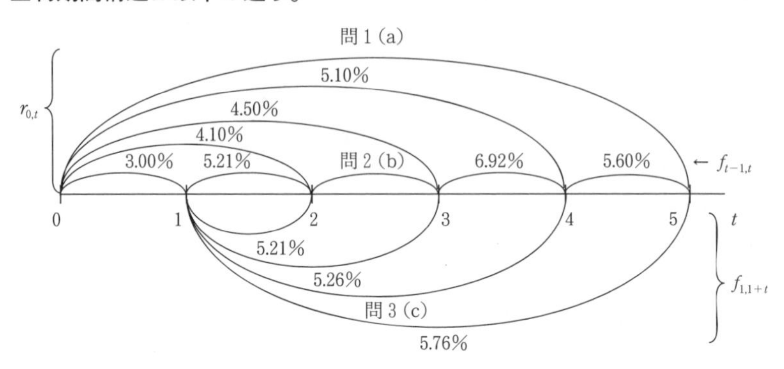

ただし、$r_{0,t}$：t年物スポット・レート、$f_{t-1,t}$：$t-1$年後スタートの1年物フォワード・レート、$f_{1,1+t}$：1年後スタートのt年物フォワード・レート。

問1　スポット・レート

$$(1+r_{0,5})^5=(1+r_{0,4})^4(1+f_{4,5}) \Leftrightarrow 1+r_{0,5}=\sqrt[5]{(1+r_{0,4})^4(1+f_{4,5})}$$

$$r_{0,5}=\sqrt[5]{(1+r_{0,4})^4(1+f_{4,5})}-1=\sqrt[5]{(1+0.051)^4(1+0.056)}-1$$

$$=0.051998\ldots \approx 5.20\%$$

関数電卓であれば比較的容易であろう。1次レベルは選択式なので、一般の電卓でも試行錯誤（trial and error）方式で解答可能である。とりあえず、

$$(1+r_{0,5})^5=(1+r_{0,4})^4(1+f_{4,5})=(1+0.051)^4(1+0.056)=1.28847\ldots$$

と計算しておく。五択なので真ん中のC：5.10%あたりを$r_{0,5}$に代入してみる（trial-1）。

$$(1+0.051)^5=1.28237\ldots$$

これは1.28847…より小さい（error）ので、D：5.20%を代入してみる（trial-2）。

$$(1+0.052)^5=1.28848\ldots$$

ほぼ1.28847…に一致するのでDが正解。

問2　フォワード・レート

$$(1+r_{0,3})^3=(1+r_{0,2})^2(1+f_{2,3})\Leftrightarrow 1+f_{2,3}=\frac{(1+r_{0,3})^3}{(1+r_{0,2})^2}$$

$$f_{2,3}=\frac{(1+r_{0,3})^3}{(1+r_{0,2})^2}-1=\frac{(1+0.045)^3}{(1+0.041)^2}-1=0.053046\ldots\approx 5.30\%$$

問3　フォワード・レート

$$(1+r_{0,4})^4=(1+r_{0,1})(1+f_{1,4})^3\Leftrightarrow 1+f_{1,4}=\sqrt[3]{\frac{(1+r_{0,4})^4}{(1+r_{0,1})}}$$

$$f_{1,4}=\sqrt[3]{\frac{(1+r_{0,4})^4}{(1+r_{0,1})}}-1=\sqrt[3]{\frac{(1+0.051)^4}{1+0.03}}-1=0.058094\ldots\approx 5.81\%$$

この問題も関数電卓であれば比較的容易だが、一般の電卓の場合、試行錯誤（trial and error）方式で処理する。とりあえず、

$$(1+f_{1,4})^3=\frac{(1+r_{0,4})^4}{(1+r_{0,1})}=\frac{(1+0.051)^4}{1+0.03}=1.184605\ldots$$

と計算しておく。やはり五択なので真ん中のC：5.61%あたりを$f_{1,4}$に代入してみる（trial-1）。

$$(1+0.0561)^3=1.17791\ldots$$

これは1.184605…より小さい（error）ので、D：5.71%を代入してみる（trial-2）。

$$(1+0.0571)^3=1.18126\ldots$$

これでもなお小さいので、5.71%よりも大きい値の選択肢となるとE：5.81%しかなく、出題ミスでもない限りこれが正解のはず。念のため確認すると、

$$(1+0.0581)^3=1.18462\ldots$$

大体合っている。

問4　スポット・レート＝割引債の（複利）最終利回り

スポット・レートは（リスクのない）割引債の最終利回りである。

$$P_4=\frac{F}{(1+r_{0,4})^4}=\frac{100}{(1+0.051)^4}=81.95758\ldots\approx 81.96$$

問5　パー・イールド

パー・イールドなので債券価格=額面（＝100）、最終利回り＝クーポン・レート。2年物なので、クーポンをC、最終利回りをyとすると以下の関係が成り立つ。

$$100=\frac{C}{1+y}+\frac{C+100}{(1+y)^2}=\frac{C}{1+r_{0,1}}+\frac{C+100}{(1+r_{0,2})^2}\Leftrightarrow$$

$$100=\frac{C}{1+0.03}+\frac{C+100}{(1+0.041)^2}$$

$$100\times(1+0.03)\times(1+0.041)^2=(1+0.041)^2\times C+(1+0.03)\times(C+100)$$

$$111.619143=1.083681C+1.03C+103$$

$$2.113681C=8.619143$$

$$C=4.077787\ldots\approx 4.08$$

$$\frac{C}{100}=\frac{4.08}{100}=4.08\%$$

パー・イールドの公式に代入すると以下のようになる。

$$C=\frac{1-\frac{1}{(1+r_{0,2})^2}}{\frac{1}{1+r_{0,1}}+\frac{1}{(1+r_{0,2})^2}}=\frac{1-\frac{1}{(1+0.041)^2}}{\frac{1}{1+0.03}+\frac{1}{(1+0.041)^2}}$$

$$=0.04077787\ldots\approx 4.08\%$$

問6　保有期間利回り

現在の残存4年割引国債は1年後には残存3年になっている。1年後のスポット・レート・カーブが現在と同じであれば、この割引国債の利回りは現在の3年物スポット・レートである。したがって、1年間の保有期間利回りrは以下のように現在の3年後スタート4年後エンドの1年物フォワード・レートであり、計算するまでもなく図表から6.92%となる。

$$r=\frac{P_3-P_4}{P_4}=\frac{P_3}{P_4}-1=\frac{\frac{F}{(1+r_{0,3})^3}}{\frac{F}{(1+r_{0,4})^4}}-1=\frac{(1+r_{0,4})^4}{(1+r_{0,3})^3}-1$$

$$= (1+f_{3,4}) - 1 = f_{3,4} = 6.92\%$$

$$\frac{1.051^4}{1.045^3} - 1 = 0.069207\ldots \approx 6.92\%$$

ただし、P_4：現在の残存4年割引国債の価格、

P_3：1年後の残存3年割引国債の価格、F：額面。

問7　保有期間利回り

現在の残存4年割引国債は1年後には残存3年になっており、1年後の利回りは1年後の3年物スポット・レートである。題意から、1年後の3年物スポット・レートは現在の1年後スタート3年物フォワード・レート（$f_{1,4}$）である（純粋期待仮説の予想が実現する）。したがって、1年間の保有期間利回りrは以下のように現在の1年物スポット・レートであり、計算するまでもなく図表から3.00%となる。

$$1+r = \frac{P_3}{P_4} = \frac{\dfrac{F}{(1+f_{1,4})^3}}{\dfrac{F}{(1+r_{0,4})^4}} = \frac{(1+r_{0,4})^4}{(1+f_{1,4})^3} \Leftrightarrow$$

$$(1+r_{0,4})^4 = (1+r)(1+f_{1,4})^3$$

$$\therefore r = r_{0,1} = 3.00\%$$

$$\frac{1.0510^4}{1.0581^3} - 1 = 0.029984\ldots \approx 3.00\%$$

問8　スポット・レートを用いた利付債の価格計算

$$P = \sum_{t=1}^{N} \frac{C}{(1+r_{0,t})^t} + \frac{F}{(1+r_{0,N})^N}$$

$$= \frac{C}{1+r_{0,1}} + \frac{C}{(1+r_{0,2})^2} + \frac{C}{(1+r_{0,3})^3} + \frac{C+F}{(1+r_{0,4})^4}$$

$$= \frac{4}{1+0.03} + \frac{4}{(1+0.041)^2} + \frac{4}{(1+0.045)^3} + \frac{104}{(1+0.051)^4}$$

$$= 96.31568\ldots \approx 96.32$$

5 リスクと格付け

Point ① 債券投資のリスク

投資家にとっての債券投資に伴うリスクは、主に次の5つがあげられる（本節では中でも重要な信用リスクに焦点を当て整理する）。

※ 債券投資に伴うリスク

(1) 金利変動リスク（価格変動リスク）：金利の変動により、債券価格が変動する危険性。特に、金利上昇により債券価格が下落する危険性。

(2) 途中償還リスク（期限前償還リスク）：コーラブル債がその発行体によって任意償還される場合等、将来受け取るキャッシュフローのスケジュールが変動する危険性。

注）任意償還条項の付いた債券を**コーラブル債**という。金利が低下すると発行体は有利な条件で再調達が可能となるためコーラブル債を満期以前に繰上償還し、借り換えを行う可能性が高まる。

(3) 信用リスク（デフォルト・リスク）：債券の発行体がデフォルト（債務不履行）に陥る危険性。広い意味では、デフォルトの確率が高まることにより債券価格が下落する危険性。

(4) 流動性リスク：対象債券が活発に取引されていないために、その債券を大量に売買しようとすると、「買い」によって価格が上昇する、あるいは「売り」によって価格が下落する危険性。

(5) 再投資リスク：利付債に投資した場合、クーポンの再投資の際の利子率が不確実であることから、債券投資の将来価値を確定できない危険性。

Point ② 期待損失、デフォルト確率、デフォルト時損失率、デフォルト時エクスポージャー

発行体が一定期間内にデフォルトする可能性をデフォルト確率（Probability of Default、PD）という。そして、発行体がデフォルトした際、債券の投資額の残

高に対して資金を回収できずに被る損失額の割合はデフォルト時損失率（Loss Given Default、LGD）と呼ばれる。また、発行体がデフォルトするときに想定される債券の残高をデフォルト時エクスポージャー（Exposure At Default、EAD）という。PD、LGD、EADの想定に基づいて平均的に生じる損失額を期待損失（Expected Loss、EL）といい、信用リスクを管理するために用いられる。期待損失の計算式は以下の通りである。

> 期待損失（EL）＝デフォルト確率（PD）×デフォルト時損失率（LGD）
> ×デフォルト時エクスポージャー（EAD）

例題10

《2023（春）. 3．Ⅰ．3》

残存期間2年の社債の今後1年間のデフォルト確率が2.5％、デフォルト時損失率が80％、デフォルト時エクスポージャーが5億円の場合、今後1年間の期待損失はいくらか。

A　1百万円
B　5百万円
C　10百万円
D　15百万円
E　20百万円

解答　C

解　説

問題文にある「デフォルト時エクスポージャー（EAD：Exposure At Default)」は、貸出先がデフォルトした時点での与信額（貸出残高）であり、金額で表示される。要するに債券であれば「額面総額」に相当するので、この問題に関しては「額面5億円分の社債」として考える。

デフォルト時損失率が80％なので、デフォルト時の損失額が5億円×0.8＝

4億円。今後1年間のデフォルト確率が2.5%なので、「今後1年間の期待損失」は、0.025×4億円＝0.1億円＝10百万円である。

Point ③ 信用リスクと社債格付け

格付けとは、債券の元本の償還やクーポンの支払いが約定通りに行われない危険性（信用リスク）を、中立的な第三者の立場から正確な情報に基づき評価したものである。

＜代表的な格付け機関＞
日本　…格付投資情報センター（R&I）、日本格付研究所（JCR）
海外　…ムーディーズ（Moody's）、スタンダード＆プアーズ（S&P）

格付け機関の格付け体系として、一般に最上の格付けをAAA、次いでAA、A、BBB、BB、B、CCC、…（ただしMoody'sは最上の格付をAaa、次いでAa、A、Baa、Ba、B、Caa…）で表示され、投資家に情報提供されている。うちAA以下の格付けについては、それぞれさらに上位から順に"＋"、"(符号なし)"、"－"のノッチ符号で細分化されている（ただし、Moody'sは、うちAaからCaaまでの格付けについて、それぞれさらに上位から順に"1"、"2"、"3"のノッチ符号で細分化されている。）また、BBB格以上の高格付けを"投資適格"、逆にBB格以下の低格付けを"投機的等級"と呼ぶ。

格付け機関の格付け体系

	R&I、JCR、S&P	Moody's
投資適格	AAA	Aaa
	AA	Aa
	A	A
	BBB	Baa
投機的等級	BB	Ba
	B	B
	…	…

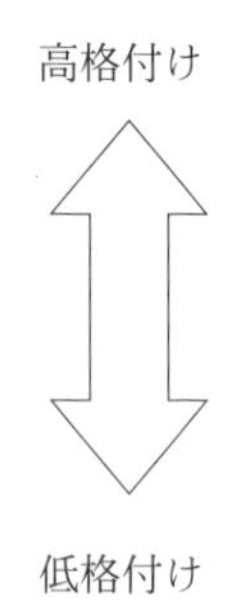

債券の格付けごとに実際に信用リスクがどれだけ顕在化したか、過去のデフォルト率データが海外の格付け機関から公表されている。一般に、格付けが低くなるにつれて債券のデフォルト率は高くなる。デフォルト率は、格付を付与していた発行体数に対するデフォルトに陥った発行体数の比率であり、通常、分子のデフォルトした発行体数には一定期間中の累積値が用いられるので累積デフォルト率と呼ばれる。

なお、デフォルトの厳密な定義に統一的なものはない。ただし、一般的には以下のいずれかの事象に当てはまる場合がデフォルトとされる。

① 債務の元本あるいは利息を期日通りに支払われなかった場合

② 債権者にとって著しく不利益となるような債務契約の条件変更（債権放棄、債務の株式化、金利の減免、元本または金利の支払い期限の延長など）が要請されたり実施されたりした場合

③ 債務者が会社更生法や民事再生法の申請、破産手続きの申し立てなどを行った場合

格付投資情報センター（R＆I）の平均累積デフォルト率、1978〜2022年度日本

格付＼年後	1	2	3	4	5	6	7	8	9	10
AAA	0.00%	0.00%	0.00%	0.00%	0.00%	0.13%	0.26%	0.26%	0.26%	0.26%
AA	0.00%	0.00%	0.00%	0.00%	0.05%	0.11%	0.16%	0.28%	0.40%	0.53%
A	0.04%	0.11%	0.19%	0.31%	0.41%	0.50%	0.64%	0.80%	0.94%	1.07%
BBB	0.10%	0.29%	0.47%	0.70%	0.99%	1.30%	1.58%	1.80%	2.05%	2.28%
BB	1.98%	3.49%	5.21%	6.43%	7.25%	8.09%	9.25%	10.43%	11.29%	12.06%
B以下	8.52%	13.90%	17.96%	20.22%	22.49%	23.87%	25.75%	26.70%	27.66%	28.62%
BBB以上	0.05%	0.15%	0.25%	0.38%	0.54%	0.71%	0.89%	1.06%	1.23%	1.40%
BB以下	3.17%	5.38%	7.53%	8.94%	10.04%	10.97%	12.27%	13.40%	14.28%	15.09%
全体	0.20%	0.40%	0.60%	0.79%	1.00%	1.21%	1.45%	1.67%	1.88%	2.09%

（出所）R＆I〔2023〕データ集「日本企業のデフォルト率・格付推移行列（1978〜2022年度）」、6月30日

格付けは、債券の発行条件や流通利回りに大きな影響を及ぼす。一般に、格付けの低い社債ほど利回りが高い（すなわち格付けの低い社債ほど、国債との利回

りの差である利回りスプレッドが高い)。

また、社債の国債に対する利回りスプレッドについては、景気の悪い時ほど投資家の信用リスクに対する回避度の高まりを受けて拡大する傾向がある。なお、利回りスプレッドは当該社債のデフォルト率だけでなく、債券市場の需給などさまざまな要因によって決まる。

例題11

《2013(春). 4. I. 4》

債券投資のリスクに関する次の記述のうち、正しくないものはどれか。

A 金利が上昇すると一般に債券価格は下落する。

B 格付の高い債券ほどデフォルトリスクが大きい。

C 取引があまり活発でない債券を大量に売却しようとすると、価格が下落するリスクがある。

D コーラブル債は金利が低下するほど期限前に償還されるリスクが大きくなる。

解答 B

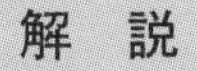

解説

B 正しくない。格付の高い債券ほどデフォルトリスクは小さい。

例題12

《2023（春）．３．Ⅰ．４》

債券の信用格付に関する次の記述のうち、正しいものはどれか。

A　信用格付評価では、信用リスクのほか、金利変動リスク、期限前償還リスクも考慮される。

B　信用格付評価は、個々の債券銘柄ごとに行われるので、発行体の総合的な金融債務履行能力は考慮されない。

C　定量的なクレジット分析においては、発行体の業種やビジネスモデルにかかわらず、同じ財務指標を用いる必要がある。

D　発行体の格付が低下して、流動性が重視される段階では、資金繰りの予測が重要になる。

解答  D

解　説

A　正しくない。信用格付評価で考慮されるのは信用リスク。

B　正しくない。発行体が負うすべての金銭債務についての履行能力の評価を発行体格付という。個々の債券銘柄ごとに行われる銘柄格付は、発行体格付を踏まえ、当該債券（債務）の保有者の債権者としての地位（他の債務との優先劣後関係など）を検討したうえで決められる。

C　正しくない。重視すべき指標は事業形態やビジネスモデルによって異なる。

D　正しい。

Point ④ 財務上の特約

財務上の特約は、債券の発行体が債券の購入者（社債権者）に対して、社債の元利金の償還を確実にするために、既発行債券に不利になるような発行機関の行動を未然防止する一定の約束事である。

財務上の特約には次のようなものがある。

種類	特約の内容
担保提供制限	当該社債が平等かつ比例的に担保されない限り、現在および将来発行される他の債券に対して抵当権その他の担保物権の設定を禁止する。
純資産額維持	債権者の権利を担保するため純資産（自己資本）を社債発行時の一定比率に維持することを約束する。
配当制限	債権者の最終担保である自己資本が過度の配当支払い等により損なわれることを防止する。
利益維持	発行体の持つ債務返済能力を収益性の観点から確保するため、一定の利益水準の確保を義務付ける。
追加債務負担制限	債務負担追加による社債権者の地位の希薄化、および発行体の財務内容の弱体化を防止するため、債務の増加を制限する。
セール・アンド・リースバック取引制限	既存の営業施設等を売却し、同時に買い主から長期間リースを受けるという取引を制限することにより、賃借料支払い債務が財務状態を脆弱化させ、社債の安全性を損なうことを防ぐ。
担付切換	担保提供制限条項やその他の財務上の特約に違背し、期限の利益を喪失することを防ぐため、担保附社債信託法に基づく担保権を設定できるようにする。
クロス・デフォルト	発行企業の他の債務がデフォルトになった場合、当該社債もデフォルトになり、直ちに期限の利益を失う。

注）期限の利益とは、期限が到来するまで債務の履行を請求されない、あるいは権利を失わない等、期限がまだ到来しないことで当事者が受ける利益のことである。期限の利益は債務者側にあると推定される（民法第136条第１項）が、債務者の破産、担保の滅損・減少など債務者の信用を失わせる事実があったときは、債務者は期限の利益を喪失し（同137条）、債務を履行しなければならない。

例題13

《2022（秋）．３．Ⅰ．３》

債券の信用格付に影響を及ぼす要因に関する次の記述のうち、正しくないものはどれか。

A　業績が一時的に変化する場合、信用格付も必ず変更される。

B　会計不正が発覚したことによる財務諸表の訂正が金額的に重要だった場合、信用格付を見直す必要がある。

C　信用格付は、マクロ経済の環境変化の影響を受けることがある。

D　M&Aの資金を有利子負債で調達すると、債務償還年数の長期化や負債比率の上昇によって、信用格付が悪化する可能性がある。

解答  A

解　説

A　正しくない。企業収益は景気循環によって変動し、好況期に格上げ、不況期に格下げしては安定した格付にならないので、循環要因による利益やキャッシュフローの変動を捨象する「スルー・ザ・サイクル（through-the-cycle）」の原則によって行われる。

6　債券価格の変動

Point ①　債券価格と利回りの関係

図２－６－１　債券価格と利回り

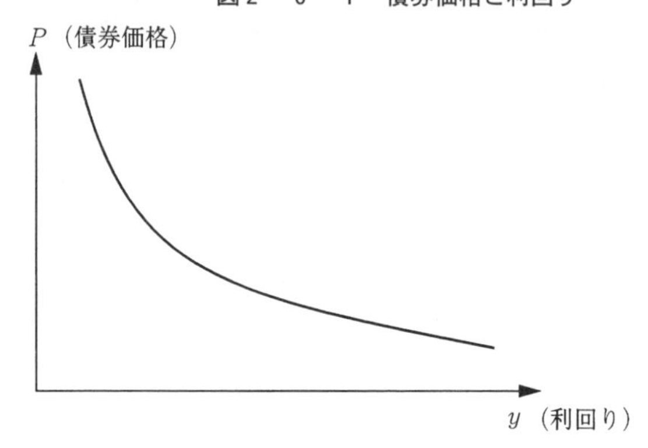

利回りy↑ ⇒ 債券価格P↓

利回りy↓ ⇒ 債券価格P↑

●他の条件が等しいとき、利回り変化に対して…

クーポン・レートが高いほど ⇒ 債券価格の変化率が小さい
（ただし変化額は大きい）

クーポン・レートが低いほど ⇒ 債券価格の変化率が大きい
（ただし変化額は小さい）

●他の条件が等しいとき、利回り変化に対して…

残存期間が長いほど ⇒ 債券価格の変化が大きい

残存期間が短いほど ⇒ 債券価格の変化が小さい

Point ② 債券価格と残存期間の関係

●クーポン・レート ＞ 利回り

残存期間が長いほど ⇒ 債券価格は高くなる

●クーポン・レート ＝ 利回り（パー・イールド）

残存期間が変化しても ⇒ 債券価格は変化しない

債券価格 ＝ 償還価格

●クーポン・レート ＜ 利回り

残存期間が長いほど ⇒ 債券価格は低くなる

7　デュレーションとコンベクシティ

Point ① マコーレー・デュレーション（D_{mac}：Macaulay Duration）

［意味］

・投資の平均回収期間：債券価格（投資額）を回収するために要する期間を示す尺度

・利回り変化に対する債券価格の弾力性

［前提］

1）イールド・カーブは水平である

2）イールド・カーブの変化は常にパラレルシフトである

3）イールド・カーブのシフトは1度だけである

4）債券価格の変化は金利の変化に対して直線的に起こる

利付債	$D_{mac}=\dfrac{\dfrac{1\times C}{1+y}+\dfrac{2\times C}{(1+y)^2}+\cdots+\dfrac{n\times(C+F)}{(1+y)^n}}{P}=\dfrac{\sum_{t=1}^{n}\dfrac{tC}{(1+y)^t}+\dfrac{nF}{(1+y)^n}}{P}$
割引債	$D_{mac}=\dfrac{\dfrac{nF}{(1+y)^n}}{P}=n$

デュレーションの性質

①割引債のマコーレー・デュレーションは残存年数に等しい

②利付債のマコーレー・デュレーションは残存年数以下である

③他の条件が等しい場合には残存年数が長いほどデュレーションは大きい

④他の条件が等しい場合にはクーポン・レートが低いほどデュレーションは大きい

⑤他の条件が等しい場合には満期利回りが低いほどデュレーションは大きい

Point ② 利回り変化と債券価格の関係――デュレーションによる近似――

$$\frac{\Delta P}{P} \fallingdotseq -D_{mac} \times \frac{\Delta y}{1+y}$$

図２－７－１　利回り変化と債券価格（デュレーションによる近似）

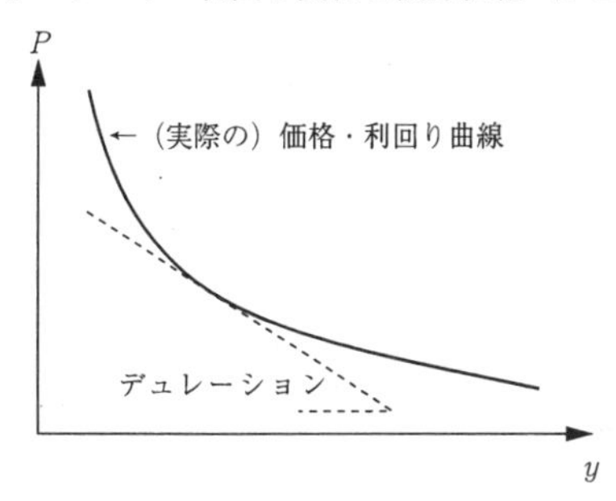

デュレーション（厳密には金額デュレーション＝D_{mod}×債券価格）は価格・利回り曲線へ引いた接線の傾きに関連する数値であり、この曲線をある利回りにおいて線形近似させたものに対応する。

利回りと債券価格は反対方向に動く関係にあるから、利回りが上昇すると債券価格は下落し、利回りが低下すると債券価格は上昇する。またデュレーションが大きいほど利回り変化に対する債券価格の変化の程度は大きい。したがって、投資に際して有利な債券とは利回り上昇時にはデュレーションの小さな債券、利回り低下時にはデュレーションの大きな債券ということになる。

Point ③ 修正デュレーション（D_{mod}）

$$D_{mod} = \frac{D_{mac}}{1+y}$$

これから、利回り変化と債券価格の関係は

$$\boxed{\frac{\Delta P}{P} \fallingdotseq -D_{mod} \times \Delta y}$$

で表される。

この式からも分かるように、修正デュレーションは実際に利回りが１％変化した場合に債券価格が何％変化を示す数値である。

Point ④ イミュニゼーション（Immunization）

パッシブ戦略のひとつで、債券ポートフォリオの価値を金利変化の影響から**免疫化**（Immunize）させる戦略である。投資計画期間とデュレーションが一致するように債券ポートフォリオを構築する。

- 金利上昇の場合⇒キャピタルロスを再投資収益の増加で相殺
- 金利低下の場合⇒再投資収益の減少をキャピタルゲインで相殺

以上のように、ポートフォリオの価値は金利変化の影響を受けることなく一定となり、利回りを確定させることができる。

しかし、こうしたイミュニゼーション戦略は以下のような理由から必ずしもうまく機能しない。

- デュレーションはイールド・カーブが水平でパラレルシフトすることを前提としているが、利回りの期間構造でみたように現実にはこの仮定は無理がある。
- 債券にはデフォルト・リスクや繰上償還リスク等もあり、これらのリスクが発生した場合にはイミュニゼーションは機能しない。

Point ⑤ コンベクシティ（*BC*：Bond Convexity）

デュレーションは利回り変化に伴う債券価格の変化を線形近似させたものであるため、利回り水準の大きな変動に対しては有効性が落ちる（誤差が大きい）。そこで実際の債券価格の曲がり具合を考慮したコンベクシティを加え、推定精度を上げる（誤差を縮める）。

利付債	$BC=\dfrac{\displaystyle\sum_{t=1}^{n}\dfrac{t(t+1)C}{(1+y)^t}+\dfrac{n(n+1)F}{(1+y)^n}}{P}\times\dfrac{1}{(1+y)^2}$
割引債	$BC=\dfrac{\dfrac{n(n+1)F}{(1+y)^n}}{P}\times\dfrac{1}{(1+y)^2}=n(n+1)\times\dfrac{1}{(1+y)^2}$

Point ⑥ 利回り変化と債券価格の関係

——デュレーション・コンベクシティによる近似——

$$\frac{\Delta P}{P} \fallingdotseq -D_{mac} \times \frac{\Delta y}{1+y} + \frac{1}{2} \times BC \times (\Delta y)^2 = -D_{mod} \times \Delta y + \frac{1}{2} \times BC \times (\Delta y)^2$$

図２－７－２　利回り変化と債券価格（デュレーション・コンベクシティによる近似）

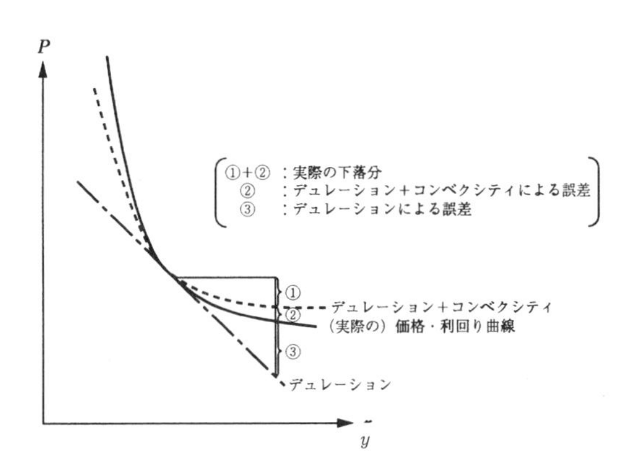

以上よりデュレーションが同じであれば、コンベクシティの大きい債券の方が有利といわれている。

例題14　次のような２種類の債券があり、現在、どちらも複利最終利回り4.00％で取引されている。以下の設問に解答せよ。

	債券A	債券B
額面	100.00円	100.00円
クーポン・レート	6.00％	5.00％
利払い	年１回	年１回
残存期間	３年	４年

問１　債券A、Bの市場価格を計算せよ。

問２　債券A、Bの修正デュレーションを計算せよ。

問３　デュレーションを使って、利回りが3.00％に下落した場合の債券A、Bの市場価格および価格変化率を計算せよ。

問４　債券A、Bのコンベクシティを計算せよ。

問5　デュレーションとコンベクシティを使って、利回りが3.00%に下落した場合の債券A、Bの市場価格および価格変化率を計算せよ。

問6　金利は先行き低下すると予想されている。以上の計算結果から、どちらの債券に投資するのが有利と考えられるか。

解答

問1	債券A	105.55円	債券B	103.63円
問2	債券A	2.73	債券B	3.59
問3	市場価格：債券A	108.43円	債券B	107.35円
	価格変化率：債券A	＋2.73%	債券B	＋3.59%
問4	債券A	10.30	債券B	16.82
問5	市場価格：債券A	108.48円	債券B	107.43円
	価格変化率：債券A	＋2.78%	債券B	＋3.67%
問6	債券B			

解　説

問1

債券A　$P_A = \frac{6}{1.04} + \frac{6}{1.04^2} + \frac{106}{1.04^3} = 105.5501\cdots$

≈ 105.55円

債券B　$P_B = \frac{5}{1.04} + \frac{5}{1.04^2} + \frac{5}{1.04^3} + \frac{105}{1.04^4} = 103.6298\cdots$

≈ 103.63円

問2

$$D_{mod} = \frac{D_{mac}}{1+y} = \frac{\sum_{t=1}^{n} \frac{tC}{(1+y)^t} + \frac{nF}{(1+y)^n}}{P} \times \frac{1}{1+y}$$

債券A　$D_A = \frac{\frac{1\times 6}{1.04} + \frac{2\times 6}{1.04^2} + \frac{3\times 106}{1.04^3}}{105.55} \times \frac{1}{1.04} = 2.728\cdots$

≈ 2.73

債券B　$D_B = \dfrac{\dfrac{1\times5}{1.04}+\dfrac{2\times5}{1.04^2}+\dfrac{3\times5}{1.04^3}+\dfrac{4\times105}{1.04^4}}{103.63}\times\dfrac{1}{1.04} = 3.585\cdots$

≈ 3.59

問３　$\dfrac{\Delta P}{P} = -D_{mac}\times\dfrac{\Delta y}{1+y}$

債券A　$\dfrac{\Delta P_A}{P_A} = -2.73\times(-0.01) = +0.0273$

$= +2.73\%$

$P_A = 105.55\times(1+0.0273) = 108.4315\cdots$

≈ 108.43円

債券B　$\dfrac{\Delta P_B}{P_B} = -3.59\times(-0.01) = +0.0359$

$= +3.59\%$

$P_B = 103.63\times(1+0.0359) = 107.3503\cdots$

≈ 107.35円

問４

$$BC = \frac{\sum_{t=1}^{n}\dfrac{t(t+1)C}{(1+y)^t}+\dfrac{n(n+1)F}{(1+y)^n}}{P}\times\frac{1}{(1+y)^2}$$

債券A　$BC_A = \dfrac{\dfrac{1\times(1+1)\times6}{1.04}+\dfrac{2\times(2+1)\times6}{1.04^2}+\dfrac{3\times(3+1)\times106}{1.04^3}}{105.55}\times\dfrac{1}{1.04^2}$

$= 10.2977\cdots$

≈ 10.30

債券B　$BC_B = \dfrac{\dfrac{1\times2\times5}{1.04}+\dfrac{2\times3\times5}{1.04^2}+\dfrac{3\times4\times5}{1.04^3}+\dfrac{4\times5\times105}{1.04^4}}{103.63}\times\dfrac{1}{1.04^2}$

$= 16.82437$

≈ 16.82

問5　$\dfrac{\Delta P}{P} = -D_{mod}\times\Delta y+\dfrac{1}{2}\times BC\times(\Delta y)^2$

債券A　$\dfrac{\Delta P_A}{P_A} = -2.73\times(-0.01)+\dfrac{1}{2}\times10.30\times(-0.01)^2$

$= +0.0273+0.000515 = +0.027815$

$\approx +2.78\%$

$P_A = 105.55\times(1+0.0278) = 108.4842\cdots$

≈ 108.48円

債券B　$\dfrac{\Delta P_B}{P_B} = -3.59\times(-0.01)+\dfrac{1}{2}\times16.82\times(-0.01)^2$

$= +0.0359+0.000841 = +0.036741$

$\approx +3.67\%$

$P_B = 103.63\times(1+0.0367) = 107.4332\cdots$

≈ 107.43円

問6　債券価格と利回りは反対方向に動き、利回りが低下する局面では債券価格は上昇する。デュレーションは利回り変化に対する債券価格の弾力性を表し、利回り低下局面では、デュレーションの大きい債券の方がより大きなキャピタルゲインを得られるので有利である。利回り変化に対する債券価格の変化は曲線で描写されるが、デュレーションはこれを線形近似させているため、実際の債券価格を必ず過小評価してしまう。コンベクシティは曲線の曲がり具合を考慮したものであるため、デュレーションによる債券価格の誤差を調整している。したがって、デュレーションが同じであれば、コンベクシティの大きい債券の方が有利となる。債券Bの方がデュレーション、コンベクシティともに大きく、金利低下局面では債券Bが有利となる。

例題15

《2009（秋）. 4 . Ⅰ . 5》

クーポン2.00％、額面100円、残存期間10年、年１回利払いの債券の、現在の最終利回りは1.90％であり、債券価格等は図表１のように計算されている。これを前提にすると最終利回りがいま直ちに、1.80％に低下したときの債券価格の変化幅はいくらか。

図表１　債券のデータ

債券価格	最終利回り	修正デュレーション
100.903円	1.90％	8.996

A　－0.298円

B　－0.118円

C　　0.501円

D　　0.908円

E　　1.218円

解答　D

解　説

図表１には修正デュレーションが与えられているので、以下の近似計算式から求める「債券価格の変化幅」なので、ΔPについて計算する。また利回り変化$\Delta y = 0.018-0.019$である。

$$\frac{\Delta P}{P} \approx -D_{mod} \times \Delta y$$

$$\begin{aligned}\Delta P &\approx -D_{mod} \times \Delta y \times P \\ &= -8.996 \times (0.018-0.019) \times 100.903 \\ &= 0.907723388 \\ &\approx 0.908\end{aligned}$$

ただし、P：債券価格、ΔP：債券価格の変化、

D_{mod}：修正デュレーション。

例題16

《2009（秋）．４．Ⅰ．６》

例題15の条件に加え、この債券のコンベクシティが図表２のように示されている。これを前提にすると最終利回りが現在の1.90％から、いま直ちに1.80％に低下したときの債券価格の変化幅は、コンベクシティの効果により例題15といくらの相違があるか。

図表２　債券のデータ

債券価格	最終利回り	修正デュレーション	コンベクシティ
100.903円	1.90％	8.996	94.241

A　−0.00262円

B　−0.00185円

C　　0.00475円

D　　0.00908円

E　　0.02118円

解答 C

解　説

デュレーション＆コンベクシティ（BC）による債券価格変化率の近似式は以下の通り。

$$\frac{\Delta P}{P} \approx -D_{mod} \times \Delta y + \frac{1}{2} \times BC \times (\Delta y)^2$$

「コンベクシティ効果」による相違は以下のように計算できる。

$$\left[\left\{-D_{mod} \times \Delta y + \frac{1}{2} \times BC \times (\Delta y)^2\right\} - (-D_{mod} \times \Delta y)\right] \times P$$

$$= \left\{\frac{1}{2} \times BC \times (\Delta y)^2\right\} \times P$$

$$= \left\{\frac{1}{2} \times 94.241 \times (0.018 - 0.019)^2\right\} \times 100.903$$

$$= 0.004754599...$$

$$\approx 0.00475$$

例題17

《2017（春）．４．Ⅲ》

現在、以下の利付債（年１回利払い）が図表の条件で取引されている。いずれも利払い直後、価格は額面100円当たり、信用リスクはないものとする。

図表　債券の属性

銘柄	残存年数	クーポン（%）	価格（円）	複利最終利回り（%）	修正デュレーション	コンベクシティ
債券X	1年	0.30	100.05	0.25	0.998	1.990
債券Y	5年	0.50	97.48	1.02	4.900	29.004
債券Z	10年	1.20	98.88	1.32	9.356	99.746

問1　債券Xと債券Zを組み合わせて、債券Yと同じ修正デュレーションのポートフォリオPを作ったとき、債券Xの投資比率はいくらですか。

A　35.6%

B　49.8%

C　53.3%

D　62.2%

E　70.6%

問2　**問1**で作ったポートフォリオPの複利最終利回りはいくらですか。

A　0.35%

B　0.50%

C　0.68%

D　0.75%

E　1.15%

問3　**問1**で作ったポートフォリオPのコンベクシティはいくらですか。

A　3.995

B　29.004

C　47.642

D　68.005

E　72.152

問4　**問1**で作ったポートフォリオPと債券Yのリターンに関する次の記述のうち、正しくないものはどれですか。

A　すべての債券の利回りが直ちに同一幅で大きく上昇した場合には、ポートフォリオPの方が債券Yよりもリターン（価格変化率）が高くなる。

B　すべての債券の利回りが直ちに同一幅で大きく低下した場合には、ポートフォリオPの方が債券Yよりもリターン（価格変化率）が高くなる。

C　すべての債券の利回りが変化しないで1年経過した場合には、ポートフォリオPの方が債券Yよりもリターンが高くなる。

D　すべての債券の利回りが変化しないで1年経過した場合には、債券Yの方がポートフォリオPよりもリターンが高くなる。

解答　問１　C　問２　D　問３　C　問４　C

解　説

短期債と長期債だけ保有するポートフォリオをバーベル（ダンベル）型、保有債券の残存年限を１つに集中するポートフォリオをブレット型という。債券Ｘと債券Ｚのポートフォリオ P はバーベル、債券Ｙのみはブレットである。通常の順イールドの場合、利回りはブレットが高く、コンベクシティはバーベルが大きくなる傾向にある。

問１　$0.998\times x+9.356\times(1-x)=4.900 \quad x=0.5331418...\approx 53.3\%$

問２　$0.25\%\times 0.533+1.32\%\times(1-0.533)=0.74969...\approx 0.75\%$

問３　$1.990\times 0.533+99.746\times(1-0.533)=47.642052...\approx 47.642$

問４　金利シナリオとリターンの関係は以下の通り。

シナリオ①：すべての債券の利回りの水準が同じ幅で大きく変化する（選択肢Ａ・Ｂ）

→修正デュレーションが同じなので利回りの上昇・低下にかかわらずコンベクシティの大きいポートフォリオ P のリターンが高くなる。よって、ＡとＢは正しい。

シナリオ②：すべての債券の利回りが変化しない（選択肢Ｃ・Ｄ）

→いずれの債券も現在の複利最終利回りがそのまま１年間のリターンとなる。

→現在の最終利回りの高い債券Ｙのリターンが高くなる。よって、Ｄは正しく、Ｃが「正しくない」。

Point ⑦ 利回り曲線の変化が債券ポートフォリオの価額に与える影響

利回り曲線の変化は債券ポートフォリオの価額に影響を与える。債券投資戦略を考える上で必要となる典型的な利回り曲線の変化として、アナリスト試験でとりあげるのは、以下のパターンである。

(1) パラレルシフト：水準変化（平行移動）

図2－7－3　パラレルシフト

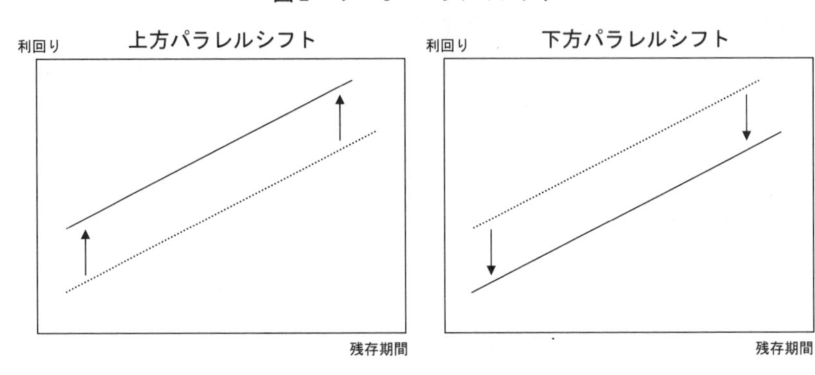

パラレルシフトは残存期間に関係なく、すべての残存期間で平行移動することである。利回り曲線が上方にシフトする時、債券ポートフォリオの価額は低下する。そのため、金利変化への感応度であるデュレーションを短期化し、価額の低下を抑えるようにする。一方、利回り曲線が下方にシフトする時はデュレーションを長期化することで、債券ポートフォリオの価額をより増やすことができる。

(2)　ノン・パラレルシフト

ノン・パラレルシフトには、利回り曲線の傾きが大きくなるスティープ化と、傾きが小さくなるフラット化がある。

・スティープ化

図２－７－４　ベア・スティープ化

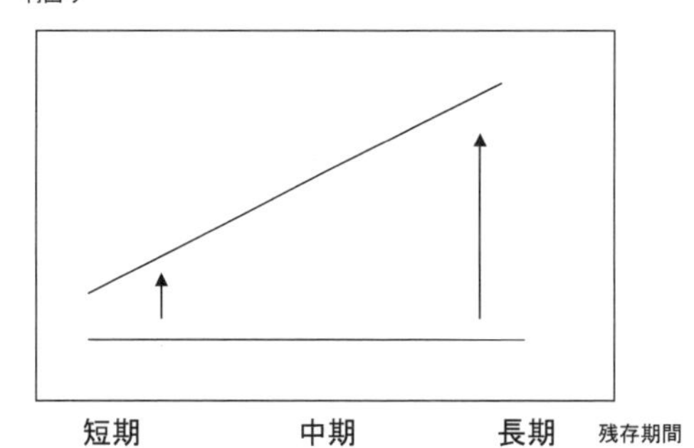

ベア・スティープ化
景気拡大期待で、将来の金融引き締めを予想して、長期金利が上昇している（価格は低下）際に見られる。これをベア・スティープ化といい、債券ポートフォリオのデュレーションを短期化（値を小さく）して金利変化への感応度を下げる。

図２－７－５　ブル・スティープ化

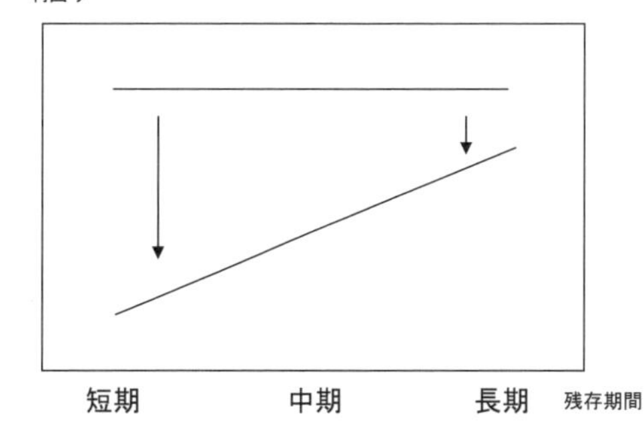

ブル・スティープ化
景気後退により中央銀行が金融緩和を行っているとき、短期金利が低下してブル・スティープ化する。債券ポートフォリオのデュレーションは長期化（値を大きく）して金利変化への感応度を上げる。

・フラット化

図２－７－６　ベア・フラット化

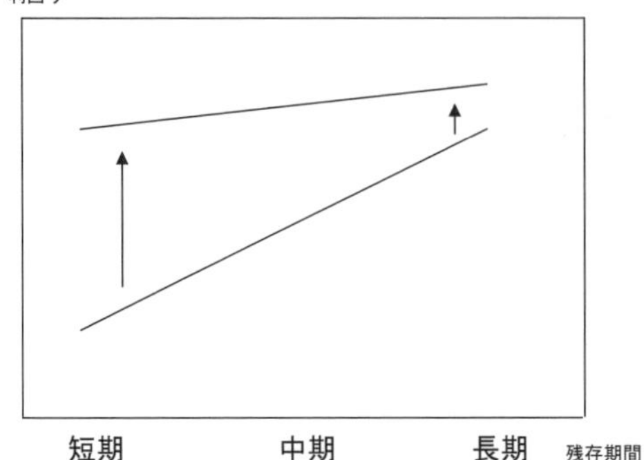

ベア・フラット化
長期金利は景気過熱を織り込んで先行して上昇している状態で、中央銀行の金融引締めを行う際に見られる。債券ポートフォリオのデュレーションを短期化（値を小さく）して金利変化への感応度を下げる。

図２－７－７　ブル・フラット化

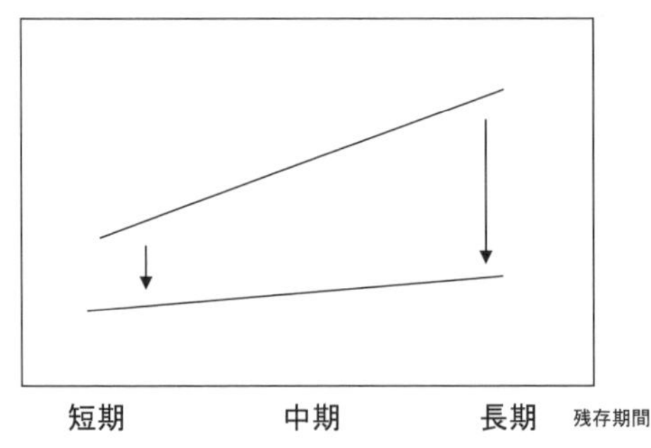

ブル・フラット化
景気減速により将来の金融緩和を見込み、長期金利が低下（価格は上昇）している際に見られる。これをブル・フラット化といい、債券ポートフォリオのデュレーションを長期化（値を大きく）して金利変化への感応度を上げる。

例題18

《2022（秋）. Ⅰ. 5》
景気過熱感の高まりに対して中央銀行による金融引締めが行われる局面において、よく見られる利回り曲線の形状変化はどれか。

A　ブル・スティープ化
B　ブル・フラット化
C　ベア・スティープ化
D　ベア・フラット化

解答　D

解　説

A　利回り曲線の「ブル・スティープ化」とは、順イールドのもとで短期金利の相対的低下により利回り曲線の傾きが急になる変化であり、金利水準全体が低下する際に見られる。一般的に、景気後退により中央銀行が金融緩和を行っているか、あるいは行うと見込まれて短期金利が低下する際にブル・スティープ化が見られる。

B　利回り曲線の「ブル・フラット化」とは、順イールドのもとで長期金利の相対的低下により利回り曲線の傾きが緩やかになる変化であり、金利水準全体が低下する際に見られる。

C　利回り曲線の「ベア・スティープ化」とは、順イールドのもとで長期金利の相対的上昇により利回り曲線の傾きが急になる変化であり、金利水準全体が上昇する際に見られる。

D　利回り曲線の「ベア・フラット化」とは、順イールドのもとで短期金利の相対的上昇により利回り曲線の傾きが緩やかになる変化であり、金利水準全体が上昇する際に見られる。一般的に、景気過熱感の高まりにより長期金利が先行してすでに上昇しており、中央銀行が金融引締めを行っているか、あるいは行うと見込まれて短期金利が上昇する際にベア・フラット化が見られる。

8 債券市場

Point ① 債券発行市場

ここでは、債券発行市場と日本でも90年代に発行され始めた証券化商品について説明する。

図2－8－1 発行市場の関係者

⑴ 債券発行市場の特徴

銘柄数が非常に多く、1回の発行ロットが巨額なため、機関投資家への集中が見られる。

⑵ 債券発行市場の関係者と仕組み

① 主な関係者は、発行機関、投資家、引受機関（証券会社等）、社債管理者、格付機関。

② 証券会社がアンダーライターとして発行条件の決定等の仲介機能を提供する。発行が巨額になる場合は複数の証券会社がシンジケート団（シ団）を組み、引受リスクを分散することもある。シ団の取りまとめ役である主幹事は投資家の需要を探り、それに基づいて発行額、クーポン・レート、

発行価格等を決める。

社債の場合は国債等に比べてデフォルトリスクが大きいので、その際に社債権者を代表して権利の保全を取仕切る社債管理者の設置が原則義務付けられている。ただし、社債券の額面金額が1億円以上または社債の数が50口未満の場合については、元利金授受などの事務だけを行う財務代理人（Fiscal Agent）の設置でもよい。このような債券をFA債という。

③　公共債の発行形態には2つの方式がある。1つはシ団を半ば強制的に組織する方法である。2つめは直接募集方式で、発行価格を公募入札で決めるものである。この公募入札方式は海外の政府債の場合にも多用されている。

④　日本の場合、債券の入札方式には「コンベンショナル方式」と「ダッチ方式」がある。前者は入札価格の高いものから順次落札となるが、後者は全落札者の条件は同一となる。

例題19

《2020（秋）. 1.9》

債券発行市場に関する次の記述のうち、正しくないものはどれか。

A　社債発行の主幹事は、発行額やクーポンレートなどの条件決定の際、投資家の需要を確認する役割を担う。

B　信用格付機関は、投資家から直接入手した相対（あいたい）情報に基づき格付を付与する。

C　社債管理者は、デフォルト発生時に社債権者集会の開催を取り仕切る。

D　10年国債において、シンジケート団（引受証券団）による引受は、現在は行われていない。

解答　B

解　説

A　正しい。社債の発行額が巨額になった場合に引受リスクを分散させるため複数の証券会社がシンジケート団を組むことがあるが、主幹事はその取りまとめ役である。主幹事は投資家の需要をさぐり、発行額やクーポンレート、発行価格等の条件を決定する。

B　正しくない。信用格付機関が用いる情報には、開示情報のほかに、企業との面談で得た相対情報がある。

C　正しい。デフォルトに際して、会社法で規定されている社債権者集会の開催など、社債権者を代表して権利の保全を取り仕切るのが社債管理者である。

D　正しい。シンジケート団方式による10年国債引受は、2005年度末で廃止された。

Point ② 債券流通市場

債券流通市場の現物取引において証券取引所の占める割合はわずかで、大部分は店頭市場で取引される。また、日本では国債の売買がほとんどで、中心は長期国債である。ここでは、債券の流通に関して大きな役割を占める店頭市場と現物の売買を補完する補完市場の2つの市場について説明する。

⑴　店頭市場

欧米と同様、日本の債券も大部分は店頭市場で相対取引される。つまり、証券会社自らが、投資家の売買注文の相手方となって取引するのである。そのため投資家は複数の証券会社の中で、最も有利な価格を提示したところと取引する。

伝統的な店頭市場は投資家と証券会社の間の電話回線で形成されているが、最近では電子取引市場が登場し、大手証券会社が共同運営するものや独立系のもののほか、ブローカーズ・ブローカーは証券会社同士の電子取引を提供している。債券市場の場合、証券会社は自己勘定を保有して顧客の注文に応じる、ディーラーとして活動することが主である。また、取引の中で最も割合の大きいものは国債である。

店頭での取引が多い理由としては、①銘柄数が非常に多い、②一般に銘柄毎の発行ロットが非常に大きく機関投資家向けで、日本の流通市場での一般的なロットも1億円単位、国債などの場合は10億円単位であること、③機関投資家は債券の取引価格を知ることが比較的容易、④受渡代金に経過利息が加味されるなど株式より取引方式が複雑、等があげられる。また日本独自のものとしては、1970年代後半まで続いた金利規制があげられる。

⑵　補完市場

①　国債先物、オプション市場

これらの派生市場は現物市場の流動性、価格形成を補完している。国債先物、国債先物オプションは証券取引所で取引されており、取引の対象や方法が画一的に決められている。また、店頭市場でも債券オプション取引が行われている。

② 現先市場

債券等の条件付売買取引ともいい、一定期間後の買戻し、売戻しを前提にした債券売買の手法。証券会社の短期資金調達、投資家の資金調達、運用手段として用いられてきた。

③ 貸借市場（レポ市場）

元来、債券を空売りした場合の現物を調達する市場である。一定期間債券を貸し借りし、貸借料を受払いする取引で、資金運用、調達のためにも使われる。無担保の場合や他の有価証券を担保とする場合もあるが、中核となっているのは現金担保付債券貸借取引（レポ取引）である。

④ その他の補完市場

短期金利市場（銀行間取引市場〔コール市場等〕、短期国債市場）

スワップ市場

⑶ 債券店頭市場での価格形成

債券店頭市場では個々の証券会社が価格（売値＝ask、買値＝bid）を提示し、投資家がその価格に応じれば売買が成立する。その売値と買値の価格差が、証券会社が投資家から得る売買手数料に相当し、それは同一銘柄であっても売買の活況度合や価格変動性で、異なる銘柄間では流動性の違い等によって変動する。これは、一時的であっても証券会社がその債券を保有することになるからである。

また、この価格は個々の証券会社が提示した価格にすぎないので、客観性の高い価格として公社債店頭売買参考統計値が毎日公表されている。これは日本証券業協会が、当日午後３時時点での約10,200銘柄の気配値を主要会員から集め、銘柄毎に平均値や中央値を算出したものである。

なお、社債の流通市場の活性化のため、2015年11月２日より、AA格相当以上の格付を取得している社債で１取引数量が額面１億円以上の取引の、実際の取引価格を公表する「社債の取引情報の報告・発表制度」が開始された。

⑷　債券市場指数

市場全体の価格動向を知るための手段としては、債券市場指数が算出されている。これを用いれば、債券市場全体の投資収益率が分かり、投資成果の善し悪しの判断材料として使用できる。ただし債券の場合、満期の到来や新規発行のために銘柄入替が多くなることから、その影響を考慮して判断する必要がある。

⑸　債券の決済制度

日本の一般債および個人向け国債取引の決済は、原則として約定日を含めて３営業日目（T（約定日）＋２）に債券と資金を同時に受渡するDVP方式が採用されている。ただし個人向け以外の国債取引については、2018年５月１日約定分から翌営業日（T＋１）決済が実施されている。

2003年に「社債等の振替に関する法律」が制定され、2008年までに債券はペーパーレス化し、決済が迅速化された。なお、国債については日本銀行が振替機関として政府の指定を受け、国債の受渡は日銀が管理する口座の付け替えで完了することとなった。

例題20

《2023（秋）．3．Ⅰ．2》

日本の債券市場に関する次の記述のうち、正しいものはどれか。

A　株式と比較し、債券は発行体や投資対象となる銘柄の種類が多く調達規模が小さく、個人投資家が中心の市場である。

B　債券市場の整備と規制緩和に伴い、社債発行による資金調達額は国債発行額を大きく上回る。

C　債券市場において、証券会社は主に顧客の注文を取り次ぐブローカーとして活動している。

D　アンダーライターの役割としては、資金調達者へ債券発行に関するアドバイスを行うことが挙げられる。

解答 ▶ D

解　説

A　正しくない。債券は発行体や投資対象となる銘柄の種類が多く調達規模が大きいため、機関投資家中心の市場になっている。

B　正しくない。社債の発行市場は規制の見直しや制度整備で自由化が進んだものの、企業の資金需要が減退し発行量は増えていない。国債は発行量が近年著しく増加しており、発行残高は国債・財投債が圧倒的に大きい。

C　正しくない。証券会社は債券市場において、自己勘定で顧客の売買に応じるディーラーとして活動している。

D　正しい。アンダーライターは資金調達者へ債券発行に関するアドバイスを行い、発行債券を引き受け、資金提供者を探し出して債券を販売する。

9　証券化商品

Point ①　証券化の仕組み

証券化とは、特定の資産に基づき証券を発行し、資産の生み出すキャッシュフローを受け取る権利を当初の債権者から証券の投資家に移転することである。ここで証券化の対象となる資産を「原資産」、原資産に対する当初の債権者を「**オリジネーター**（原債権者）」、原資産の生み出すキャッシュフローを回収するサービスの提供者を「**サービサー**」という。なおオリジネーターは、債務者と取引関係があることが多いこともあり、「サービサー」をも兼ねるケースが多い。オリジネーターに対する証券化スキームの提供、証券化の裏付けとなる資産の分析などの組成業務全般を行う者を「**アレンジャー**」といい、資金調達者と投資家との間を取り持つ機能を有し、発行される証券を引き受け、販売する。

証券化の対象となる資産は、住宅ローン債権、自動車ローン債権、リース債権、売掛債権など様々で、キャッシュフローさえ発生すれば、どのような債権でも証券化の対象となり得る。不動産担保ローン債権を原資産とする証券化商品をモーゲージ担保証券、またはモーゲージ証券（MBS：Mortgage Backed Securities）といい、住宅ローン担保証券（RMBS：Residential Mortgage Backed Securities）と商業用不動産担保証券（CMBS：Commercial Mortgage Backed Securities）に分けられる。

また、金融機関の保有する一般貸付債権あるいは債券などをプールし、それを原資産として発行する証券化商品は債務担保証券（CDO：Collateralized Debt Obligation）とよばれ、担保が貸付債権のローン担保証券（CLO：Collateralized Loan Obligation）と、担保が債券などの社債担保証券（CBO：Collateralized Bond Obligation）がある。証券化商品は総称として、資産担保証券（ABS：Asset-Backed Securities）とよばれるが、MBS以外の証券化商品をABSとする場合もある。

証券化の仕組みとして、まずオリジネーターは債務者に対するローン、売掛金といった原資産を、証券化のためだけにつくられたペーパー・カンパニーである特別目的会社（SPC：Special Purpose Company）ないし特別目的事業体（SPV：Special Purpose Vehicle、またはSPE：Special Purpose Entity）に売却する。そしてこのペーパー・カンパニーが購入した原資産に基づき、その生み出すキャッシュフローを受け取る権利を証券化して投資家に売却する。

図２－９－１　証券化の仕組み

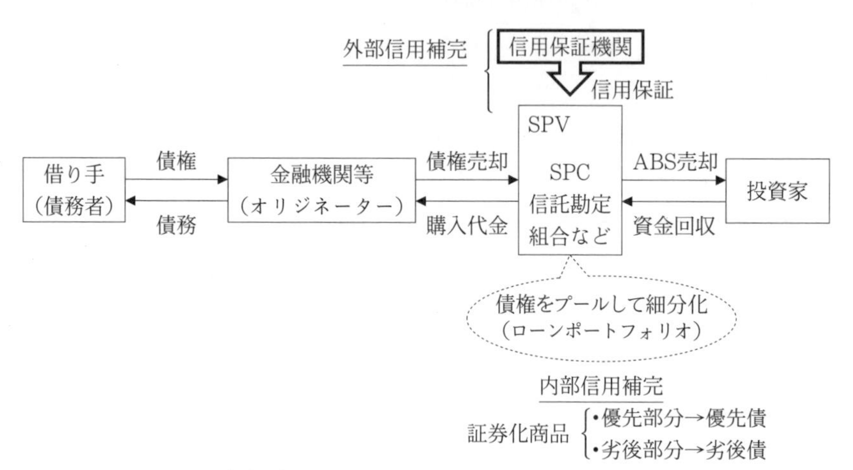

したがってこの証券化商品のクレジット・リスクは、本来はSPCないしSPVに原資産を売却したオリジネーターのクレジット・リスクでなく、その原資産自体のクレジット・リスク、すなわちローン、売掛金といった原資産の債務者が支払不能（デフォルト）に陥るリスクとなる。

ここで注意しなければならないのは、オリジネーターのクレジット・リスクを証券化商品から完全に分離することである。仮にオリジネーターが倒産した場合に、その顕在化したクレジット・リスクが証券化商品の投資家に波及しないよう、「**倒産隔離（バンクラプシー・リモートネス）**」を証券化の仕組みにおいて確保しておくことである。

そのためには、オリジネーターからSPCないしSPVへの原資産売却が「**真正売買**（true sale）」として認められ、かつ、法的に第三者対抗要件を具備しておく必要がある。また、SPCないしSPVについて、オリジネーターとの人的関係、資本関係をできる限り排除し、オリジネーターからの独立性を確保すること、さらに、サービサーについて、「**コミングル・リスク**（commingle risk：回収した証券化商品のキャッシュフローが他の資産のものと混同され一般債権としてみなされる危険性)」を回避することにも留意する必要があろう。

以上のような仕組みにより、証券化はクレジット・リスクと共に資産のバランスを債権者から投資家へ移転することができる。

また、SPVの事業をABS発行関連業務に限定したり、SPV自らが倒産申請する権利を制限したりするなどして、SPV自身が倒産しないようにする方策をとる必要がある。

Point ② クレジット・エンハンスメント

通常の債券と同じく証券化商品への投資においても、信用リスクの分析・判断が不可欠である。証券化商品の場合には、発行体よりもむしろ裏付けとなる原資産ポートフォリオの信用リスクが問題となる。そこで投資家が投資しやすいように、次のような方法で証券化商品の信用補完策（クレジット・エンハンスメント）がなされている。

- **第三者による保証**。この方法は保証料がかかるが、デフォルトが大きくなった場合にも、保証会社がキャッシュフローを保証するので、投資家は、保証会社が倒産しない限り予定通りの元利払いを受けることができる。したがって信用リスクはローンだけでなく、信用保証会社のリスクも関係する。
- **優先劣後構造**。SPCが発行する証券を「優先部分」と「劣後部分」に分ける。ローンポートフォリオ内にデフォルトが起こった場合、まず劣後部分から受け取りが減らされ、優先部分は劣後部分の価値が0になるまで影響を受けず、実質的に優良な債券になる。この方法は保証料などのコストがかからない代わり、優先部分のリスクが低い分だけ劣後部分のリスクは大きくなる。投資家が買いやすいように優先部分をつくれば、その分だけ売りにくい、非常にリスキーな劣後部分ができてしまう。

図2－9－2　優先劣後関係

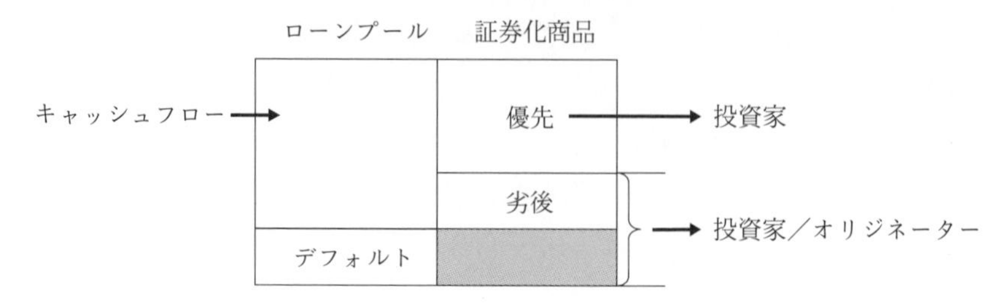

Point ③ 証券化のメリット

証券化には、オリジネーター、投資家にとってそれぞれ次のようなメリットがある。

<オリジネーター>

- 証券化ではオリジネーターの資産全体の信用力ではなく、そこから切り離された特定の資産の信用力に依存するため、信用力の低いオリジネーターの資金調達コストが削減できる。
- 信用リスクや期限前償還リスクなど、オリジネーターが直面するリスクの全部、または一部を投資家に移転することができる。
- 証券化により貸借対照表から資産の一部を外し、オフバランス化することができる。また、資産の売却により得た資金を有利子負債の返済に充て、財務指標を改善することができる。
- 保有債権を証券化すれば手元資金を増加させ、資金効率も改善することができる。
- 証券化では、小口化、流動性の付与、ストラクチャリング（信用補完や優先劣後構造等の導入により、異なる種類の証券化金融商品を作り出すこと）で、投資家ニーズに適合した金融商品が作成でき、そのため資産売却も容易になる。

<投資家>

- 小口化、流動性の付与、ストラクチャリングなどにより、証券化からは様々なリスク・リターン関係を持った金融商品が作成されるので、個々の投資家ニーズにある程度適合した新しい投資機会が提供される。

例題21

《2022（春）．3．Ⅰ．4》

証券化に関する次の記述のうち、正しいものはどれか。

A　証券化の目的の１つに、企業の資金調達金利が高くても、優良な資産から生じるキャッシュフローを裏付けとして、より低い金利で資金調達を行うことがあげられる。

B　大口の不動産担保ローンは、証券化して小口化することはできない。

C　モーゲージ担保証券は、金融機関の保有する一般貸付債権などをまとめてプールし、それを裏付けとして発行する証券である。

D　オリジネーターから特別目的事業体（SPV）への資産譲渡が、真正売買となるためには、SPVへの資産譲渡が担保取引として扱われなければならない。

解答　A

解　説

A　正しい。

B　正しくない。大口の不動産担保ローンは、一般に金額が大きいため、その売却にあたっては買い手が機関投資家に限定されるが、証券化により小口化して投資家から投資資金を広く集めることが可能になる。

C　正しくない。モーゲージ担保証券（Mortgage Backed Securities、MBS）とは、不動産担保ローン債権を裏付資産とする証券化商品である。金融機関の保有する一般貸付債権などをまとめてプールし、それを裏付けとして発行する証券化商品は債務担保証券（Collateralized Debt Obligation、CDO）と呼ばれる。

D　正しくない。SPVへの資産譲渡が担保取引として扱われた場合（譲渡担保）は真正売買と認められず、証券化後も対象資産の保有者はオリジネーターであり、SPVは担保権のみを有することになる。

MEMO

株式分析

1. 傾向と対策

株式に投資する場合、将来どの程度の配当金が受け取れるか（インカムゲイン）、株価が上昇してどのくらい利益が出るか（キャピタルゲイン）を検討するはずである。こういった検討を行うためには、その企業のファンダメンタル（収益性、安全性、成長性）を分析・評価することが不可欠である。「株式分析」の前段・導入部として「ファンダメンタル分析」も、とくに株式投資と密接な収益性の分析を中心に理解しておきたい。EPS（1株当たり利益）の計算が出来なければ配当金の予想もできず、ROEがわからなければ株価の評価もままならないはずである。

「株式分析」で扱われるトピックは、PER（株価収益率）、PBR（株価純資産倍率）をはじめとする「株式の評価尺度」と、配当割引モデル、残余利益モデル、FCFE割引モデル（FCF割引モデル）を柱とする「株式価値（企業価値）評価モデル」に大別される。

株式の評価尺度については、どのような形であれ株式に関連する分野に携わっていれば、何らかの形で「見覚え・聞き覚え」のあるものが多いだろう。証券アナリスト試験では、それぞれの評価尺度の定義がかなり厳密なので、意味・内容および計算式を今一度、確認しておきたいところである。

株式価値評価モデルは、いずれもDCF（Discounted Cash Flow）に基づくもの。要するに「資産の価値（企業価値や株価）は、将来もたらされるキャッシュフローの割引現在価値の合計」という考え方であり、とくに株式の割引率（資本コスト）にはCAPMを使うのが定石。またキャッシュフローが成長する場合は、サステイナブル成長率なるものを使う。配当割引モデル、残余利益モデル、FCFE（株主に対するFCF）割引モデルは何を「将来のキャッシュフロー」と捉えるかでモデルの成り立ちが少しずつ異なるが、文字通り「株式価値評価モデル」であり「クリーン・サープラス」のもとでは、いずれのモデルを用いても理論株価は等しくなる。ただFCFE（株主に対するFCF）割引モデルについては、今回の協会通信教育プログラム改訂に伴い、本来のFCFF（Free Cash Flow to Firm）割引モデルに拡張される見込み。FCFF割引モデルは「株主に対する（to Equity）」FCFではなく、株主と債権者に対するFCFを割引計算の対象とし、株式（Equity）と負債（Debt）を合わせた「企業価値（Firm）」を評価するモデルである。したがって、割引率（資本コスト）も株式と負債の「加重平均資本コスト（WACC：Weighted Average Cost of Capital）」を使う。

総まとめテキストの項目と過去の出題例

「総まとめ」の項目	過去の出題例	重要度
ファンダメンタル分析	2022年春・第１問・Ⅱ問１～問５ Ⅲ問１、問４、問５ 2022年秋・第１問・Ⅱ問１～問３、問５ Ⅲ問１～問３、問５ 2023年春・第１問・Ⅱ問１～問５ Ⅲ問１、問４、問５ 2023年秋・第１問・Ⅱ問１～問４ Ⅲ問１～問３ 2024年春・第１問・Ⅱ問１～問５ Ⅲ問１、問４ 第２問・Ⅰ問２	A
ROE、１株当たり指標およびサステイナブル成長率	2022年春・第２問・Ⅰ問１ Ⅲ問３ 2022年秋・第２問・Ⅱ問３ 2023年春・第２問・Ⅱ問１ 2023年秋・第２問・Ⅱ問４ 2024年春・第２問・Ⅱ問１ Ⅲ問２	A
株式の投資収益率		C
株式の評価尺度	2022年春・第１問・Ⅲ問２、問３ 第２問・Ⅰ問２ Ⅱ問１～問４ Ⅲ問１、問５ 2022年秋・第１問・Ⅱ問４ Ⅲ問４ 第２問・Ⅰ問３、問５ Ⅱ問５ 2023年春・第１問・Ⅲ問２、問３ 第２問・Ⅰ問４、問５ Ⅱ問５ 2023年秋・第１問・Ⅲ問５、問６ 第２問・Ⅰ問４、問５ Ⅱ問５ 2024年春・第１問・Ⅲ問２、問３、問５ 第２問・Ⅰ問４、問５ Ⅱ問５	A

配当割引モデル （DDM）	2022年春・第２問・Ⅱ問５ Ⅲ問４ 2022年秋・第２問・Ⅰ問１、問２ Ⅱ問４ Ⅲ問１～問５ 2023年春・第２問・Ⅰ問１ Ⅱ問２～問４ Ⅲ問１～問５ 2023年秋・第２問・Ⅰ問１～問３ Ⅱ問５ Ⅲ問１、問２、問４、問５ 2024年春・第２問・Ⅰ問５ Ⅱ問３～問５ Ⅲ問１、問４、問５	A
成長機会の現在価値 （PVGO）	2022年春・第２問・Ⅰ問３ Ⅲ問５ 2022年秋・第２問・Ⅰ問４ Ⅱ問５ 2023年春・第２問・Ⅰ問２ 2024年春・第２問・Ⅰ問３、問４ Ⅱ問５	A
フリー・キャッシュフロー割引モデル	2022年春・第２問・Ⅰ問４ 2023年秋・第２問・Ⅱ問３ 2024年春・第２問・Ⅱ問５	B
残余利益モデル	2022年春・第２問・Ⅰ問５ Ⅲ問２ 2022年秋・第２問・Ⅱ問１、問２ 2023年春・第２問・Ⅰ問３ 2023年秋・第２問・Ⅱ問１、問２ 2024年春・第２問・Ⅱ問２、問５ Ⅲ問３	A
株式市場と株式取引	2022年春・第１問・Ⅰ問１～問10 2022年秋・第１問・Ⅰ問１～問10 2023年春・第１問・Ⅰ問１～問10 2023年秋・第１問・Ⅰ問１～問10 2024年春・第１問・Ⅰ問１～問10 第２問・Ⅰ問１	A

2. ポイント整理と実戦力の養成

1　ファンダメンタル分析

ファンダメンタル分析では定量分析と定性分析を組み合わせて行う必要がある。財務諸表からの定量分析は過去の企業活動を分析したに過ぎず、企業の将来を予想するためには企業の属する業界の国内外の動向や、財務諸表では見えてこない業界内でのその企業の強みや弱みを捉えておく必要がある。ここではまず、企業業績に外部から影響を与える経済指標として景気動向指数を取り上げる。次に経営学的分析手法として、産業のライフサイクル理論、ポーターの競争戦略論などを取り上げ、その後にセクター・アロケーションについて取り上げる。

Point ①　景気動向指数

景気局面の判断や予測や景気転換点を判定するのにDI（diffusion index、ディフュージョン・インデックス）やCI（composite index、コンポジット・インデックス）が用いられる。DIは景気に敏感な指標を選び出し、そのうち上昇している指標の割合を表す。

しかし、DIでは景気が上向いているか下向いているかという景気変動の方向はわかるが、変動の大きさを直接には示さないという欠点がある。そこで、景気の強弱あるいは量感・スピード感をつかむための指標としてCIがある。CIは、DIと同じ系列を採用し、その採用系列の変化率を合成して作られたものである。

一般に指数には、景気に先行して動く先行指数、ほぼ一致して動く一致指数、遅れて動く遅行指数がある。先行指数は一致指数に数ヵ月先行するため景気の動きの予測に、遅行指数は一致指数に数ヵ月から半年程度遅行するので景気の転換点や局面の確認に利用される。ただし、景気の局面や転換点はDIと合わせて判断することが望ましい。

2021年3月より、内閣府の景気動向指数に採用されている系列は次の通りである。

景気動向指数採用系列

	系　列　名
先行系列	1　最終需要財在庫率指数（逆）
	2　鉱工業用生産財在庫率指数（逆）
	3　新規求人数（除学卒）
	4　実質機械受注（製造業）
	5　新設住宅着工床面積
	6　消費者態度指数
	7　日経商品指数（42種総合）
	8　マネーストック（M２、前年同月比）
	9　東証株価指数
	10　投資環境指数（製造業）
	11　中小企業売上げ見通しD. I.
一致系列	1　生産指数（鉱工業）
	2　鉱工業用生産財出荷指数
	3　耐久消費財出荷指数
	4　労働投入量指数（調査産業計）
	5　投資財出荷指数（除輸送機械）
	6　商業販売額（小売業、前年同月比）
	7　商業販売額（卸売業、前年同月比）
	8　営業利益（全産業）
	9　有効求人倍率（除学卒）
	10　輸出数量指数
遅行系列	1　第３次産業活動指数（対事業所サービス業）
	2　常用雇用指数（調査産業計、前年同月比）
	3　実質法人企業設備投資（全産業）
	4　家計消費支出（勤労者世帯、名目、前年同月比）
	5　法人税収入
	6　完全失業率（逆）
	7　きまって支給する給与　（製造業、名目）
	8　消費者物価指数（生鮮食品を除く総合、前年同月比）
	9　最終需要財在庫指数

（出所）内閣府HPより作成。

例題1

《2024（春）. 1 . Ⅱ. 2》

景気動向指数（先行指数、一致指数、遅行指数）に関する次の記述のうち、正しいものはどれか。

A　鉱工業用生産財出荷指数は、先行指数に採用されている。

B　常用雇用指数（調査産業計、前年同月比）は、一致指数に採用されている。

C　実質機械受注（製造業）は、先行指数に採用されている。

D　耐久消費財出荷指数は、遅行指数に採用されている。

解答  C

解　説

A　正しくない。鉱工業用生産財出荷指数は、一致系列に採用されている。

B　正しくない。常用雇用指数（調査産業計、前年同月比）は、遅行系列に採用されている。

C　正しい。

D　正しくない。耐久消費財出荷指数は、一致系列に採用されている。

Point ② 産業のライフサイクル理論

産業のライフサイクル理論（industry life-cycle theory）は、ある企業の属する産業が成長段階にあるのか成熟段階にあるのかを判断するのに有効な方法である。産業のライフサイクルはその発展にあわせて次のように、①勃興期（emergence stage）、②成長期（growth stage）、③成熟期（maturity stage）、④衰退期（decline stage）の4段階に分けられる。

図3－1－1　産業のライフサイクル

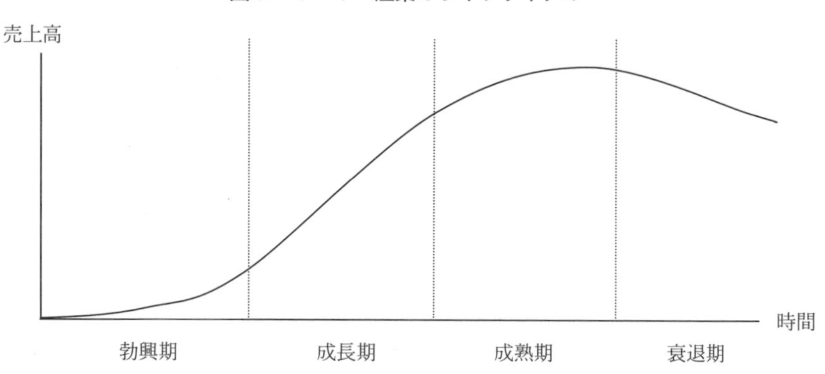

① 勃興期

新技術や新製品が生み出された段階である。市場規模も小さく、技術、市場、組織、戦略は不確実であり、多くの企業が猛烈な競争を繰り返し、どの企業が勝者となるか敗者となるかまだわからない。

② 成長期

技術、組織や戦略について合意がなされ、競争の中心は生産・流通になる。市場規模が急拡大し、新規参入と撤退が絶え間なく起こる。製品の供給が増え、価格も低下するが、需要の拡大に応じて企業の収益は増加する。企業は市場規模やシェアの拡大戦略を講じる。

③ 成熟期

市場規模やシェアは安定的に推移する。製品は大量に供給され、特定のブランドが確立する。

④　衰退期

需要が低下し、多くの企業が産業から撤退して、一部の残った企業が収益を得る。

例題2

《2023（秋）. 1. Ⅱ. 2》

サローナー等による産業のライフサイクル・モデルに関する次の記述のうち、正しくないものはどれか。

A　勃興期は、市場の規模が小さく、技術・市場・組織・戦略の不確実性が高い。

B　成長期は、競争の中心は技術、組織や戦略にある。

C　成長期から成熟期にかけて、M&Aが活発になる傾向がある。

D　ライフサイクルの長さは産業によって異なっており、技術革新の絶え間ないテクノロジー産業のライフサイクルは相対的に短い。

解答　B

解　説

A　正しい。勃興期は市場規模が小さく、技術、市場、組織、戦略の不確実性が高い。

B　正しくない。成長期は、技術、組織や戦略について合意が形成され、競争の中心は生産や流通に移る。

C　正しい。成長期から成熟期にかけて市場規模拡大ペースは鈍化、企業収益の更なる拡大は難しいためM&Aが盛んになり、企業の集中化が進む。

D　正しい。一方、日用品産業などではライフサイクルが長いと考えられる。

Point ③ 企業のライフサイクル

Miller and Friesen (1984) の企業のライフサイクルは以下の様に説明される。

フェーズ	特　徴
①誕生期	組織が体系化されず、オーナー経営型。
②成長期	売上高は高成長、組織は体系化、経営方針の形式化。
③成熟期	売上高は低成長に移行、組織が官僚化。
④再生期	売上高は高成長に回復、製品多角化、組織の部門化、統制・計画システムの導入。
⑤衰退期	製品需要の低下、開発力の停滞、利益率の低下。

(出所) 森 (2016)

一方、Dickinson (2011) の企業のライフサイクルでは以下の様に説明される。

創業期	営業活動によるキャッシュ・フロー：販売代金回収を仕入れ代金や従業員への給与の支払いが上回り、マイナスの傾向
	投資活動によるキャッシュ・フロー：大規模投資を行い、マイナスの傾向
	財務活動によるキャッシュ・フロー：資金調達を行い、プラスの傾向
成長期	営業活動によるキャッシュ・フロー：営業活動が軌道に乗り、プラスの傾向
	投資活動によるキャッシュ・フロー：成長に向けた投資を行い、マイナスの傾向
	財務活動によるキャッシュ・フロー：資金調達が必要で、プラスの傾向
成熟期	営業活動によるキャッシュ・フロー：売上が安定する中、営業の費用は抑えられ、プラスの傾向
	投資活動によるキャッシュ・フロー：資本ストック維持の投資で、成長期ほどではないがマイナスの傾向
	財務活動によるキャッシュ・フロー：負債の返済や株主還元のため、マイナスの傾向
変革期	営業活動によるキャッシュ・フロー：売上の低下で、低水準のプラスかマイナスの傾向
	投資活動によるキャッシュ・フロー：パターンの把握が困難
	財務活動によるキャッシュ・フロー：パターンの把握が困難

衰退期	営業活動によるキャッシュ・フロー：利益率低下のため、マイナスの傾向
	投資活動によるキャッシュ・フロー：事業縮小のため資産を売却し、プラスの傾向
	財務活動によるキャッシュ・フロー：マイナスの傾向

Point ④　ポーターの競争戦略論

⑴　５つの要因

ポーターの競争戦略論では、業界の収益性に影響する５つの競争要因として、①新規参入の脅威、②市場内競争、③代替品と補完品、④買い手の交渉力、⑤売り手の交渉力が挙げられている。これら５つの力に基づいて収益性を分析する方法をファイブ・フォース分析という。

①　新規参入の脅威

新規参入の脅威は、主に次のような参入障壁に大きく依存する。

- 規模の経済性（一定期間当たりの絶対生産量が増えるほど、製品の単位当たりコストは下がること）が働くこと
- 他社に真似できないような製品の差別化ができること
- 競争するのに巨額の資金を要すること
- 仕入れ先を変更するときにかかる一時的なコストが大きいこと
- 流通チャネルが確保できること
- 規模とは無関係なコスト面（特許、経験など）での優位性が既存企業にあること
- 政府の規制があること

②　市場内競争

既存企業同士の競争は市場シェアの獲得競争になりやすく、次のような場合競争が激化しやすい。

- 競争する企業数が多い、あるいは企業規模が類似していること
- 産業の成長が遅いこと
- 固定コストまたは在庫コストが高いこと
- 製品差別化がされていない、あるいは買い手を変更するコストが低いこと

・生産能力の増強が小規模毎にはできないこと
・競争企業間の戦略、企業体質などが多様化していること
・戦略がうまくいき、その分野で成功すると大きな成果が得られること
・撤退障壁が高いこと

市場が競争的かの判断材料として市場集中度があり、市場がどれだけの企業に占有されているかを示す。市場集中度を分析するための指標の１つにハーフィンダール・ハーシュマン指数（HHI）がある。HHIは財を供給する全企業の市場シェアの２乗を足し合わせたもので、HHIが低いほど市場の集中度は低く、競争度は高くなる。逆に、HHIが高いほど集中度は高く、競争度は低いと判断する。

③　代替品

ある産業内の企業は全て、代替品を生産する他の産業と広い意味での競争をしている。代替品があると当該企業は高い価格設定ができなくなり、産業の潜在的利益は抑制される。

④　買い手（業界の顧客）の交渉力

買い手の交渉力が強い場合として、次のようなケースがある。

・買い手が集中化したりして、売り手の販売数量に大きな割合を占める
・取引先を変えるコストが低い
・買い手が部品の内製化など川上統合に乗り出す姿勢を示す

⑤　売り手（業界への供給業者）の交渉力

供給業者の交渉力が強い場合として、次のようなケースがある。

・供給業者の属する産業が少数の企業に支配され、買い手産業よりも集中化が進んでいる
・その買い手産業が供給業者にとって重要な顧客でない
・供給業者の製品が、買い手業者にとってなくてはならない重要な仕入れ品である
・供給業者の製品が差別化された製品で、他の製品に変更すると買い手のコスト増になる

⑵　競争優位を築く３つの基本戦略

名　称	内　容
①コスト・リーダーシップ戦略	比較的広い業務範囲にわたって、**最も低いコストを実現する**ことによって、競合企業に対して競争力を確保し、シェアの拡大を追及する経営戦略のこと。
②差別化戦略	比較的汎用的な製品やサービスなどを**差別化**することによって、付加価値を高め、採算の向上を通じて収益力の維持・改善を図る戦略のこと。差別化のポイントとしては、製品そのものはもちろんのこと、ブランド・イメージ、技術、サービス、販売チャネルなどが挙げられる。
③集中化戦略	特定の顧客層や市場、販売チャネルなどに集中する戦略。

例題３

《2011（秋）. 2. Ⅰ. 1》

ポーターの競争戦略理論に関する次の記述のうち、正しいものはどれか。

A　価格競争の厳しい方から順番に、市場構造の特色は完全競争、寡占、独占となる。

B　製品の差別化が十分でなくても、市場が寡占化する過程で価格競争に陥ることはない。

C　参入障壁が低いほど新規参入は少ない。

D　市場を細分化し、特定市場に特化する経営戦略を差別化戦略と呼ぶ。

解答　A

解　説

A　正しい。

B　正しくない。製品の差別化が十分でない場合、市場の寡占化の過程で価格競争に陥りやすい。

C　正しくない。参入障壁が低いほど新規参入が容易である。

D　正しくない。これは集中化戦略に関する記述である。

例題 4

《2014（秋）. 2. Ⅰ. 1》

ポーターの競争理論に関する次の記述のうち、正しくないものはどれか。

A　市場が停滞している場合は、製品の差別化が十分でなければ価格競争に陥りやすい。

B　買い手のスイッチングコストが高い場合は、価格競争は激化する傾向が見られる。

C　差別化戦略を採用する企業は、ブランドなどにより競争優位の確立、維持を図る。

D　ニッチな市場に特化した製品を提供することは集中化戦略の1つである。

解答  B

解　説

買い手のスイッチングコストが低い場合には価格引下げによってシェア拡大ができるため価格競争が激化するが、それが高い場合は価格が比較的安定する。

Point ⑤ 最近の経営戦略論

ここでは、最近の経営戦略論に関する用語を説明する。

SWOT分析	企業の競争戦略を強み（Strengths)、弱み（Weaknesses)、機会（Opportunities)、脅威（Threats）の４種類から分析する。強みと弱みは企業の内部環境要因であり、経営資源やケイパビリティ（capabilities：企業の他社よりも優れた能力）から生じる。一方、機会と脅威は外部環境要因であり、機会は企業に競争優位のポジションや優れた業績をもたらすが、逆に脅威は競争優位や業績にネガティブな影響を与える。
VRIO分析	ポーターの戦略論が外部要因を重視するのに対し、バーニー（Barney）は企業内部の経営資源に着目し、経営資源を財務資本、物的資本、人的資本、組織資本に分類して競争優位の源泉を求めるリソース・ベースト・ビュー（resource based view）を提唱した。さらに、バーニーは経営資源やケイパビリティが強みであるかを評価するための手法としてVRIO分析を提唱した。Value（経済価値)、Rarity（希少性)、Inimitability（模倣困難性)、Organization（組織）の４つを評価軸とし、それらを備える経営資源やケイパビリティは競争優位を持つとされる。
PEST分析	次の４つの外部環境の変化が企業に及ぼす影響を分析する手法。 政治的要因（Political）：政治制度、政治状況、法令など 経済的要因（Economic）：経済動向、景気変動、産業のライフサイクル、貿易、為替、金利、資本市場や商品市場の動向など 社会的要因（Social）：人口動態、ライフスタイル、習慣や慣習、トレンド、宗教、文化など 技術的要因（Technological）：設計、生産や流通などの技術革新や新技術など

例題 5

《2024（春）. 1 . Ⅲ. 1 》

SWOT 分析に関する次の記述のうち、正しくないものはどれか。

A　規模の経済による製品単位当たりの固定費の低さは、強み（Strengths）に当たる。

B　人的資本への投資が遅れており、人材育成ができていない状況は、弱み（Weaknesses）に当たる。

C　成長ポテンシャルが高い海外市場での製品ニーズの高まりは、機会（Opportunities）に当たる。

D　社内の開発力の弱さによる新製品開発の遅れは、脅威（Threats）に当たる。

解答  D

解　説

SWOT 分析では、内部要因としての強み（Strengths）と弱み（Weaknesses）、外部環境要因としての機会（Opportunities）と脅威（Threats）の 4 つの要因から企業を分析する。

A　正しい。規模の経済による製品単位当たりの固定費の低さは内部要因であり、強みに当たる。

B　正しい。人的資本への投資が遅れており、人材育成ができていない状況は内部要因であり、弱みに当たる。

C　正しい。成長ポテンシャルが高い海外市場での製品ニーズの高まりは外部環境要因であり、機会である。

D　正しくない。社内の開発力の弱さによる新製品開発の遅れは内部要因であり、弱みである。

例題６

《2014（秋）．２．Ⅰ．２》

SWOT 分析に関する次の記述のうち、正しくないものはどれか。

A　SWOT分析は、企業の競争戦略を分析する有効な手法である。

B　強み（Strengths）及び弱み（Weaknesses）は内部環境要因である。

C　機会（Opportunities）は、競合他社に対して経営資源やケイパビリティの点で優位にあることを示している。

D　脅威（Threats）は、企業の競争優位や業績にネガティブな影響を与える要因である。

解答　C

解　説

機会は外部環境要因であり、企業に競争優位のポジションや優れた業績をもたらす。

例題７

《2018（春）．２．Ⅰ．１》

経営資源やケイパビリティが強みであるかを評価するために Barney によって提唱された VRIO 分析の評価軸として、正しくないものはどれか。

A　Value（経済価値）

B　Rarity（希少性）

C　Integrity（誠実性）

D　Organization（組織）

解答　C

解　説

Barney によって提唱された VRIO 分析の評価軸は、Value（経済価値）、Rarity（希少性）、Inimitability（模倣困難性）、Organization（組織）の 4 つ。よって、選択肢 C の誠実性（Integrity）が正しくない。

例題 8

《2020（秋）. 2 . Ⅰ . 3》

PEST 分析に関する次の記述のうち、正しくないものはどれか。

A　外部環境の変化が、ビジネスに及ぼす影響を分析するためのフレームワークである。

B　PESTLE 分析は、PEST 分析に法的要因および環境的要因を加えたものである。

C　社会的（Social）な要因には、人口動態、ライフスタイル、習慣、文化等が含まれている。

D　PEST 分析の T は、外部環境の脅威（Threats）を意味するものである。

解答　D

解　説

PEST 分析は、政治的（Political）、経済的（Economic）、社会的（Social）および技術的（Technological）な外部環境の変化が企業に及ぼす影響を分析する手法である。これらの要因に法的（Legal）、環境的（Environmental）な要因を加えた PESTLE 分析という手法もある。

A　正しい。

B　正しい。

C　正しい。

D　正しくない。T は技術的（Technological）を意味する。

Point ⑥ セクター・アロケーション

⑴　セクター間の相対比較の方法

セクター間の相対比較を行うのには、以下の２通りの方法がある。

【トップダウンアプローチ（top-down approach)】

トップダウンアプローチは、経済成長率や、為替、金利、企業業績動向等のマクロ経済動向を予測、分析し、その結果を基に資産配分（アセット・アロケーション asset allocation)、セクター・アロケーション、銘柄選択という順番で、ポートフォリオを構築していく方法である。

【ボトムアップアプローチ（bottom-up approach)】

ボトムアップアプローチは、個別企業の業績動向を予測、分析し、それを積み上げてポートフォリオを構築していく方法である。なお、グローバルな競争にさらされているセクターでは、国際比較分析を行う必要がある。

⑵　セクター・アロケーションの基本

資産運用を行う場合、評価の基準となる市場の収益率が必要で、それを**ベンチマーク**（benchmark）と呼ぶ。資産運用戦略にはアクティブ運用とパッシブ運用の２通りあり、パッシブ運用がベンチマークと同等な収益率の獲得を目標とするのに対して、アクティブ運用はそれを上回る収益率を獲得することを目標にしている。アクティブ運用では、ベンチマークの収益率を上回ると予測するセクターのウェイトを上げ、ベンチマークの収益率を下回ると予測するセクターのウェイトを下げることでベンチマークを上回る収益率の獲得を目指す。

①　景気底入れ局面

- 外需主導の景気回復を予想…外需関連セクターの投資ウェイトを高める。
- 内需主導の景気回復を予想…内需関連セクターの投資ウェイトを高める。
- 耐久消費財需要の高まりを予想…輸送用機器、住宅、電気機器等のセクターの投資ウェイトを高める。

②　景気拡大局面

素材セクター、耐久消費財などの景気敏感セクター、市場ポートフォリオと連動性の高い（高ベータ）セクター、財務レバレッジ（有利子負債比率）の高いセクターのウェイトを高める。

③ 景気後退局面

景気変動の影響を受けにくいディフェンシブセクター（食品、薬品、家庭用品などの非耐久消費財）、市場ポートフォリオとの連動性の低い（低ベータ）セクターの投資ウェイトを高める。

④ 景気対策がとられる場合

財政政策や金融政策がとられるならば、その政策に関連するセクターへの影響を分析する。

例題 9

《2024（春）. 1 . Ⅱ. 1》

企業分析に関する次の記述のうち、正しくないものはどれか。

A トップダウンアプローチは、マクロ経済予測を踏まえ、産業の動向を分析・予想したうえで、個別企業の評価を行うものである。

B ボトムアップアプローチは、個別企業の分析を詳細に行うが、財務分析だけでなく、企業の戦略など個別企業の固有の情報を重視して分析を行うものである。

C トップダウンアプローチとボトムアップアプローチは、個別企業の実態に応じて、どちらか一方しか用いることはできない。

D 企業分析では、個別企業の持つ「強み」と「弱み」などの内部の経営資源分析が重要である。

C

解　説

A　正しい。

B　正しい。

C　正しくない。トップダウンアプローチとボトムアップアプローチは、両者を融合的に取り入れた分析手法も取り得る企業評価方法である。

D　正しい。企業分析では、産業そのものが置かれている外部環境分析だけでなく、個別企業の持つ「強み」と「弱み」などの内部の経営資源分析が重要である。

2 財務諸表

Point ① 貸借対照表と損益計算書

貸借対照表と損益計算書は概ね次のような項目で構成されている。

＜貸借対照表＞	前期	今期
流動資産合計	7,170	8,520
現金預金	1,300	1,455
売上債権	2,500	3,005
有価証券	100	100
棚卸資産	3,300	4,000
貸倒引当金	△30	△40
固定資産合計	2,600	2,700
有形固定資産	2,000	2,100
無形固定資産	100	100
投資その他の資産	500	500
流動負債合計	2,000	3,000
買入債務	2,000	3,000
固定負債合計	3,000	3,235
長期借入金	3,000	3,235
自己資本	4,770	4,985
負債・資本合計	9,770	11,220
＜損益計算書＞	前期	今期
売上高	3,000	4,500
営業利益	390	560
営業外収益	35	35
受取利息・配当金	20	20
持分法投資損益	15	15
営業外費用	135	165
支払利息	135	165
経常利益	290	430
特別利益／損失	0	0
税引前利益	290	430
税金等	116	172
税引後利益	174	258

Point ② キャッシュ・フロー計算書とは

キャッシュ・フロー計算書は、営業活動から得られたキャッシュ・フローを示す**営業活動によるキャッシュ・フロー**、投資活動によるキャッシュ・フローを示す**投資活動によるキャッシュ・フロー**、資金調達等によるキャッシュ・フローを示す**財務活動によるキャッシュ・フロー**に分けられる。

Point ③ キャッシュ・フローの区分

⑴　営業活動によるキャッシュフロー

営業活動は、物品の販売やサービスの提供からの現金収入や棚卸資産の取得や費用支払いのための仕入先や従業員への現金支出など主たる収益獲得活動による営業損益計算の対象となった取引の現金残高への変動への効果がここに含まれる。

営業活動によるキャッシュフローは次のいずれかの方法により表示される。

①　**直接法**：主要な取引ごとにキャッシュフローを総額表示する方法。

②　**間接法**：税金等調整前当期純利益に非資金損益項目、営業活動に係る資産及び負債の増減、「投資活動によるキャッシュフロー」及び「財務活動によるキャッシュフロー」の区分に含まれる損益項目を加減して表示する方法。

⑵　投資活動によるキャッシュ・フロー

固定資産の取得及び売却、現金同等物に含まれない短期投資の取得及び売却等によるキャッシュ・フローを記載する。

⑶　財務活動によるキャッシュ・フロー

資金の調達及び返済によるキャッシュ・フローを記載する。

①営業活動によるキャッシュ・フロー（間接法）	税金等調整前当期純利益	×××
	減価償却費	×××
	売上債権の増減額（△は増加）	△×××
	棚卸資産の増減額（△は増加）	△×××
	仕入債務の増減額（△は減少）	×××
	法人税等の支払額	△×××
	営業活動によるキャッシュ・フロー	**×××**
②投資活動によるキャッシュ・フロー	有形固定資産の取得（売却）	△×××（×××）
	有価証券の取得（売却）	△×××（×××）
	投資有価証券の取得（売却）	△×××（×××）
	貸付け（貸付金の回収）	△×××（×××）
	具体例	
	・持合い株式の売却	×××
	・事業提携を目的とした株式取得	△×××
	投資活動によるキャッシュ・フロー	**△×××**
③財務活動によるキャッシュ・フロー	コマーシャル・ペーパーの増加額（減少額）	×××（△×××）
	長短借入金の調達（返済）	×××（△×××）
	社債の発行（償還）	×××（△×××）
	具体例	
	・株式の発行	×××
	・自己株式の取得	△×××
	財務活動によるキャッシュ・フロー	**×××**
現金及び現金同等物の増加額（減少額）		×××（△×××）
現金及び現金同等物の期首残高		×××
現金及び現金同等物の期末残高		×××

①営業活動により獲得したキャッシュの増加額（減少額）

②将来の営業キャッシュ・フローの増加を目的として行った設備投資などによるキャッシュの減少額（増加額）

③不足したキャッシュの調達や、余剰キャッシュによる負債の返済などによるキャッシュの増加額（減少額）

Point ④ キャッシュ・フローを用いた企業財務分析

企業の「キャッシュ」の動態は、キャッシュ・フロー計算書によって把握可能である。しかし、連結キャッシュ・フロー計算書の作成が義務付けられたのは2000年3月期からであり、それ以前の数値が未知であるといった理由などから、実際の企業分析上では、営業キャッシュ・フローおよび投資キャッシュ・フローを、損益計算書および貸借対照表の数値から計算して、過去の時系列的な変化を捉えたり、将来キャッシュ・フローの予想を行ったりすることが多い。

フリー・キャッシュ・フローは、必要なキャッシュの支出をすべて行った後に、株主や債権者にとって自由に利用できるという意味である。なお、定義は必ずしも一本化されていないが、営業キャッシュ・フローやフリー・キャッシュ・フローを次のように表す。

＜キャッシュ・フローの定義＞

① 営業キャッシュ・フロー

＝当期純利益＋減価償却費－売上債権増減－棚卸資産増減＋仕入債務増減

② フリー・キャッシュ・フロー

＝営業キャッシュ・フロー－（設備投資＋有価証券・投資有価証券投資）

または、キャッシュ・フロー計算書から

フリー・キャッシュ・フロー＝営業活動によるキャッシュ・フロー

＋投資活動によるキャッシュ・フロー

＜フリー・キャッシュ・フロー（以下FCF）がマイナスになる原因＞

1．投資が増加する一方、営業キャッシュ・フローは低迷している。

2．投資は増加していないが、営業キャッシュ・フローが大幅に低迷している。

3．営業キャッシュ・フローは好調だが、それ以上に投資が増加している。

FCFがマイナスになるのは一概に悪いこととはいえない。しかし、営業キャッシュ・フローは過去に行った投資からの成果（＝キャッシュ）の回収といえ、それが低迷しているとすれば、今後、改善の見通しはあるかといった点に注意する必要がある。同様に、積極的な設備投資によってFCFがマイナスになっているとすれば、その投資がどのくらいの期間で、どのくらいの収益性で回収されるのか、つまり、いつFCFがプラスに転換するのか？　過大投資ではないか？　といった点を検討する必要があるといえるだろう。一方、FCFを持ちすぎている企業については、採算に合わない投資をする危険性や、有望な投資機会が少ない可能性があるので注意が必要である。

株式価値（＝内在価値、本質的価値）は、企業が将来にわたって生み出すであろうキャッシュ・フローの割引現在価値合計として計算される。したがって、将来キャッシュ・フローをもたらす投資が実現されなければ、株式価値は低下する。キャッシュ・フロー分析は、このような経営の推移を見る上で有用である。

3　ROE、1株当たり指標およびサステイナブル成長率

Point ① ROE（自己資本利益率）

$$\mathrm{ROE} = \frac{\text{税引後当期純利益}}{\text{自己資本}}$$

＊自己資本＝株主資本＋その他の包括利益累計額

＊税引後当期純利益には、連結財務諸表の場合「親会社株主に帰属する当期純利益」を用いる。

Point ② 1株当たり純資産（BPS：Bookvalue Per Share）

$$\mathrm{BPS} = \frac{\text{期末自己資本}}{\text{期末発行済株式数（期末自己株式数控除後）}}$$

Point ③ 1株当たり純利益（EPS：Earnings Per Share）

$$\mathrm{EPS} = \frac{\text{税引後当期純利益}}{\text{期中平均株式数}} = \frac{\text{税引後当期純利益}}{\text{期中平均発行済株式数}-\text{期中平均自己株式数}}$$

Point ④ サステイナブル成長率

企業の配当成長率gをどのように推定すればよいかについてサステイナブル成長率（内部成長率）を紹介する。

サステイナブル成長率とは、企業が内部留保による自己資本の増加によって達成できる理論的な利益・配当の潜在成長率をいう。

（前提条件）・企業のROEは一定

・配当性向（1株当たり配当金／1株当たり利益）一定

と想定すると、利益の増加額は再投資された内部留保額（税引き利益－配当金額）にROEを掛けた金額になる。これを図に表すと次のようになる。

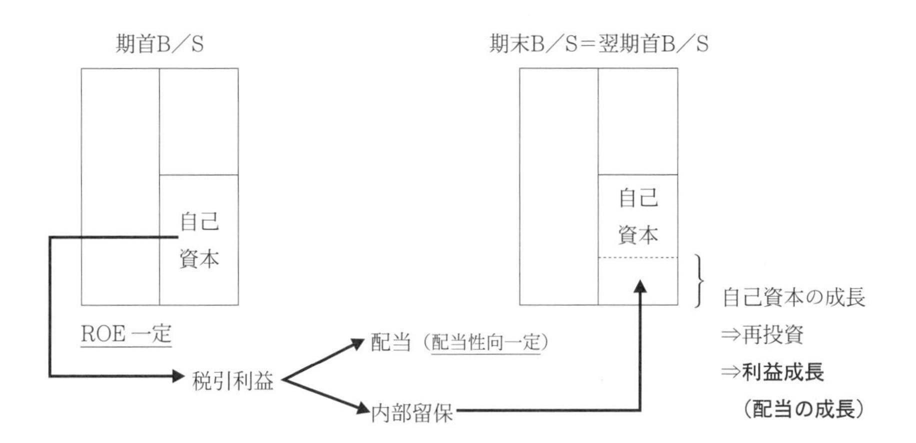

これをもとに、利益成長率を考えると

$$利益成長率 = \frac{翌期の利益増加額}{今年度の利益}$$

$$= \frac{今年度の内部留保 \times ROE}{今年度の利益}$$

$$= 内部留保率 \times ROE$$

この成長率のことをサステイナブル成長率という。

> サステイナブル成長率
>
> サステイナブル成長率＝内部留保率× ROE
>
> ＝(1－配当性向)× ROE

サステイナブル成長率を計算する際の ROE は

$$\frac{今年度の利益}{\textbf{期首}自己資本}$$

例題10　A社のX1年3月期とX2年3月期の財務データが以下に示されている。これに基づいて以下の設問に解答せよ。

なお、貸借対照表数値は、期首または期末数値を使用すること。

●損益計算書（単位：千円）

	X1／3期	X2／3期
売上高	1,200,000	1,500,000
売上原価	960,000	1,200,000
売上総利益	240,000	300,000
販管費	100,000	120,000
営業利益	140,000	180,000
受取利息・配当金	30,000	30,000
持分法による投資利益	10,000	10,000
支払利息	20,000	20,000
経常利益	160,000	200,000
税金等調整前当期純利益	160,000	200,000
法人税，住民税及び事業税	80,000	100,000
税引後当期純利益	80,000	100,000

●貸借対照表（単位：千円）

	X1／3期	X2／3期
総資本	1,200,000	1,392,000
負　債	700,000	812,000
自己資本	500,000	580,000
発行済株式数	2,000,000株	2,000,000株
1株当たり配当金	8円	10円

問1　X1／3期とX2／3期の1株当たり利益（EPS）を計算せよ。

問2　X1／3期とX2／3期の配当性向を計算せよ。

問3　X2／3期のサステイナブル成長率を計算せよ。

解答

> 問１　X1／３期：40円　　X2／３期：50円
> 問２　X1／３期：20.0%　　X2／３期：20.0%
> 問３　16%

解　説

問１　$EPS＝\dfrac{税引後当期純利益}{発行済株式総数}$

X1／３期：80,000千円÷2,000,000株＝40円

X2／３期：100,000千円÷2,000,000株＝50円

問２　$配当性向＝\dfrac{配当総額}{税引後当期純利益}＝\dfrac{1株当たり配当金}{1株当たり利益（EPS）}$

X1／３期：８÷40＝0.2＝20.0%

X2／３期：10÷50＝0.2＝20.0%

問３　サステイナブル成長率＝ROE×（１－配当性向）

$$※ROE＝\dfrac{税引後当期純利益}{（期首）自己資本}$$

$$＝\frac{100,000}{500,000}×（1－0.2）$$

$$＝0.2×0.8$$

$$＝0.16＝16\%$$

4　株式の評価尺度

Point ① 株価収益率（PER：Price Earnings Ratio）

$$PER = \frac{株\quad価}{1株当たり利益(EPS)}$$

Point ② 株価純資産倍率（PBR：Price Bookvalue Ratio）

$$PBR = \frac{株\quad価}{1株当たり自己資本(BPS)}$$

Point ③ 株価キャッシュフロー比率（PCFR：Price Cashflow Ratio）

$$PCFR = \frac{株\quad価}{1株当たりキャッシュフロー}$$

＊キャッシュフロー＝税引後当期純利益＋減価償却費

＊会計処理方法の影響を受ける利益ではなく、キャッシュフローとの関係で株価を評価する。

＊とくに国際的な株価評価を行う際に、各国の会計基準の差を取り除いた比較ができるという意味で使用されることが多い。

Point ④ 株価売上高比率（PSR：Price Sales Ratio）

$$株価売上高比率 = \frac{株\quad価}{1株当たり売上高}$$

Point ⑤ 企業価値EBITDA倍率（EV／EBITDA倍率）

$$企業価値EBITDA倍率 = \frac{企業価値}{EBITDA}$$

＊企業価値（EV：Enterprise Value）：有利子負債総額＋株式時価総額－手元流動性（現預金や償還・売却期限が１年以内の有価証券など）が用いられることが多い。

＊EBITDA（Earnings before Interest, Taxes, Depreciation and Amortization）：国内会計基準では営業利益＋減価償却費、IFRS基準では営業利益＋減価償却費および償却費±その他の営業収益・費用（または売上総利益－販売費及び一般管理費＋減価償却費および償却費）、SEC基準では営業利益＋減価償却費（または税引前当期純利益＋支払利息－受取利息＋減価償却費）が用いられる。

＊企業価値EBITDA倍率は、企業が生む税引前キャッシュフローとしてEBITDAをとり、その数値をもとに企業価値を判断するものである。EBITDAは償却費を控除する前の利益指標なので、償却方法の影響を受けない。償却方法によって当期純利益の値が変わる場合、PER（株価収益率）はこの影響を受けるが、EBITDAは変わらないので企業価値EBITDA倍率は影響を受けない。

Point ⑥　イールド・スプレッド（yield spread）

yield spread＝長期債利回り－株式益回り

$$＊株式益回り = \frac{1株当たり利益(EPS)}{株　価} = \frac{1}{PER}$$

Point ⑦　配当利回り

$$配当利回り = \frac{1株当たり配当金}{株　価}$$

Point ⑧　配当性向、総還元性向

$$配当性向 = \frac{配当総額}{税引後当期純利益} = \frac{1株当たり配当金}{1株当たり利益(EPS)}$$

$$総還元性向 = \frac{配当総額＋自己株式取得総額}{税引後当期純利益}$$

例題11

《2012（春）．3．Ⅰ．3》

株式の評価尺度に関する次の記述のうち、正しくないものはどれか。

A　益回りは１株当たりの利益を株価で割った値であり、PERの逆数である。

B　株価が配当割引モデルに従うとき、当該株式のリスクが高くなるとPERは低くなる。

C　株価キャッシュフロー比率は、会計処理方法の影響を受けない。

D　企業価値EBITDA倍率の分子は、有利子負債総額と自己資本簿価の合計値である。

解答　D

解　説

A　正しい。株式益回り$=\dfrac{1}{\text{PER}}=\dfrac{\text{EPS}}{\text{株価}}$

B　正しい。株価が配当割引モデルに従うとき、PERは以下のようになる。

$$\text{PER}=\frac{\text{配当性向}}{\text{要求収益率}-\text{成長率}}$$

当該株式のリスクが高くなると要求収益率が高くなるので、PERは低くなる。

C　正しい。株価キャッシュフロー比率（PCFR）は株価を１株当たりキャッシュフローで割ったものであり、「キャッシュフロー」には当期純利益＋減価償却費が用いられることが多い。減価償却費控除前の数値であるため会計処理方法の影響を受けにくいとされる。

D　正しくない。企業価値EBITDA倍率は企業価値をEBITDAで割ったものであり、分子の企業価値には有利子負債総額＋株式時価総額－手元流動性が用いられることが多い。

例題12

《2019（秋）. 2 . Ⅰ. 5》

株価が300円、１株当たり配当が15円、１株当たり営業利益が30円、発行済株式数が２億株、親会社株主に帰属する当期純利益が40億円である企業の配当性向はいくらか。

A　5%

B　50%

C　67%

D　75%

E　100%

解答  D

解　説

$$配当性向=\frac{１株当たり配当}{１株当たり当期純利益}=\frac{１株当たり配当\times発行済株式数}{１株当たり当期純利益\times発行済株式数}$$

$$=\frac{１株当たり配当\times発行済株式数}{親会社株主に帰属する当期純利益}$$

$$=\frac{15円\times２億株}{40億円}=75\%$$

5　配当割引モデル（DDM）

配当割引モデルの考え方は、基本的には債券の場合と同じであり、株式保有者にもたらされる将来のキャッシュフローを現在価値に割り引いて株式の価格を導き出す。

債券の場合、キャッシュフローはクーポンおよび償還価格であったが、株式の場合は配当である。また、債券の場合は償還があるが、株式の場合は保有期間が非常に長いと仮定し、無限等比級数を使う。

＊無限等比級数

$$S=\frac{a}{1-r}$$

a：初項
r：公比

Point ①　ゼロ成長モデル

$$P_0=\frac{D}{1+k}+\frac{D}{(1+k)^2}+\frac{D}{(1+k)^3}+\cdots$$
$$=\frac{D}{k}$$

P_0：株価
D：配当
k：割引率

Point ②　定率成長モデル

$$P_0=\frac{D_1}{1+k}+\frac{D_1(1+g)}{(1+k)^2}+\frac{D_1(1+g)^2}{(1+k)^3}+\cdots$$
$$=\sum_{t=1}^{\infty}\frac{D_1(1+g)^{t-1}}{(1+k)^t}$$
$$=\frac{D_1}{k-g}\qquad(0<g<k)$$

P_0：株価
D_1：１期後の配当
g：配当成長率
k：割引率

Point ③　多段階成長モデル（２段階成長モデル）

１株当たりの配当金が、最初のＴ年間は毎期g_1の率で成長し、その後はg_2の率で永久に成長すると予想する。

$$P_T = \frac{D_T(1+g_2)}{k-g_2} = \frac{D_{T+1}}{k-g_2}$$

$$P_0 = \frac{D_1}{1+k} + \frac{D_1(1+g_1)}{(1+k)^2} + \frac{D_1(1+g_1)^2}{(1+k)^3} + \cdots + \frac{D_1(1+g_1)^{T-1}+P_T}{(1+k)^T}$$

$(0 < g_2 < k)$

P_0：株価

P_T：T期後の株価

D_1：1期後の配当

D_T：T期後の配当

g_1：最初の配当成長率

g_2：T期後の配当成長率

k：割引率

Point ④ 正味現在価値法（NPV法）

正味現在価値（NPV）とは、投資が生み出す将来キャッシュフローC_nを事業リスクに見合った適当な割引率kで割り引いた現在価値V_0から投資額の現在価値Iを差し引いたものをいう。

$$NPV = V_0 - I$$

$$= \left(\frac{C_1}{1+k} + \frac{C_2}{(1+k)^2} + \cdots + \frac{C_T}{(1+k)^T}\right) - I = \sum_{t=1}^{T} \frac{C_t}{(1+k)^t} - I$$

ただし、C_t　：t期に発生するキャッシュフロー

V_0　：事業が生み出す将来キャッシュフローの現在価値合計

I　：投資額の現在価値

NPVは投資が生み出す将来キャッシュフローの現在価値合計から投資額の現在価値を差し引いたものであるから、これがプラスならこの投資案を採用すべきであることがわかる。

$NPV > 0$ …投資する。

例題13　以下の財務データに基づいて、甲社と乙社の配当利回り、株価収益率（PER）、株価純資産倍率（PBR）を計算しなさい。なお、計算結果に端数が生じる場合は、小数第３位を四捨五入すること。

	甲社	乙社
売上高	1,600億円	2,000億円
税引後利益	84億円	68億円
自己資本	500億円	820億円
発行済株式数	3 億株	4 億株
1株当たり配当金（予想）	6 円	5 円
現在株価	550円	620円

解答

配当利回り：甲社1.09%、乙社0.81%

株価収益率（PER）：甲社19.64倍、乙社36.47倍

株価純資産倍率（PBR）：甲社3.30倍、乙社3.02倍

解　説

$$配当利回り=\frac{1株当たり配当金}{株価}\quad 甲社\ \frac{6}{550}\times100\approx1.090=1.09\%$$

$$乙社\ \frac{5}{620}\times100\approx0.806=0.81\%$$

$$1株当たり利益（EPS）=\frac{税引後利益}{発行済株式数}\quad 甲社\ \frac{84}{3}=28円$$

$$乙社\ \frac{68}{4}=17円$$

$$株価収益率（PER）=\frac{株価}{1株当たり利益}\quad 甲社\ \frac{550}{28}\approx19.642=19.64倍$$

$$乙社\ \frac{620}{17}\approx36.470=36.47倍$$

$$株価純資産倍率（PBR）= \frac{株価}{1株当たり純資産}$$

１株当たり純資産　　甲社　$\frac{500}{3} \approx 166.666 = 166.67$円

　　　　　　　　　　乙社　$\frac{820}{4} = 205$円

株価純資産倍率（PBR）　甲社　$\frac{550}{166.67} \approx 3.299 = 3.30$倍

　　　　　　　　　　乙社　$\frac{620}{205} \approx 3.024 = 3.02$倍

例題14

株式分析に関する以下の設問に解答せよ。

問１　X1年３月末に1,200円であったＡ社の株価は、翌X2年３月末（権利落ち後）に1,400円となった。X1年度中の配当（年１回）は12円である。また、期末において１：1.05の株式分割が行われた。Ａ社株の１年間の投資収益率はいくらか。

問２　Ｂ社の１株当たりの配当金は１年後の今年度期末に10円、来年度以降は年率４％で毎年増配と予想される（ただし中間配当はない）。要求収益率を６％として定率成長配当割引モデルを使って現在の妥当な株価を算定すると、いくらになるか。

問３　定率成長配当割引モデルによれば、Ｃ社の理論株価は320円である。１株当たりの期末予想配当金は10円、配当成長率は年率3.00％であり、無リスク利子率を1.025％とすれば、Ｃ社の要求収益率に含まれるリスク・プレミアムはいくらか。

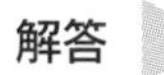

解答　問１　23.5％　　問２　500円　　問３　5.1％

解　説

問 1

$$\frac{12+1,400\times1.05}{1,200}-1=0.235=23.5\%$$

問 2

$$\text{定率成長配当割引モデル：株価}=\frac{\text{1期後の配当金}}{\text{要求収益率(割引率)}-\text{配当成長率}}$$

$$\text{株価}=\frac{10}{0.06-0.04}=500\text{円}$$

問 3

$$320=\frac{10}{k-0.03}$$

$$320\ (k-0.03)=10$$

$$k-0.03=0.03125$$

$$k=6.125\%$$

$$6.125-1.025=5.1\%$$

例題15　LL社の 1 年後（今期末）の予想配当は 5 円（中間配当は無し）で、この配当はその後 2 年間は年率4.0%で成長し、それ以降は2.0%で永久に成長するものと予想される。LL社の市場における適正な評価利率は5.5%とみなされている。2 段階成長モデルに従って現在の株価を計算せよ。

解答　148.23円

解　説

３年後の株価（P_3）は、次のように計算される。

$$P_3 = \frac{5 \times (1+0.040)^2 \times (1+0.020)}{0.055-0.020} \approx 157.60$$

したがって、現在の株価（P_0）は、

$$P_0 = \frac{5}{1+0.055} + \frac{5 \times (1+0.040)}{(1+0.055)^2} + \frac{5 \times (1+0.040)^2 + 157.60}{(1+0.055)^3} \approx 148.23\text{（円）}$$

例題16　無借金経営であるＸ社は余剰資金を使って投資総額１億円の投資プロジェクトA、Bのどちらを採用するか検討している。

プロジェクトAを実行すると、今後毎年520万円のキャッシュフローを生むことがわかっている。

またプロジェクトBを実行すると、初期年度に330万円のキャッシュフローを生み出し、このキャッシュフローが年当たり２％で定率成長していくことがわかっている。

この投資家の要求期待収益率は５％であると仮定してこの二つの投資案の正味現在価値（NPV）を求めることで、どちらの投資案を採用するか検討しなさい。また減価償却費、更新費用、投資に伴う増加運転資本はゼロであるとする。

解答

A案　400万円
B案　1,000万円
∴B案を採用する。

解　説

まず無借金経営であるため割引率は株主の要求収益率に等しく５％である。

A案について正味現在価値を求める。

$$NPV_A = -10{,}000 + \frac{520}{1+0.05} + \frac{520}{(1+0.05)^2} + \cdots + \frac{520}{(1+0.05)^n} + \cdots$$

$$= -10{,}000 + \frac{520}{0.05}$$

$$= \underline{400\text{万円}}$$

同様にB案について正味現在価値を求める。

$$NPV_B = -10{,}000 + \frac{330}{1+0.05} + \frac{330(1+0.02)}{(1+0.05)^2} + \cdots + \frac{330(1+0.02)^{n-1}}{(1+0.05)^n} + \cdots$$

$$= -10{,}000 + \frac{330}{0.05-0.02}$$

$$= \underline{1{,}000\text{万円}}$$

$NPV_A < NPV_B$

$NPV_B > 0$

よって、B案を採用することがわかる。

例題17

《2011（秋）．3．Ⅰ．2》

株価収益率（PER）に関する次の記述のうち、<u>正しくないもの</u>はどれですか。

A　すべての株式が定率成長モデルに従うならば、PERは同じ値となる。

B　将来の高い利益成長が期待できる株式のPERは高くなる傾向がある。

C　他の条件が一定ならば、株式の要求収益率が高いほどPERは低い。

D　PERは株価を1株当たり利益で割った指標である。

解答　A

解　説

株価が定率成長配当割引モデルに従う場合、PERは以下のようになる。

$$\mathrm{PER}=\frac{株価}{\mathrm{EPS}}=\frac{\frac{D_1}{k-g}}{\mathrm{EPS}}=\frac{\frac{\mathrm{EPS}\times d}{k-g}}{\mathrm{EPS}}=\frac{d}{k-g}$$

A　正しくない。PERは要求収益率（k）、配当成長率（g）、配当性向（d）で決まるといえるだけであって、各企業間で理論的に正しい一定のPERが存在するわけではない。

B　正しい。将来の高い利益成長はより高い配当成長率をもたらす傾向があると考えられる。分母の配当成長率（g）が高くなれば、PERは高くなると考えられる。

C　正しい。他の条件を一定とすれば、要求収益率（k）が高いほどPERは低くなる。

D　正しい。PERは株価を1株当たり利益（EPS）で割って計算した指標である。

6　成長機会の現在価値（PVGO）

企業の利益あるいは配当が内部留保のみによって成長していくと考えたとき（つまり、企業の利益・配当はサステイナブル成長率に従って成長する）、企業が株主に対して配当を行う場合、利益の全額を配当するのか、もしくは利益の一部を配当するのかによって企業の成長に影響を与えることになる。例えば、利益を全額配当する場合、企業に留保される内部留保はゼロということになり、企業は成長できないことになる。一方、利益の一部を配当として社外に流出して残りが内部留保されるならば、企業はそれを新たに事業へ投資し成長することができる。この事業への新規投資は株価に反映されることになるが、事業投資に伴う株式価値の増大分を「成長機会の現在価値」(Present Value of Growth Opportunities：PVGO）と呼ぶ。

（例）

- 今期の１株当たり予想利益：10円
- 投資家の要求収益率：10%
- 内部留保のみで利益・配当が成長する。

⑴　利益の全額を配当する場合の株価

$$P_0=\frac{10}{1.1}+\frac{10}{1.1^2}+\frac{10}{1.1^3}+\cdots=\frac{10}{0.1}=100\text{円}$$

⑵　利益の一部を配当（配当性向40%）する場合（残りは全額内部留保され再投資）

①　ROE：15%の場合

１株当たり配当金：10円×0.4＝４円

サステイナブル成長率：15%×(1−0.4)＝9%

$$P_0=\frac{4}{1.1}+\frac{4\times1.09}{1.1^2}+\frac{4\times1.09^2}{1.1^3}+\cdots=\frac{4}{0.1-0.09}=400\text{円}$$

PVGO：400−100＝300円

②　ROE：10%の場合

サステイナブル成長率：10%×(1−0.4)＝6%

$$P_0=\frac{4}{1.1}+\frac{4\times1.06}{1.1^2}+\frac{4\times1.06^2}{1.1^3}+\cdots=\frac{4}{0.1-0.06}=100\text{円}$$

PVGO：100−100＝0円

③　ROE：5%の場合

サステイナブル成長率：5%×(1−0.4)＝3%

$$P_0=\frac{4}{1.1}+\frac{4\times1.03}{1.1^2}+\frac{4\times1.03^2}{1.1^3}+\cdots=\frac{4}{0.1-0.03}\approx57\text{円}$$

PVGO：57−100＝−43円

上記例のように、ROE と要求収益率を比較して ROE の方が高い①の場合 PVGO は正値となり、逆に ROE の方が低い③の場合PVGO は負値となる。これは、ROE が投資家の要求収益率よりも高い事業に投資した場合、それを評価し株価が上昇することになるが、ROE が要求収益率よりも低い事業へ投資をすれば株価を下落させることを意味している。また、ROE と要求収益率が等しければ、株価は変化しない。

例題18 《2016（秋）. 3. Ⅲ》

図表１はＸ社、Ｙ社、Ｚ社の今期の配当性向、予想EPS、ROEなど成長機会の現在価値（PVGO）を示すデータである。３社とも株主の要求収益率は９％で、今後も負債を持たない。また、３社とも配当性向とROEは一定で、内部留保は全額を設備投資に充てるものとする。

図表１　Ｘ社、Ｙ社、Ｚ社のデータ

	Ｘ社	Ｙ社	Ｚ社
配当性向	100.0%	30.0%	30.0%
予想EPS	40円	40円	40円
ROE	12.0%	12.0%	8.0%
サステイナブル成長率	0.0%	8.4%	5.6%

問１　Ｙ社の成長機会の現在価値はいくらですか。

A　955.6円
B　1,200.0円
C　1,444.4円
D　1,555.6円
E　2,000.0円

問２　Ｚ社の成長機会の現在価値はいくらですか。

A　－151.5円
B　－91.5円
C　－15.6円
D　352.9円
E　444.4円

解答 ▶ 問１　D　　問２　B

解　説

Ｘ社は全額配当して内部留保しないのでゼロ成長、Ｙ社は配当性向が30%で残り70%は内部留保されるので定率成長。他のデータはＸ社と同じである。一方、Ｚ社も配当性向が30%で残り70%は内部留保されるので定率成長だが、Ｘ社およびＹ社と比べ ROE が低く、サステイナブル成長率も低い。成長機会の現在価値（PVGO）を大雑把に定率成長する場合の株価と全額配当してゼロ成長の場合の株価の差と捉えると以下のようになる。

$$PVGO=\frac{D_1}{k-g}-\frac{D}{k}$$

ただし、D_1：今期末予想１株当たり配当金、D：全額配当した場合の１株当たり配当金（＝EPS)、k：要求収益率、g：サステイナブル成長率。

つまり、Ｘ社株価との差である。

問1　$PVGO=\frac{EPS\times d}{k-g}-\frac{EPS}{k}=\underbrace{\frac{40\times0.3}{0.09-0.084}}_{Y\text{社株価}}-\underbrace{\frac{40}{0.09}}_{X\text{社株価}}\approx2{,}000-444.4=1{,}555.6$

問2　$PVGO=\frac{EPS\times d}{k-g}-\frac{EPS}{k}=\underbrace{\frac{40\times0.3}{0.09-0.056}}_{Z\text{社株価}}-\underbrace{\frac{40}{0.09}}_{X\text{社株価}}\approx352.9-444.4=-91.5$

Ｙ社はROEが株主の要求収益率を上回り、サステイナブル成長率も十分に高い。このため株価がＸ社よりも高く、PVGOはプラスとなる。これに対してＺ社はROEが株主の要求収益率を下回り、サステイナブル成長率が低い。このため株価がＸ社よりも低く、PVGOはマイナスとなる。

Ｚ社のROEが株主の要求収益率と同じ９%であるとすると、サステイナブル成長率はg＝9%×(1－0.3)＝6.3%である。この場合、株価はＸ社と等しくPVGOはゼロとなる。

$$PVGO=\frac{EPS\times d}{k-g}-\frac{EPS}{k}=\frac{40\times0.3}{0.09-0.063}-\frac{40}{0.09}\approx444.4-444.4=0$$

⑶ PVGOモデル

⑵①のROEが15%の場合で考えてみる。配当性向が40%なので内部留保率は60%、したがって、今期末の１株当たり新規投資額は次のようになる。

今期の１株当たり予想利益×内部留保率＝10円×60%＝６円

ROEが15%なので、この新規投資から毎期６円×0.15のキャッシュフローが生まれる。また要求収益率が10%なので、新規投資が生むキャッシュフローの今期末時点での現在価値は、

$$\text{新規投資が生むキャッシュフローの現在価値}=\frac{6\text{円}\times 0.15}{0.1}$$

今期末の新規投資の正味現在価値は、

$$NPV_1=-\text{新規投資額}+\text{新規投資が生むキャッシュフローの現在価値}$$

$$=-6\text{円}+\frac{6\text{円}\times 0.15}{0.1}=3\text{円}$$

サステイナブル成長率が９%なので、次期の１株当たりの新規投資額は９%成長して６×1.09円である。そして、その新規投資は15%のリターンを生むため、次期の期末における新規投資の正味現在価値は次の通り。

$$NPV_2=-6\text{円}\times 1.09+\frac{6\text{円}\times 1.09\times 0.15}{0.1}=3\times 1.09\text{円}$$

したがって、要求収益率をk、サステイナブル成長率をgとすると、現時点における毎期の新規投資の現在価値合計は次のように計算される。

$$\text{毎期の新規投資の現在価値合計}=\frac{NPV_1}{1+k}+\frac{NPV_2}{(1+k)^2}+\frac{NPV_3}{(1+k)^3}+\cdots$$

$$=\frac{NPV_1}{1+k}+\frac{NPV_1(1+g)}{(1+k)^2}+\frac{NPV_1(1+g)^2}{(1+k)^3}+\cdots$$

$$=\frac{NPV_1}{k-g}$$

各数値を代入すると、

$$\text{毎期の新規投資の現在価値合計}=\frac{3\text{円}}{0.1-0.09}=300\text{円}$$

このように、新規投資のNPVの総合計はPVGOと等しくなる。

また、PVGOを用いると株価は次の2つの要素に分解できる。

株価＝利益を全額配当する（成長機会がない）場合の株価

＋PVGO（成長機会の現在価値）

$$=\frac{\text{今期1株当たり利益}}{\text{要求収益率}}+\frac{\text{今期末の新規投資の正味現在価値}}{\text{要求収益率}-\text{サステイナブル成長率}}$$

$$=\frac{E_1}{k}+\frac{NPV_1}{k-g}$$

ここで、内部留保率をbとすると、

NPV_1＝－新規投資額＋新規投資が生むキャッシュフローの現在価値

$$=-bE_1+\frac{\mathrm{ROE}\times bE_1}{k}$$

$$=\frac{bE_1(\mathrm{ROE}-k)}{k}$$

また、サステイナブル成長率$g=\mathrm{ROE}\times b$なので、株価の式に代入すると次のように変形できる。

$$\text{株価}=\frac{E_1}{k}+\frac{1}{k-\mathrm{ROE}\times b}\times\frac{bE_1(\mathrm{ROE}-k)}{k}$$

$$=\frac{E_1}{k}+\frac{bE_1(\mathrm{ROE}-k)}{k(k-\mathrm{ROE}\times b)}$$

各数値を代入すると、

$$\text{株価}=\frac{10\text{円}}{0.1}+\frac{0.6\times10\text{円}\times(0.15-0.1)}{0.1\times(0.1-0.15\times0.6)}=400\text{円}$$

と、配当割引モデルの結果と等しくなる。

例題19

《2011（春）．3．Ⅰ．3》

成長機会の現在価値（PVGO）に関する次の記述のうち、正しくないものはどれですか。

A　PVGOは、企業による毎年の新規事業投資が新たに生み出す価値の総和と考えることができる。

B　成長機会がない場合の株価にPVGOを加えると、理論株価を導くことができる。

C　他の条件が同じ場合には、サステイナブル成長率が大きい株式ほどPVGOは大きくなる。

D　ROEがリスクフリー・レートを上回る場合には、PVGOは必ずプラスの値となる。

解答 ▶ D

解　説

$$\underbrace{PVGO}_{\text{成長機会の現在価値}} = V - \frac{D}{k}$$

$$= \underbrace{\frac{D_1}{k-g}}_{\text{理論株価（定率成長）}} - \underbrace{\frac{D}{k}}_{\text{全額配当（ゼロ成長）}}$$

$$= \frac{EPS \times d}{k - ROE \times \underbrace{(1-d)}_{\text{内部留保率}}} - \frac{EPS}{k}$$

A　正しい。PVGOは新規事業投資が新たに生み出す価値の総和と考えられる。

B　正しい。上の式を変形すれば、$V = \frac{D}{k} + PVGO$である。

C　正しい。サステイナブル成長率（g）が大きいほど理論株価は高くなり、PVGOも大きくなる。

D　正しくない。内部留保率（$1-d$）が正、要求収益率（k）が正、かつ、要求収益率がサステイナブル成長率を上回る（k－ROE×内部留保率＞0）という標準的な仮定の下でもROEが要求収益率を下回れば（すなわち、ROE－k＜0であれば）PVGOはマイナスになり、ROEがリスクフリー・レートを上回るかどうかとは関係ない。

7　その他の株式価値算定法

株式価値の算定方法には、配当割引モデル以外にも、フリー・キャッシュフロー割引モデル、残余利益モデルがあり、さらに企業価値をもとに株式価値を計算する方法もある。

Point ①　フリー・キャッシュフロー割引モデル

株式価値は、株主が自由に使えるフリー・キャッシュフロー（株主に対するフリー・キャッシュフロー：free cash flow to equity、FCFE）の割引現在価値として求められ、そして株主に対するフリー・キャッシュフローは次のようになる。

FCFE＝税引後当期純利益＋減価償却額－設備投資額－正味運転資本増加額
　　　＋負債増加額

なおここで、正味運転資本増加額は現金・預金以外の流動資産の増加額と短期借入債務以外の流動負債の増加額の差、負債増加額は負債調達額と負債返済額の差を表す。

また、設備投資額と正味運転資本増加額を合計したものを総投資額と呼ぶことにすると、総投資額から減価償却額を差引いたものは純投資額と言える。そして、企業が純投資額のうち一定の割合を負債で調達すると仮定し、負債の増加がそれ以外ないとすると、FCFEは次のように表せる（ここでの負債構成比率は、企業が純投資額のうち負債で賄う割合）。

FCFE＝税引後当期純利益－（設備投資額＋正味運転資本増加額－減価償却額）＋（設備投資額＋正味運転資本増加額－減価償却額）×負債構成比率
　　＝税引後当期純利益－（設備投資額＋正味運転資本増加額－減価償却額）×（1－負債構成比率）
　　＝税引後当期純利益－純投資額×（1－負債構成比率）

前述のとおり、FCFEは株主が自由に使えるキャッシュフローであり、配当支払い可能額を表す。そして、企業がFCFEを全額配当するとすると、株式の理論価値はFCFEを現在価値に割り引いて、次のように計算できる。

$$P_0 = \frac{FCFE_1}{1+k} + \frac{FCFE_2}{(1+k)^2} + \frac{FCFE_3}{(1+k)^3} + \cdots = \sum_{t=1}^{\infty} \frac{FCFE_t}{(1+k)^t}$$

ここで、P_0：株式価値、k：割引率、$FCFE_t$：t 期の $FCFE$

さらに、FCFEが毎期一定の成長率 g で成長する場合には、次のように計算することができる。

$$P_0 = \frac{FCFE_1}{k-g}$$

例題20

問1　A社の今期の親会社株主に帰属する当期純利益は100億円、減価償却費は5億円、設備投資額は20億円、運転資本増加額は30億円、負債増加額は5億円である。今期のA社の株主に対するフリー・キャッシュフロー（FCFE）はいくらですか。

問2　A社は毎期、ROEは8％、配当性向は50％で一定とする。A社の現在の株式価値はいくらですか。ただし、株主の要求収益率は6％とする。

問3　A社の発行済株式数は2億株である。A社の現在の株価はいくらですか。

解答　問1　60億円　問2　3,000億円　問3　1,500円

解　説

問１　FCFE＝親会社株主に帰属する当期純利益＋減価償却費－設備投資額－運転資本増加額＋負債増加額

＝100億円＋５億円－20億円－30億円＋５億円

＝60億円

問２

$$株式価値=\frac{FCFE}{株主の要求収益率-ROE\times(1-配当性向)}$$

$$=\frac{60億円}{0.06-0.08\times(1-0.5)}=3,000億円$$

問３

$$株価=\frac{株式価値}{発行済株式数}$$

$$=\frac{3,000億円}{2億株}=1,500円$$

Point ② 残余利益モデル（割引超過利益評価法）

残余利益モデルでは、理論株価は期首自己資本簿価に残余利益の現在価値を加えることで求められる。ここで、残余利益（超過利益ともいう）とは、当該企業の純利益のうち、リスクを考慮した場合に得られてしかるべき必要収益を超える利益額をいい、次のように定義される。

残余利益＝ 純利益 － 必要収益
＝期首自己資本×ROE－期首自己資本×要求収益率
＝期首自己資本×（ROE－要求収益率）

いま、期首の１株当たり自己資本簿価 B_0、株主の要求収益率 k とすると、理論株価 P_0 は次の式で表される。

理論株価＝期首の１株当たり自己資本＋残余利益の現在価値

$$P_0 = B_0 + \sum_{t=1}^{\infty} \frac{(ROE_t - k)B_{t-1}}{(1+k)^t}$$

ただし、B_{t-1} ：t 期の期首１株当たり自己資本、ROE_t ：t 期の ROE

さらに、毎期のROEが一定で、自己資本が毎期一定の成長率 g で成長する場合には、次のように計算することができる。

$$P_0 = B_0 + \frac{(ROE-k)B_0}{k-g}$$

この式は次のように導かれる。一般的には増資等の資本取引がない場合、税引後当期純利益から配当を支払った後の未処分利益剰余金が会計年度の期首と期末の間の自己資本の変動部分となる。これを**クリーン・サープラス関係**といい、年度末の自己資本簿価（book value of equity：B_1）は次のようになる。

$$B_1 = B_0 + E_1 - D_1$$

ただし、E_1 ：税引後当期純利益、D_1 ：配当金

配当金について式を変形すると、

$$D_1 = B_0 + E_1 - B_1$$

より、t 年度の配当には次のような関係が成立する。

$$D_t = B_{t-1} + E_t - B_t$$

この式を配当割引モデルの式に当てはめると、現在の株式価値 P_0 は、

$$P_0 = \frac{D_1}{1+k} + \frac{D_2}{(1+k)^2} + \frac{D_3}{(1+k)^3} + \frac{D_4}{(1+k)^4} + \cdots$$

$$= \frac{B_0+E_1-B_1}{1+k} + \frac{B_1+E_2-B_2}{(1+k)^2} + \frac{B_2+E_3-B_3}{(1+k)^3} + \frac{B_3+E_4-B_4}{(1+k)^4} + \cdots$$

$$= \frac{B_0+E_1-B_1+kB_0-kB_0}{1+k} + \frac{B_1+E_2-B_2+kB_1-kB_1}{(1+k)^2}$$

$$+ \frac{B_2+E_3-B_3+kB_2-kB_2}{(1+k)^3} + \frac{B_3+E_4-B_4+kB_3-kB_3}{(1+k)^4} + \cdots$$

$$= \frac{(1+k)B_0}{1+k} + \frac{E_1-kB_0}{1+k} - \frac{B_1}{1+k} + \frac{(1+k)B_1}{(1+k)^2} + \frac{E_2-kB_1}{(1+k)^2} - \frac{B_2}{(1+k)^2}$$

$$+ \frac{(1+k)B_2}{(1+k)^3} + \frac{E_3-kB_2}{(1+k)^3} - \frac{B_3}{(1+k)^3} + \frac{(1+k)B_3}{(1+k)^4} + \frac{E_4-kB_3}{(1+k)^4}$$

$$- \frac{B_4}{(1+k)^4} + \cdots$$

配当が今後N年間続くときの株式価値は、

$$P_0 = B_0 + \frac{E_1-kB_0}{1+k} + \frac{E_2-kB_1}{(1+k)^2} + \frac{E_3-kB_2}{(1+k)^3} + \frac{E_4-kB_3}{(1+k)^4} + \cdots - \frac{B_N}{(1+k)^N}$$

$\lim_{N \to \infty} \frac{B_N}{(1+k)^N} = 0$ とすると、

$$P_0 = B_0 + \frac{E_1-kB_0}{1+k} + \frac{E_2-kB_1}{(1+k)^2} + \frac{E_3-kB_2}{(1+k)^3} + \frac{E_4-kB_3}{(1+k)^4} + \cdots$$

また、

t 年度の超過利益＝ t 年度の当期純利益－株主が要求する最低限の純利益額

$$= E_t - kB_{t-1}$$

$$= ROE_t \cdot B_{t-1} - kB_{t-1}$$

$$= (ROE_t - k)B_{t-1}$$

また長期にわたる平均的な自己資本利益率をROEとして$ROE = ROE_t$、現在の自己資本簿価が一定成長率gで増価していくと仮定すると、

$B_t = (1+g)^t B_0$より、

$$P_0 = B_0 + \frac{(ROE-k)B_0}{1+k} \cdot \left\{1 + \frac{1+g}{1+k} + \frac{(1+g)^2}{(1+k)^2} + \frac{(1+g)^3}{(1+k)^3} + \cdots \right\}$$

要求収益率$k >$自己資本簿価の成長率gとすると、

$$P_0 = B_0 + \frac{(ROE-k)B_0}{1+k} \cdot \frac{1+k}{k-g}$$

$$= B_0 + \frac{(ROE-k)B_0}{k-g}$$

となる。以上からわかるように、配当割引モデルにクリーン・サープラス関係を適用すれば、残余利益モデルは得られる。

Point ③ 企業価値をもとに株式価値を計算するアプローチ

株式価値の算定方法にはここまでで取り上げた3つのアプローチ（配当割引モデル、フリー・キャッシュフロー割引モデル、残余利益モデル）以外にも、まず企業価値を計算し、それから負債価値を引いて株式価値を求めるといったアプローチもある。

① 企業価値

企業価値 ＝ その企業が生み出すフリー・キャッシュフローの期待値を加重平均資本コストで割り引いた現在価値

$$= \sum_{t=1}^{\infty} \frac{t\text{期のフリー・キャッシュフローの期待値}}{(1+\text{加重平均資本コスト})^t}$$

ここでのフリー・キャッシュフロー（FCFF：Free Cash Flow to Firm）は、次のように計算する（前述の「株主に対するフリー・キャッシュフロー（FCFE）」とは異なる点に注意）。

フリー・キャッシュフロー

＝事業からのキャッシュフロー－投資のキャッシュフロー

＝税引後営業利益＋減価償却費－設備投資額－正味運転資本増加額

また、割引率は負債利子率を負債コスト、株式の要求収益率を株主資本コ

ストとして、次のように加重平均する。これは**加重平均資本コスト**（WACC：Weighted Average Cost of Capital）と呼ばれる。

$$加重平均資本コスト = \frac{負債価値}{企業価値} \times 税引後負債コスト + \frac{株式価値}{企業価値} \times 株主資本コスト$$

②　株式価値

①で計算された企業価値から負債価値を引くことで、株式価値を求める。

株式価値＝企業価値－負債価値

例題21

《2013（春）．３．Ⅲ．３》

残余利益モデルに関する次の記述のうち、正しくないものはどれか。

A　残余利益とは、純利益から期首自己資本に要求収益率を掛けたものを差し引いた結果である。

B　毎期の残余利益の割引現在価値合計が、株式の理論価値となる。

C　クリーンサープラス関係を前提とすれば、今期純利益と今期期首自己資本の和から今期期末自己資本を差し引いたものが、今期配当に等しい。

D　クリーンサープラス関係を前提とすれば、残余利益モデルは配当割引モデルと整合的なことを示すことができる。

解答　B

解　説

B　正しくない。毎期の残余利益の割引現在価値合計と期首の自己資本の和が株式の理論価値となる。

例題22 B社の今期予想当期純利益は15億円、期首自己資本は100億円、サステイナブル成長率は毎期５％、株式の要求収益率は９％とする。同社は毎年10億円の純投資を行い、そのうち50％を負債で、残りの50％は内部留保で賄い、残った利益額は配当として支払い、増資はしない方針をとっている。

問１ フリー・キャッシュフロー割引モデルから計算される今期首のB社の株式価値はいくらになりますか。B社の株主に対するフリー・キャッシュフロー（FCFE）はサステイナブル成長率で成長するとする。

問２ 配当割引モデルから計算される今期首のB社の株式価値はいくらになりますか。なお、配当はサステイナブル成長率で成長するとする。

問３ 残余利益モデルから計算される今期首のB社の株式価値はいくらになりますか。なお、残余利益はサステイナブル成長率で成長するとする。

解答 問１　250億円　問２　250億円　問３　250億円

解　説

問１　企業の純投資額のうち負債で賄う割合を一定とすると、

FCFE＝純利益－（設備投資額＋正味運転資本増加額－減価償却額）×（１－負債構成比率）

＝純利益－純投資額×（１－負債構成比率）

＝15億円－10億円×（１－0.5）＝10億円

$$株式価値＝\frac{今期FCFE}{株式の要求収益率－サステイナブル成長率}$$

$$＝\frac{10億円}{0.09-0.05}＝250億円$$

問２　B社は毎年10億円の純投資を行い、その50％を負債で、残りは内部留保で賄う方針なので、

内部留保＝純投資額×（１－0.5）＝10億円×（１－0.5）＝５億円

したがって、

今期配当額＝純利益－内部留保＝15億円－５億円＝10億円

$$株式価値＝\frac{今期配当額}{株式の要求収益率－サステイナブル成長率}$$

$$＝\frac{10億円}{0.09-0.05}＝250億円$$

問３

今期残余利益＝純利益－期首自己資本×株式の要求収益率

＝15億円－100億円×0.09＝６億円

残余利益もサステイナブル成長率５％で成長するので、

$$株式価値＝自己資本＋\frac{今期残余利益}{株式の要求収益率－サステイナブル成長率}$$

$$＝100億円＋\frac{6億円}{0.09-0.05}＝250億円$$

配当割引モデル、フリー・キャッシュフロー割引モデル、残余利益モデルは理論的に同一なものなので、以上のように同じ前提のもとでは同じ計算結果が得られる。

例題23

《2009（秋）. 3．Ⅰ》

X社、Y社は負債のない無借金企業でありROEは毎期一定、また外部資金調達の予定もない。株主の要求収益率（均衡期待収益率）はCAPMにしたがって算出され、市場リスク・プレミアムは5％とする。

図表　X社の株式とY社の株式に関するデータ

	ROE	予想EPS	株式ベータ	均衡期待収益率
X社株式	8.0%	100円	**問1**	8.0%
Y社株式	12.5%	100円	1.4	10.0%

問1　X社の株式ベータを計算せよ。

A　0.8

B　0.9

C　1.0

D　1.1

E　1.2

問2　X社が来期以降のEPS（1株当たり利益）を全額配当するものとして、配当割引モデルから導かれるX社の理論株価を計算せよ。

A　800円

B　900円

C　1,000円

D　1,150円

E　1,250円

問3　X社株式のPBRを計算せよ。ただし、PBRの算出に用いる株価は、配当割引モデルから導いた理論値とする。

A　0.80

B　1.00

C　1.25

D　1.50

E　1.75

問4　Y社が来期以降のEPS（1株当たり利益）を全額配当する場合、Y社のBPS（1株当たり純資産）と株価の関係について最も適切なものはどれか。株価は、配当割引モデルから導いた理論値とする。

A　株価はBPSを上回る。

B　株価はBPSを下回る。

C　株価はBPSに一致する。

D　株価とBPSの関係は一概に決まらない。

問5　Y社が配当政策を変更して、来期以降EPSの4割を内部留保して再投資する場合、Y社の理論株価はいくらか。内部留保の再投資収益率は期待ROEに等しいものとする。

A　900円

B　1,000円

C　1,100円

D　1,200円

E　1,300円

解答　問1　C　問2　E　問3　B　問4　A　問5　D

解　説

問1　CAPM

$$E[R_i] = \beta_i \underbrace{(E[R_M] - R_f)}_{\text{市場リスク・プレミアム}=5\%} + \underbrace{R_f}_{?}$$

ただし、β_i：i社の株式ベータ、$E[R_i]$：i社株式の均衡期待収益率（i = X,Y）、$E[R_M]$：市場の均衡期待収益率。

無リスク利子率（リスクフリー・レート：R_f）が未知なので、Y社データから逆算する。

Y社：$10\% = 1.4 \times 5\% + R_f \quad R_f = 3\%$

X社：$8\% = \beta_X \times 5\% + 3\% \quad \beta_X = 1.0$

問2　DDM（定額配当＝ゼロ成長モデル）

$$P = \frac{D}{k} = \frac{EPS}{k} = \frac{100}{0.08} = 1{,}250$$

ただし、P：理論株価、D：（定額）配当金、k：株主の要求収益率（均衡期待収益率）。

問3　EPS（1株当たり当期純利益）、BPS（1株当たり自己資本）、PBR（株価純資産倍率）

$$EPS = \frac{\text{当期純利益}}{\text{株数}} = \frac{ROE \times \text{自己資本}}{\text{株数}} = ROE \times BPS \Leftrightarrow$$

$$BPS = \frac{EPS}{ROE} = \frac{100}{0.08} = 1{,}250$$

$$PBR = \frac{P}{BPS} = \frac{1{,}250}{1{,}250} = 1.0$$

問4　株価とBPS

残余利益モデル　$P = BPS + \dfrac{BPS \times (ROE - k)}{k - g}$

ただし、P：理論株価、k：株主の要求収益率（均衡期待収益率）、

g：サステイナブル成長率。

によれば、$P = BPS + \dfrac{BPS \times (0.125 - 0.1)}{k - g} > BPS$となる。確認すると、

$$P = \frac{D}{k} = \frac{EPS}{k} = \frac{100}{0.1} = 1{,}000$$

$$BPS = \frac{EPS}{ROE} = \frac{100}{0.125} = 800$$

問5　DDM（定率成長モデル）

サステイナブル成長率　$g = ROE \times \text{内部留保率} = 12.5\% \times 0.4 = 5\%$

$$P = \frac{D_1}{k - g} = \frac{EPS \times d}{k - g} = \frac{100 \times (1 - 0.4)}{0.1 - 0.05} = 1{,}200$$

ただし、P：理論株価、D_1：1期後（今期末）配当金、d：配当性向、k：株主の要求収益率（均衡期待収益率）、g：サステイナブル成長率。

8　証券市場の仕組み

図３－８－１　直接金融と間接金融

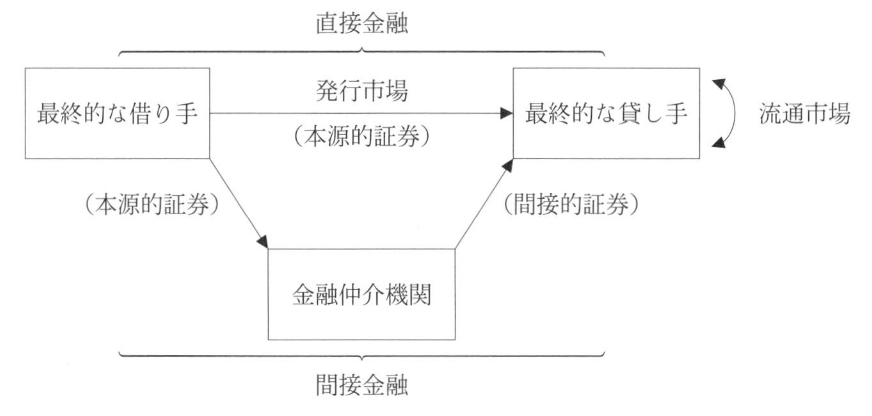

①　直接金融

直接金融は、最終的な借り手が発行する金融負債である**本源的証券**を最終的な貸し手が直接取得する取引である。通常は証券会社が間に入り、取引を仲立ち（媒介）する。直接金融における金融仲介機関である証券会社は、基本的にはリスクを負担しない。業務によりリスクを負担するものもあるが、間接金融の場合に比べるとそのリスクは小さい。

②　間接金融

間接金融は、本源的証券を**金融仲介機関**（銀行等）が引き受け、金融仲介機関の発行する**間接的証券**を最終的な貸し手が取得する取引である。金融仲介機関は、本源的証券を間接的証券に転換する、**資産変換の機能**を果たすことによって最終的な貸し手から最終的な借り手への資金の流れを仲介する。

間接金融の場合、金融仲介機関はリスクを負担する。

Point ① 証券市場における金融仲介機能

発行機能	流通機能	投資機能
証券会社 （アンダーライター）	証券会社 （ブローカー、ディーラー）	機関投資家 （投資顧問会社、投信運用会社）

Point ② 銀行借入と証券発行の情報面からみた違い

	情報公開の仕方	情報公開の度合	内容
銀行借入	銀行からの要請（相対）	高い守秘性あり	高い個別性あり
証券発行	発行開示・継続開示 （金融商品取引法）	開示される	法定の一般情報 ただし、IR（investor relations）により追加情報を提供

Point ③ 証券発行市場、流通市場、派生市場の違い

	機能	市場参加者	特色
発行市場	発行機関が株式や債券を発行し、資金を調達する	発行機関 投資家 アンダーライター	資金調達時のアドバイスに、アンダーライターが重要な役割
流通市場	投資家が株式や債券の売買を行う	投資家 ディーラー ブローカー	株式の場合は証券取引所、債券の場合はディーラーが重要な役割
派生市場	金融派生商品を売買する市場 （例 先物、オプション）	発行市場、流通市場の関係者	リスクヘッジや投機等のために売買が行われ、発行市場や流通市場を補完

Point ④　証券市場のインフラストラクチャー

①　政府…法整備

②　自主規制機関…証券取引所や日本証券業協会等が、実務に対応する詳細な
　　　　　　　　ルール作成

③　決済システム…証券取引所、日本銀行、証券保管振替機構、日本証券クリ
　　　　　　　　アリング機構等が連携

④　監視機関…金融庁（主に金融仲介機関の経営の監視）
　　　　　　証券取引等監視委員会（証券取引の監視）
　　　　　　自主規制機関（機関所属メンバーのルール遵守状況の監視）

⑤　証券取引所

9　日本の株式会社の形態

会社法の施行により、コーポレート・ガバナンスの一環として監督・監視機能が強化された。現在、日本の上場会社は監査役会設置会社、監査等委員会設置会社、指名委員会等設置会社の選択制となっている。

まず、監査役会設置会社は日本の従来の形態を踏襲したもので、取締役会と監査役会からなり、取締役や監査役は株主総会で選ばれる。取締役の多くは企業経営に携わり、それに対して監査役は取締役の行動や企業会計を監査する役割を担っている。なお、監査役会設置会社のうち、公開会社かつ大会社（資本金の額が5億円以上または負債の額が200億円以上である会社）で有価証券報告書の提出義務がある会社は、社外取締役の設置が義務づけられている。

次に、指名委員会等設置会社は指名、監査、報酬の各委員会を設置する会社である。指名委員会等設置会社では、経営の監督と業務の執行が分離され、前者を取締役会、後者を執行役が担当することで相互牽制を図ることが期待されている。各委員会はそれぞれ取締役3名以上で、その過半数は社外取締役で構成されており、株主の利益を保護すべく厳正な監督機能を有することが求められている。なお、各委員会の権限等は次の通りである。

(1)　指名委員会	株主総会に提出する取締役の選任や解任に関する議案の内容を決定する。
(2)　監査委員会	執行役・取締役の職務に関してその適否を監査する。
(3)　報酬委員会	個人別の役員報酬を決定する。

なお、指名委員会等設置会社は、2014年の会社法改正に伴い委員会設置会社の名称が変更されたものである。

また、監査等委員会設置会社が本改正でガバナンス強化を目的とする新たな組織形態の設置が認められた。これにより、企業は自社に適合する監査・監督の組織形態として、監査役会設置会社、監査等委員会設置会社、指名委員会等設置会社の中から選択できるようになった。

監査等委員会設置会社は、過半数を社外取締役が占める３名以上の取締役から構成される監査等委員会が設置された会社である。なお、この組織形態では、業務執行については監査役会設置会社と同様に代表取締役とその他の業務執行取締役が行うことになる。また、業務執行の監督については、指名委員会等設置会社と同様に取締役会と取締役からなる監査等委員会によって行われる。

各組織形態におけるガバナンス構造の要点は下記のとおりである。

・監査役会設置会社
　→取締役の職務執行について、取締役会と監査役会の双方が監督。
　→３名以上の監査役が必要、半数以上は社外監査役。
　→監査委員会との重複設置不可。
　→監査役の任期４年以内、取締役の任期２年以内　等

・監査等委員会設置会社：2014年会社法改正
　→監査等委員である取締役により監査等委員会が設置、取締役３名以上で過半数が社外取締役。
　→監査役、監査役会不要。
　→指名委員会、報酬委員会設置不要。
　→執行役不要。
　→監査等委員である取締役に任期２年以内、他の取締役１年以内　等

・指名委員会等設置会社
　→指名委員会（役員指名）、監査委員会（職務執行監査）、報酬委員会（報酬決定）の３委員会で構成。
　→各委員会の構成員は、取締役３名以上で過半数が社外取締役。
　→経営の監督は取締役会、業務の執行は執行役とする役割分担の明確化。
　→監査委員会設置により、監査役（会）は不要。
　→取締役の任期１年以内　等

例題24

《2012（春）. 1．3》

直接金融と間接金融に関する次の記述のうち、正しくないものはどれか。

A　企業が社債や株式を発行し、投資家から資金調達する資金の流れを直接金融と呼ぶ。

B　直接金融における金融仲介機関はリスクをほとんど取らずに、資金の流れに関する情報の収集と伝達を行う。

C　間接金融では、金融仲介機関はリスクを取り資産変換機能を果たしている。

D　間接金融では、預金者から受け入れた預金は金融仲介機関の貸借対照表に資産として計上されている。

解答　D

解　説

間接金融では、預金者から受け入れた預金などは金融仲介機関の貸借対照表に、資産ではなく負債として計上されている。

例題25

《2014（秋）．1．3》

金融仲介機関と証券市場に関する次の記述のうち、正しくないものはどれか。

A　証券流通市場にとって、投機的な売買も市場全体の流動性を増すと評価することができる。

B　間接金融と比較して、直接金融における金融仲介機関の収益の源泉はリスクにある。

C　間接金融において、金融機関は調達資金と供給資金の期間を意図的に一致させないなど、性質を変えることでリスクをとっている。

D　社会的なインフラストラクチャーとしての直接金融は、証券の発行市場と流通市場により構成されている。

解答  B

解　説

間接金融はリスクを取ることで利益を獲得するが、直接金融は資金に関する情報の収集と伝達を行うことで利益を得る。

例題26

《2014（春）. 1 . 4》

証券市場と情報に関する次の記述のうち、正しくないものはどれか。

A　資金調達者に関して注意すべき状況（例えば合併や大きな損失などを含む）が生じたとき、適時開示を行う。

B　継続開示は有価証券報告書、発行開示は有価証券届出書により担保されている。

C　インサイダー取引の禁止など公正な取引を確保するためのルールによって、情報に関する公平性が担保されている。

D　証券市場における売買は自由なため、特定の投資家が大量の株式を購入しても情報開示は必要ない。

解答　D

解　説

特定の投資家が大量の株式を購入した場合や購入を試みたとき、他の投資家がその事実を知って投資できるようにすることで投資家間の公平性が保てる。このため、情報の開示が要請されている。

例題27

《2022（春）．１．Ⅰ．10》

金融商品取引法の規定に、<u>該当しない</u>ものはどれか。

A　会社関係者等によるインサイダー取引の禁止に関する規定

B　株主総会、取締役など株式会社の機関設計に関する規定

C　投資家に投資判断材料を提供するための情報開示に関する規定

D　証券会社や投資信託委託会社など金融商品取引業者の要件や行動に関する規定

解答　B

解　説

B　該当しない。会社の機関設計に関する規定が設けられているのは会社法である。

例題28 《2023（春）. 1 . I . 10》

株式市場と株式会社の関連規制に関する次の記述のうち、正しくないものはどれか。

A　東京証券取引所は金融商品取引法上の自主規制機関で、有価証券上場規程を設けている。

B　金融商品取引法では、インサイダー取引や相場操縦を規制している。

C　監査等委員会設置会社においては、取締役全員で構成される監査等委員会が、取締役でない業務執行役員を監督する役割を担う。

D　会社法で規定する情報開示は主に株主や債権者などの利害関係者を、金融商品取引法で規定する情報開示は主に投資家を、それぞれ開示の対象としている。

解答 ▶ C

解　説

A　正しい。東京証券取引所には、取引参加者規則や有価証券上場規程などの自主規制ルールがある。

B　正しい。株式市場においては、公平な取引を確保するためのルールが重要である。金融商品取引法にはその代表的なものとしてインサイダー取引規制と相場操縦規則が定められている。

C　正しくない。監査等委員会設置会社では、取締役３名以上（過半数は社外取締役）で構成される監査等委員会が設置され、取締役の業務執行を監督する。

D　正しい。

10　証券の種類

金融商品取引法では、次のようなものが有価証券として定義されている。

・代表的なもの…国債、地方債、社債、株式、新株予約権、投資信託、貸付信託、資産の流動化に関する法律に基づき発行される証券（いわゆる証券化商品）、CP（コマーシャルペーパー）。

・有価証券と類似の仕組みを有するもの（みなし有価証券）…信託受益権、集団投資スキーム（いわゆるファンド）が有価証券とみなされる。

また金融商品取引法では、デリバティブ取引は有価証券ではないものの「取引という行為」として規定されており、商品先物取引法で規定する商品や商品指数以外のデリバティブ取引が規制対象になっている。

Point ①　株式の種類

名　称	概　要
普通株	通常の株主権（議決権、残余財産分配請求権等）が与えられている株式。
優先株	配当や残余財産等の分配順位が普通株よりも優先される。
劣後株	配当や残余財産等の分配順位が普通株よりも劣後する。
トラッキングストック	配当等が会社の特定事業部門や子会社の業績に連動する。

Point ②　投資信託

投資信託は、多くの投資家から資金を集め、その資金を運用会社が一定の運用方針のもとで様々な資産に投資し、その投資で得た運用収益を投資額に応じて投資家に分配する金融商品である。

投資信託の形態としては契約型と会社型に分けられる。契約型では、信託契約によって委託者（運用会社）が資産管理を行う受託者（信託会社）に運用指図を行い、それによって得られた収益を受益者（投資家）に還元する。一方、会社型は、特定資産を投資対象として投資法人を設立、その発行する株式を投資家は購入し、運用収益として配当を受け取る形態になっている。日本の投資信託は概ね契約型の形態をとるが、不動産投資法人のJ-REITは会社型である。

また、投資信託は広く投資家を募る公募投信と、2人以上50人未満の投資家を対象とする（少人数私募)、あるいは適格機関投資家のみを対象とする（プロ私募）私募投信に分けられる。

さらに、払い戻し義務のあるオープンエンド型と、それのないクローズドエンド型に分けることもできる。オープンエンド型では原則として、運用期間中に受益者から払戻し請求がなされた場合、運用会社は純資産価格で資産を取り崩して換金する義務を負う。一方、クローズドエンド型では、投資家は市場を通じて換金する。上場投資信託（Exchange Traded Funds、ETF）はクローズドエンド型投資信託の一種である。

11　株式市場

Point ① 株式発行市場

新たに株式や新株予約権付社債（以前の転換社債、ワラント債）を発行して資金調達する方法を、エクイティ・ファイナンスという。ここでは、株式流通市場にも関係する自己株式取得や売出しも含めて、株式発行市場についてみていく。

⑴　自己株式の取得

自己株式の取得とは、過去に発行した株式を発行会社自身が流通市場で購入することである。実態的には、株式で調達した資金を返済したことになる。取得した株式は、発行会社が保有し続けて（金庫株）、再び流通市場で売却して資金調達に活用する方法と、即時に消却する方法がある。

⑵　売出し

売出しとは、既発行の株式を売却日や売却価格などに均一の条件を定めた上で、多数の投資家に売却する方法である。既発行の株式を大量に市場に放出するときに、株価が大幅下落する危険性を避けるために用いられる。

⑶　株式分割

新たな資金の払込なく、既存株主に対して一定の割合で新株式を発行する方法。例えば1株を2株に分割すると、理論的には、株価や1株当たり配当金は分割前の半分になるはずである。しかし実際には、株式分割後の1株当たり配当金が分割前の半分に減額されることはほとんどなく、株主の受取配当金総額は分割以前より増加する傾向がある。

⑷　増資

新たに株式を発行し、資金調達する方法を増資という。新株割当の方法として、既存の株主に割り当てる株主割当、特定の第三者に割り当てる第三者割当、広く一般から投資家を募る公募がある。通常、時価発行増資であれば問題はないが、時価よりも著しく低い価格で第三者割当増資される場合、既存株主にとって著しく不利になることから株主総会の特別決議で承認を得る必要がある。

なお、株主総会の普通決議と特別決議は次のようになっている。

普通決議	議決権の過半数を有する株主が出席し、出席した株主の議決権の過半数で決議。
特別決議	議決権の過半数を有する株主が出席し、出席した株主の議決権の3分の2以上で決議。

⑸　新株予約権を利用した資金調達

・新株予約権付社債

定められた期間内に、定められた株数を一定の価格で発行企業から取得できる権利を新株予約権という。新株予約権が行使された場合、払込の代わりに社債が全額償還されるものを転換社債型新株予約権付社債という。

・ライツ・オファリング（rights offering）

ライツ・オファリングは新株予約権だけを株主に割り当てて資金調達する方法で、株主は割り当てられた新株予約権の権利を行使してもいいし、行使せずに市場で売却してもいい。ライツ・オファリングによる増資では既存の株主に有利、不利は生じない。権利行使されなければ資金が得られないため、資金調達をしたい企業としては確実に権利行使してもらえるよう何らかの工夫が必要になる。

⑹　株式報酬制度

従来の日本の経営陣に対する株式報酬は、新株予約権を付与するストックオプション制度が主流であった。しかし、権利行使価格以下に株価が下がっても損失を負うわけではないため、経営陣のインセンティブにはつながりにくかった。現在主流になっているものには、一定期間の売却が制限される条件が付いた現物株を付与する譲渡制限付き株式報酬（リストリクテッド・ストック、RS）がある。さらに、企業が拠出した金銭で信託銀行が自社株を購入し、報酬として経営陣に自社株式を支払う株式交付信託や、事前に設定した業績目標に対する一定期間後の達成率に応じて株式を付与するパフォーマンス・シェア・ユニット（PSU）がある。

⑺　株式新規公開（IPO：initial public offering）

東京証券取引所では形式要件と適格要件を上場基準として審査している。

形式要件は、上場時の流通株式数、株主数、事業継続年数、時価総額、純資産の額、利益の額又は売上高、財務諸表等の適正性、単元株式数などである。また、現在では退出基準も強化されている。

東京証券取引所の市場区分は、市場第1部、市場第2部、マザーズ、JASDAQに分けられていた。現在は、多くの機関投資家の投資対象になりうる規模の時価総額（流動性）を持ち、より高いガバナンス水準を備える企業向けのプライム市場、公開された市場における投資対象として一定の時価総額（流動性）を持ち、上場企業としての基本的なガバナンス水準を備える企業向けのスタンダード市場、高い成長可能性を実現するための事業計画及びその進捗の適時・適切な開示が行われ一定の市場評価が得られる企業向けのグロース市場の3市場に再編されている。

(8)　公開価格の決定

IPOの価格決定方式

①　入札方式

まず、1株当たり純資産の比率等から新規公開会社の類似会社批准価格を算出し、その85%を入札下限価格とする。投資家がコンベンショナル方式（落札者が入札価格の高いものから順番に決定する方式）で入札し、公開価格は落札価格の加重平均値に基づいて決定する。

②　ブックビルディング（BB）方式

事前に機関投資家にヒアリングを行い、仮条件を決める。投資家全体の反応を見極めたうえで、これに基づいて正式な公開価格を決定する。現在、一般的にはこの方式を用いる。

(9)　上場企業の価格決定方式

上場企業が公募増資を行う際には、価格決定日近辺における株式市場での価格を基準にして発行価格を決める。この方法を時価発行という。価格決定日には発行日の株価はわからないので、実際には株式市場の時価から数%割り引いた価格を発行価格とすることが慣例である。

なお、新株予約権付社債の権利行使価格も時価を基準に決定される。

例題29

《2012（春）. 1 . 6》

証券の発行形態に関する次の記述のうち、正しくないものはどれか。

A　特定の投資家だけを対象に証券が発行される形態を私募と呼ぶ。

B　私募形式は特定の投資家だけを対象とするため、勧誘に関する具体的な定めはない。

C　公募形式で証券を発行する場合、有価証券届出書の提出などの情報開示が法律のもとで義務付けられている。

D　私募形式で証券を発行する場合、情報開示の面で負担が軽減される。

解答  B

解　説

私募形式での証券の発行は、金融商品取引法では、50名未満の特定された投資家を対象に勧誘する場合と、金融商品取引法に定められた適格機関投資家を対象に勧誘する場合に限定されている。

例題30

《2014（秋）. 1．7》

株式発行市場に関する次の記述のうち、正しくないものはどれか。

A　株式の新規公開は、証券取引所などの証券流通市場に売買対象として新たにリストアップされることであり、IPO（Initial Public Offering）とも呼ばれる。

B　証券取引所は上場企業に関し金融庁の認可を受けた上場基準を設けており、上場廃止基準もある。

C　公募増資の発行価格決定日には発行日の株価が判明していないため、その時点の流通市場の時価を数%割り引いて決定するのが一般的になっている。

D　ブックビルディング方式では、多くの個人投資家から価格に関する意見を聴取して公募価格の仮条件を決め、仮条件への投資家全体の反応を見て正式な公募価格を決定している。

解答  D

解　説

ブックビルディング方式では、機関投資家から価格に関する意見を聴取して公募価格の仮条件を決め、仮条件への投資家全体の反応を見て公募価格を決定する。

例題31

《2013（秋）. 1 . 7》

株式発行市場に関する次の記述のうち、正しくないものはどれか。

A　新規公開時の価格決定方式として入札が伝統的に用いられてきたが、欠点があったため、現在はブックビルディング方式を用いるのが一般的である。

B　時価発行で公募増資を行うとき、既存の株主に有利、不利は生じない。

C　証券発行の際に公募とした場合、投資家に対して有価証券届出書を手渡す必要がある。

D　取得した自己株式について、発行会社が機会を見つけて再度流通市場に売却する方法と、消却する方法がある。

解答　C

解　説

有価証券の発行の際、公募の場合は金融商品取引法に基づく情報開示が求められる。財務省財務局に対して有価証券届出書を提出し、一方で資金供給を勧誘する投資家に対しては目論見書を手渡す必要がある。

Point ② 株式流通市場

株式流通市場では、世界中で起こる様々なニュースが証券価格に反映されている。これを市場の価格発見機能と呼んでいる。

ここでは、株式流通市場に関する基本的な事柄や、それを補完する市場などについて説明する。

(1) 株式流通市場の基本的な機能（メカニズム）

図３－11－１　株式流通市場の機能

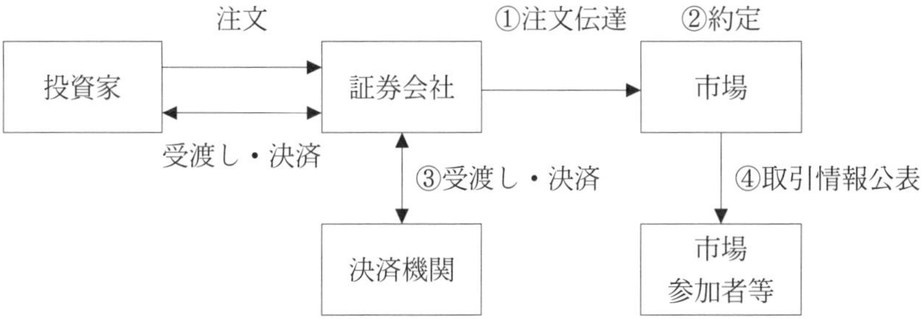

注文
①注文伝達
②約定
投資家
証券会社
市場
受渡し・決済
③受渡し・決済
④取引情報公表
決済機関
市場
参加者等

機　能	内　容	摘　要
①　**注文伝達**	投資家等から注文を受け付け、マーケットに伝達する機能	ブローカレッジ機能とも呼ばれ、証券会社（ブローカー）は手数料（ブローカレッジ・フィー）を収益とする。
②　**約定**	集められた注文を突き合わせ、取引を成立させる機能	従来は、証券会社が注文伝達機能を担当し、取引所は約定成立機能中心という構図であったが、電子化等の進展により、証券会社自身が約定成立機能を提供するケースも出てきている。
	取引成立後の証券の受渡しと現金決済システムについての機能（この機	証券システムのインフラであり、間違いなく確実に実行されることが求められる。 ○**清算機関**（決済のために必要な計算処理等の清算業務を行う機関）

③　受渡し・決済	能は、売買された有価証券の受渡しと代金決済によって完了する。)	清算業務は2003年１月から統一清算機関である「日本証券クリアリング機構」が行うことになった。清算機関はすべての市場参加者の取引相手となる。そのため「セントラルカウンターパーティー(CCP)」と呼ばれる。 日本証券クリアリング機構の役割は、次の通りである。 ・株式等の売買に関わる、売買双方の証券や代金受払いの債務を引き受ける ・株式等の売付・買付数量や受取・支払金額の差額を決済する（ネッティング） ・銘柄名と数量を証券保管振替機構に、売買代金を資金決済銀行や日本銀行に振替指図する ・各証券会社の口座に出入りを記帳させ、受渡を完了させる なお、そのメリットとして、次のような点が挙げられる。 ・信用力の高い清算機関が介在することで、市場参加者は本来の取引相手の信用リスクを意識することなく取引ができ、またある市場参加者の債務不履行が、他の市場参加者に連鎖することも防止できる。 ・ネッティングを行うことで決済事務の効率化が図れる。 ○**決済機関**（証券やその代金を受渡す決済業務を行う機関） 有価証券の決済機関である「証券保管振替機構」は市場参加者から預託された株券等を保管し、売買等で受渡が発生したときは帳簿上の振替で処理するもので、証券決済の効率化を目指している。 現在、株式売買の決済は約定日を含めて３営業日目（T（約定日）＋２）に株式と資金を同時に受渡するDVP（delivery versus payment）方式が採用されている。

④　取引情報公表	取引成立に至るまでの一連の情報を、参加者全体あるいは社会全体に対して伝達する機能	従来は、情報ベンダーが担ってきたが、電子化の進展により、取引所自身および証券会社自身が、情報の公開・伝達まで扱うことが可能になってきている。

⑵　株式派生商品市場

取引所で取引されているデリバティブ	株価指数を対象とする先物やオプション、個別株を対象とした株券（有価証券）オプションがある。取引方法が証券取引所で画一的に決められているため、取引動機や戦略の異なる投資家（ヘッジャー、スペキュレーター、アービトラージャーなど）が参加しやすく、流動性も高まる。
証券会社との相対取引で行われるデリバティブ	株価指数連動型債券（株価指数に関するオプションと債券を組み合わせた商品）等。

⑶　単元株

「単元」とは上場企業の売買単位で、2001年の改正商法（現会社法）により導入された。企業は単元株数を自由に決めることができる。

なお、全国の証券取引所で2018年10月１日に単元株数は100株に統一された。

(4) 株式売買メカニズム

オーダードリブン方式 （オークション方式）	競争売買で売買が成立する方式。 日本のすべての証券取引所が採用している。
クォートドリブン方式 （マーケットメイキング方式）	マーケットメイカー（market maker）が常時「売（アスク）」「買（ビッド）」の気配を提示し、その気配を基に投資家は売買を行う。常時気配が提示されているため、薄商いの銘柄でも売買が成立しやすく、大口取引等を迅速に処理できる。一方、マーケットメイカー間の競争があまり働かない場合、ビッド・アスク・スプレッド（売り気配と買い気配の差）が広がり、投資家の売買コストが相対的に高くなる可能性がある。

・取引仕法の分類

	連続取引方式	コール方式
オーダードリブン	・連続オークション（ザラバ方式） スプレッドは薄い 取引コスト安 大口取引のマーケット・インパクト大	・コールオークション（板寄せ方式） スプレッドは薄い 取引コスト安 取引頻度限定
クォートドリブン	・マーケットメイク 価格変動は滑らか 取引コスト高 マーケットメイカーへの依存度大	・ブロック取引 大口取引のマーケット・インパクト小

(5) 東京証券取引所の売買メカニズム

① 原則：価格優先（売り注文ではより価格の低い注文が、買い注文ではより価格の高い注文が他の注文に対して優先する。）
時間優先（同一価格の注文の間では時間が先の注文が優先する。）

② 指値注文と成行注文

指値注文	売買の際、売りたい値段、買いたい値段を指定する注文。自分で値段を指定できるので、指値より不利な約定価格がつくことはないが、売買相手となるのに適当な注文がなければ、約定のつかない場合がある。
成行注文	売買の際、売りたい値段、買いたい値段を指定しない注文。早く確実に注文を執行したいとき有利だが、市場価格の変動により想定外の約定価格になることがある。

③ 板寄せ

取引開始時、取引終了時や売買中断後の最初の値決めに適用される価格決定ルールで、コールオークションとも呼ばれる。約定価格決定前の注文をすべて価格毎に集計したうえで、価格優先の原則を適用し、売り注文と買い注文の数量が合致する単一の価格を約定価格（取引開始時なら始値）として売買を成立させる。

取引開始前に出された同一価格の注文はすべて同時に行われたものと見なされ、時間優先の原則は適用されない。

・板寄せの概要

i　成行注文から取引を成立させる。

ii　指値注文は、買いは価格の高い方から、売りは価格の低い方から取引を成立させる（価格優先の原則）。

iii　売り買い同一の値段で最低一単位の数量の取引が成立する。この値段が始値で、板寄せで成立した取引はすべてこの始値が約定価格となる。

④ ザラバ

始値が決定した後に、継続して個別に行われる取引のこと。板寄せでは適用されなかった時間優先の原則も適用されるようになる。

なお、注文控えに注文が少ないとき、機械的に注文の対当ルールを適用すると、約定価格が大幅に変動する可能性があるので、それを防ぐため「更新値幅」と「制限値幅」を設けている。そして、このような制度をサーキットブレーカー制度と呼び、投資家に冷静さを取戻させようとするものである。

更新値幅	注文の値段が価格の継続性維持の観点から適正と認める範囲外であるとき、それを周知させるために特別気配を表示するが、その特別気配は更新値幅以上の変動が生じそうなときに出される。
制限値幅	前日の終値または最終気配値段などを基準として、価格の水準に応じて一定に制限された1日の値動き幅のこと（ストップ高安）。

⑹　信用取引と貸株市場

①　信用取引

証券会社が一定の資金等を担保に、顧客に金銭や有価証券の貸付等の信用を供与して行う取引。つまり、有価証券の売買を行うとき、売り付けた証券や買付代金をその顧客に証券会社が貸し付けて受渡を行う方法である。空売り[注1]や自己資金以上の売買ができるので、市場取引の活発化が期待されている。

信用取引には以下の２通りがある。

制度信用取引	貸株料[注2]や返済の期限が、取引所規則により決定されている信用取引。この取引を行うことのできる銘柄を制度信用銘柄という。また、制度信用銘柄のうち取引所と証券金融会社[注3]が定める基準を満たし、調達が証券金融会社を通じて行えるものを貸借銘柄という。
一般信用取引	貸株料や返済の期限等を、証券会社と顧客の間で決める信用取引。

（注１）株券を持たないときなどに、他者から株券を借りて売却すること。

（注２）貸借取引で、貸株残高（売建株）が融資残高（買建株）を超過して株不足が発生した時、証券金融会社はその不足株数を機関投資家から入札形式で調達する。その入札の結果決まった料率。

（注３）証券取引所の決済機構を利用し、証券会社に信用取引に必要な金銭または有価証券を貸付ける会社。

②　貸株市場

機関投資家と証券会社などの間で株券を貸借する市場である。

図3－11－2　貸株市場

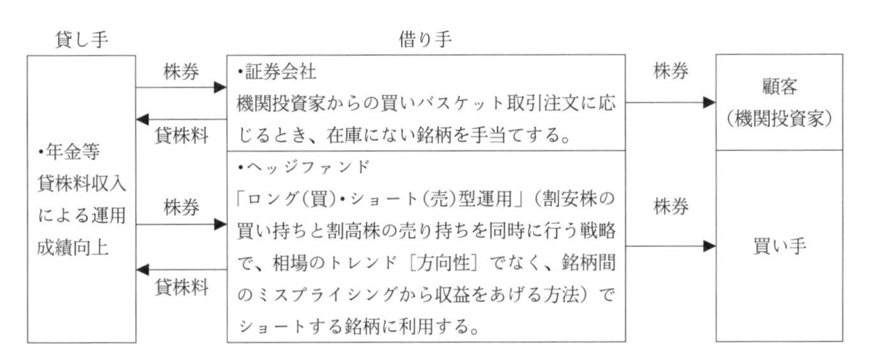

バスケット取引に対応する証券会社やヘッジファンド、貸株料収入を得るための年金等のニーズで拡大した。なお、株価が前日終値等から計算される当日基準価格よりも10%以上下げた場合には、空売りするときの価格に制限が設けられる。

(7)　証券取引所間の競争

従来の証券取引所間において、東京証券取引所のシェアは9割超と、東京への集中が進んでいる。上場企業が、経費削減の観点から他市場との重複上場を見直す動きや、投資家側の売買を流動性の高い取引所で行う動きも東京集中に拍車をかけた。

証券取引所の立会取引以外でも取引が行われており、立会外取引（証券取引所で行われる相対取引）と取引所外取引に分けられる。取引所外取引にはPTS（私設取引システム）があり、証券取引所より取引時間の長いことに特徴がある。ダークプールは証券会社内で投資家の注文を対当させ、立会外取引を利用して約定するもので、匿名性の高い取引が可能となるが、市場の透明性を阻害するという批判もある。また、証券会社の中には、複数の証券取引所やPTSの中で最良気配を提示している市場を判定して自動的に注文を執行するSOR（Smart Order Routing）注文を提供する会社もある。

(8)　約定・気配情報

(i)　約定情報と改正証券取引法

2005年4月1日施行の改正証券取引法（2007年9月末より金融商品取引

法）により、証券会社に最良執行義務（「開示されている気配・取引情報に基づき、価格、コスト、スピード、執行可能性といった条件を勘案しつつ、顧客にとって最良の条件で執行する義務」）が導入された。

一方、取引所外取引を行う場合、取引所内での価格から一定の範囲内に収めるとされていた価格制限の規定は撤廃された。なお、取引所外で取引が成立した場合、証券会社は日本証券業協会に約定情報を報告しなければならない。

(ii) 気配情報（注文控え上の最良の価格をもった指値注文に関する情報）

最良気配にかかる注文数量と最良気配を含む上下10本の価格にかかる数量の開示

(9) プライベート・エクイティ市場

公開されていない株式への投資は、プライベート・エクイティ投資と呼ばれる。この投資には、ベンチャー企業への投資と企業再生のために非公開化された株式への投資が含まれ、企業が成長した場合や企業再生がうまくいった場合に高い投資収益が期待できる。

プライベート・エクイティ投資は、投資家もしくは投資家の意向を受けた機関が投資先の経営に関与しながら、株式公開を達成させること（ハンズオン：hands-onという）に特徴がある。それにはベンチャー企業や再生企業を成功させるには経営力が重要なことなどが理由として挙げられる。

例題32

《2014（秋）. 1．11》

証券流通市場に関する次の記述のうち、正しいものはどれか。

A　証券取引所の中心に形成されている株式流通市場の機能には、取引情報公表機能が含まれる。

B　より多くの投資家情報を集めた方が良いため、銀行も証券取引所における株式の取引が可能である。

C　証券会社は上場株式の売買の決済に、清算機関である証券保管振替機構を利用している。

D　証券取引所における約定方式であるマーケットメイキング型では、反対注文がなければ売買は成立しない。

解答  A

解　説

A　正しい。証券取引所が個別株式に関する約定情報を一般投資家向けに公表する機能を取引情報公表機能という。

B　正しくない。株式に関する取引は証券会社に限定されている。

C　正しくない。清算機関は日本証券クリアリング機構で、証券保管振替機構は株券を集中して保管する機関である。

D　正しくない。反対注文がなければ売買が成立しないのは、オーダードリブン型である。

例題33

《2010（春）. 1 . 15》

プライベート・エクィティ投資に関する次の記述のうち、正しくないものはどれか。

A　ベンチャー企業ばかりでなく、企業を再生させるために非公開化された株式に対する投資も含まれる。

B　成功した場合には非常に大きな投資成果が期待できるので、投資家層の広がりが見られる。

C　投資先の企業経営に深く関与しないことが多い。

D　相対の取引であり、株式の公開などによる資金の回収方法には制限がある。

解答　C

解　説

プライベート・エクイティ投資は、投資家もしくは投資家の意を受けた機関が投資先の経営に関与しながら、その株式を公開にまでもっていくことにあり、それをハンズオン（hands-on）と呼ぶ。

12　証券会社

Point ①　証券会社の業務

金融商品取引法によって定められている、証券会社が行える業務は次の通りである。

業務	内容
第一種金融商品取引業	有価証券やデリバティブに関するディーリングとブローカレッジ、有価証券のアンダーライティング、PTS業務、有価証券の保護預り業務等の有価証券等の管理業務等。
第二種金融商品取引業	投資信託の私募、みなし有価証券のディーリングとブローカレッジ等。

業務の性格の違いや、利益相反がおこる可能性から、原則として銀行や生・損保が証券業務を行うことは禁止されている。しかし、現在は子会社による業務の相互乗り入れが原則として認められている。さらに、個人、一般企業、銀行などが証券に関する業務を仲介する金融商品仲介業も認められている。

証券業は、1998年以前は免許制であったが、現在では原則として内閣総理大臣への登録制となった。登録制度には登録拒否要件があり、資本金基準、財産基準、人的基準等を満たさなければならない。なお、PTS業務は取引所に類似するため、金融商品取引業者として登録を受けたうえで認可を受ける必要がある。

	ブローカレッジ	ディーリング	アンダーライティング	セリング
業務内容	投資家による有価証券売買の仲介行為(自身が取引相手になる場合にはディーリングに該当する)。	証券会社の自己の計算(勘定)による売買。	有価証券の引受。	募集、売出し、私募を行う際の勧誘業務。
方法	•店頭で取引相手を探す形式の媒介 •取引所等へ注文をつなぐ取次ぎ	•公開市場で売買に参加する •店頭で顧客の注文の相手になる その注文に応えるために証券会社は証券の在庫を保有するので、リスクをとることになる。	発行される有価証券を販売する目的で •全部または一部を取得する場合(買取引受) •売れ残ったらすべて取得する場合(残額引受) 上記2つの契約方法がある。 したがって、売れ残った在庫を保有するリスクがある。	募集:新しく発行される有価証券の販売 売出し:既発行の有価証券等の販売 但し、引受のような売残った在庫を保有するリスクはとらない。
市場機能との関係	流通市場との関係が深い		発行市場との関係が深い	
摘　要	収入は委託注文手数料。	トレーディングで利益を上げる目的で行われる場合もある。	募集(公募):同一条件で50人以上を相手として販売すること。 私募:同一条件で50人未満を相手として販売すること。ただし相手が適格機関投資家で、適格機関投資家以外の一般投資家に譲渡されるおそれが少ない場合は50人以上でも可能。	

例題34

《2024（春）. 1 . Ⅰ. 6》

証券会社（第一種金融商品取引業者）に関する次の記述のうち、正しいものはどれか。

A　発行市場に関する主な業務には、アンダーライティング業務とブローカレッジ業務がある。

B　ディーリング業務には、証券会社の損益が株価変動の影響を直接受けるリスクはない。

C　アンダーライティング業務において、発行される証券が売れ残ることによるリスクを負担するのは証券会社である。

D　セリング業務では、投資家の売買注文を取り次ぐことにより売買委託手数料を受け取る。

解答  C

解　説

業務	業務内容
ブローカレッジ	投資家の売買を取り次ぐことによって売買委託手数料を受け取る業務
ディーリング	投資家の相手方となって自己勘定で証券の売買を行う業務
アンダーライティング	投資家に販売する目的で企業などが発行する有価証券を取得する業務
セリング	引受リスクを負うことなく有価証券の募集や売出しの取扱いを行う業務

A　正しくない。発行市場に関する主な業務にはアンダーライター業務とセリング業務がある。ブローカレッジ業務は流通市場に関する業務である。

B　正しくない。ディーリング業務では、証券会社も運用益の最大化を目的として自己勘定で証券の売買を行うので、証券会社の損益が株価変動の影響を直接受けるリスクがある。

C　正しい。アンダーライティング業務において、証券会社は発行される証券のすべてを買い取るか（買取引受）、発行される証券が売れ残った場合にすべて買い取らなければならず（残額引受）、売れ残りリスクが伴う。

D　正しくない。セリング業務はアンダーライターの下請けとして募集や売出しの取扱いを行う業務、投資家の売買注文を取り次ぐことによって売買委託手数料を受け取るのはブローカレッジ業務である。

13　株式インデックス

	日経平均株価（Nikkei225）	東証株価指数（TOPIX）
特徴	・単純平均：東証プライム市場上場の225銘柄を対象とし、その株価合計を恒常除数で割って算出。単位は（円）。 ・指数の構成は、採用銘柄の上場廃止や合併などを反映するため、変更される。 ・また銘柄の流動性の変化や、業種ウェイトのバランス調整のため、定期的に見直される。 ・株式数で加重平均しておらず、値がさ株・品薄株・小型株の影響を受けやすい。	・時価総額加重平均：1968年1月4日を基準とし、当時の東証第1部上場全銘柄について、その基準時の時価総額を100として、その後の時価総額を指数化した時価総額加重インデックス。現在、TOPIXは旧市場区分で東京証券取引所第1部に属していた銘柄で構成されているが、2022年10月～2025年1月にかけてウェイト調整し、段階的に新しい「TOPIX」に移行する見込み（注）。 ・上場株式数で加重平均しているため、大型株（時価総額の大きい銘柄）の影響を受けやすい。

（注）東京証券取引所の「市場第1部（いわゆる東証1部）」をはじめとする市場区分は、2022年4月に「プライム市場」「スタンダード市場」「グロース市場」の3市場に再編された。旧市場区分で東証第1部に属していた銘柄でプライム市場へ移行する企業は引き続きTOPIXに採用され、スタンダード市場へ移行する企業も継続採用されているが、時価総額100億円未満の企業については段階的にウェイト逓減され、最終的に2025年1月にTOPIX構成銘柄から外される見込み。一方、東証第1部以外に属していた企業でもプライム市場を選択した場合、2022年5月の最終営業日にTOPIX構成銘柄となっている。

MEMO

デリバティブ分析

1. 傾向と対策

いわゆるデリバティブの中心となるのは株価指数を対象としたオプションと先物である。この分野の背後にあるのは「一物一価」、すなわち「裁定チャンスはない（無裁定条件）」という考え方と債券で取り扱った「現在価値」である。これはファイナンス理論全体を通して貫かれた考え方であるが、デリバティブはこの考え方が最も色濃く反映される分野のひとつであろう。各論点で押さえておくべきポイントは以下のとおりである。

●オプション

・オプション価格の決定要因がプレミアムに与える影響

コール、プットの価値はどのような要因により上がるか下がるか？

・プット・コール・パリティ

非常に重要であり、用途も幅広い。導出プロセスまで理解しておきたい。

・オプション損益図および損益計算

損益図の描き方がわかっていないと解きにくい問題、あるいは損益図を描けば簡単に解答できる問題が結構多い。慣れてしまえば非常に簡単なので、一度は練習しておいた方がよい（**例題5**参照）。

・オプション評価モデル

2項プロセスがほとんどである。ブラック＝ショールズ・モデルと本質的には同じものであり、オプション理論の考え方を理解するには2項プロセスで十分である。また、オプションデルタやガンマといったヘッジ・パラメータは、オプションのポジション管理においては、一般的なものである。考え方・意味くらいは押さえておいた方がよい。

また、2期間を対象としたオプション評価モデルも出題されるようになってきている。考え方は1期間の場合と同じだが、計算手続きが少々面倒になる。**例題7**を通じて慣れておいてほしい。

●株式先物

意義を押さえ、先物理論価格は確実に計算できるようにしておく。ほかに計算問題としては損益、裁定取引などが問題となりやすい。

●スワップ、金利デリバティブ

金利スワップやFRAの出題頻度が上がってきており、スワップレートなどの計算はできるようにしておきたい。

●債券先物

小問で1問程度の出題例が見られる。

基本的な商品特性は押えておきたい。

●為替先渡取引

計算問題が出題される。

●商品作物

基本的な商品特性は押さえておきたい。

総まとめテキストの項目と過去の出題例

「総まとめ」の項目	過去の出題例	重要度
オプション取引	2022年春・第４問・Ⅰ問１、問３ Ⅱ問１～問５ Ⅲ問１～問５ 2022年秋・第４問・Ⅰ問４、問５ Ⅱ問１～問５ Ⅲ問１～問５ 2023年春・第４問・Ⅰ問１、問２、問５ Ⅱ問２～問５ 2023年秋・第４問・Ⅰ問２ Ⅱ問１～問５ Ⅲ問１～問５ 2024年春・第４問・Ⅰ問１、問５ Ⅱ問２～問５	A
先物取引	2022年春・第４問・Ⅰ問２、問４ 2022年秋・第４問・Ⅰ問１～問３ 2023年春・第４問・Ⅰ問１、問３、問４ Ⅱ問１ Ⅲ問１ 2023年秋・第４問・Ⅰ問１、問３、問４ 2024年春・第４問・Ⅰ問１～問４ Ⅱ問１ Ⅲ問１	A
金利デリバティブ	2022年春・第４問・Ⅰ問５ 2023年春・第４問・Ⅲ問２、問３ 2023年秋・第４問・Ⅰ問５ 2024年春・第４問・Ⅲ問２～問５	A
通貨スワップ	2023年春・第４問・Ⅲ問４、問５	B

2. ポイント整理と実戦力の養成

1　オプション取引

Point ① オプション取引の意義と種類

(1)　オプション取引

・所定の期間内①に特定の資産②を特定の価格③で買う権利④、または売る権利⑤を与える契約

・オプションの買い手はオプションの売り手に対してプレミアム⑥を支払う

①　所定の期間（$T-t$）：権利行使期間（満期日までの残存期間）

②　特定の資産（S）：オプションの取引対象である原資産

③　特定の価格（K）：権利行使価格

④　買う権利（C）：コール・オプション

⑤　売る権利（P）：プット・オプション

⑥　プレミアム：オプションの価値（オプション価格）

(2)　オプションの種類

ヨーロピアン・オプション：権利行使は満期日に限定される。

アメリカン・オプション：権利行使期間内であればいつでも権利行使できる。権利行使の自由度がヨーロピアン・オプションに比べて高いので他の条件が同じならば、アメリカン・オプションの価値はヨーロピアン・オプションの価値以上になる。

Point ② オプション取引のキャッシュフロー

株価指数オプションを例に、オプション売買時と満期時の取引の流れを見てみる。なお、日本の上場株価指数オプションはヨーロピアン・オプションで、権利行使されると満期時の価格（SQ：特別清算数値）と権利行使価格の差額相当分の金銭授受が行われる差金決済の形をとる。

1）オプション売買時

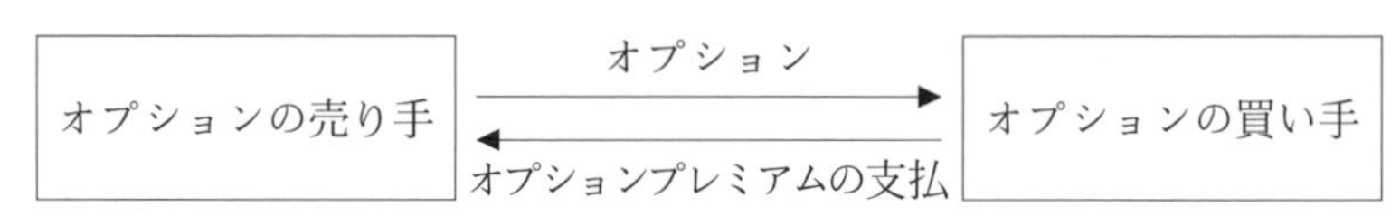

2）オプション満期時

コール・オプション

・SQ＞権利行使価格のとき

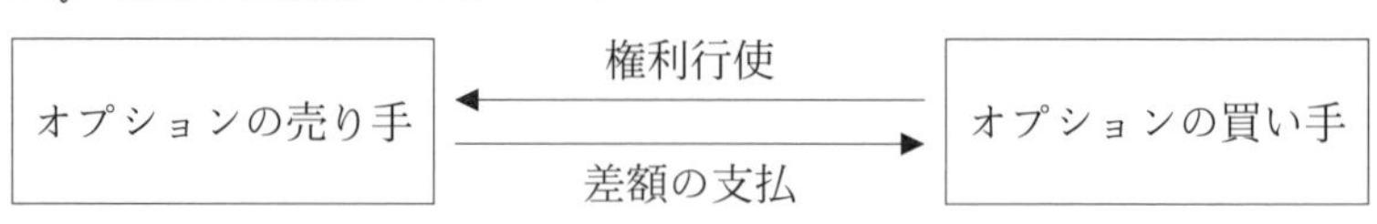

・SQ≦権利行使価格のとき

プット・オプション

・SQ＜権利行使価格のとき

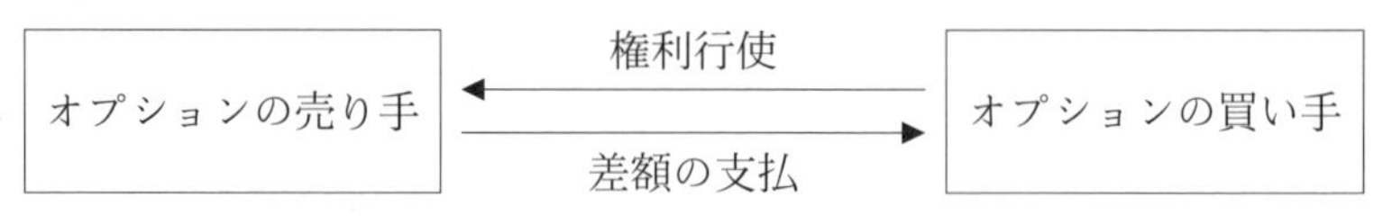

・SQ≧権利行使価格のとき

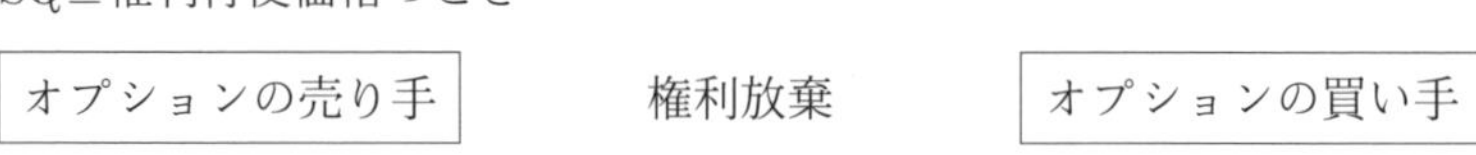

Point ③ プレミアム

(1)　オプションの価値

オプションの価値＝本質的価値＋時間価値
⇑
満期日にはゼロとなる（タイム・ディケイ）

・満期日におけるコールの価値：$C = Max[S_T - K、0]$

$S_T > K \Rightarrow C = S_T - K$

$S_T \leqq K \Rightarrow C = 0$

・満期日におけるプットの価値：$P = Max[K - S_T、0]$

$S_T < K \Rightarrow P = K - S_T$

$S_T \geqq K \Rightarrow P = 0$

ただし、S_T：満期日の原資産価格

《原資産価格と権利行使価格の関係》

イン・ザ・マネー……ITM（In-The-Money）：権利行使すれば利益が生じる状態（本質的価値が正）

アウト・オブ・ザ・マネー……OTM（Out-of-The-Money）：権利行使すれば損失の生じる状態（本質的価値がゼロ）

アット・ザ・マネー……ATM（At-The-Money）：権利行使価格と原資産価格が一致している状態（本質的価値がゼロ）

	In The Money	At The Money	Out of The Money
コール	$S_T > K$	$S_T = K$	$S_T < K$
プット	$S_T < K$	$S_T = K$	$S_T > K$
本質的価値	＋	0	0
時間価値	＋	最大	＋

図4－1－1　株価とコール・オプションの価値

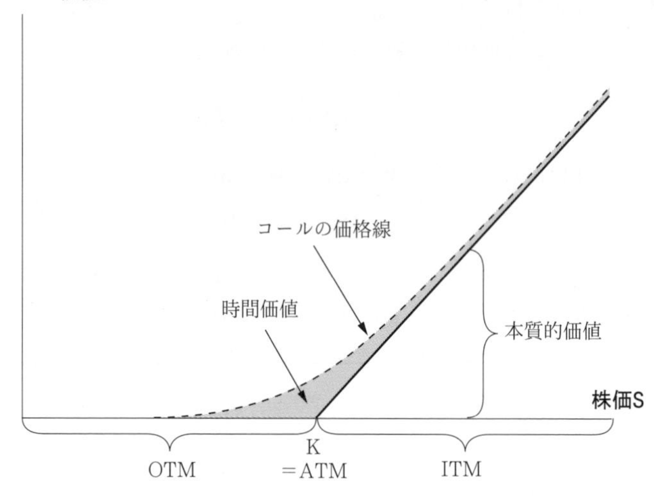

図4－1－2　株価とプット・オプションの価値

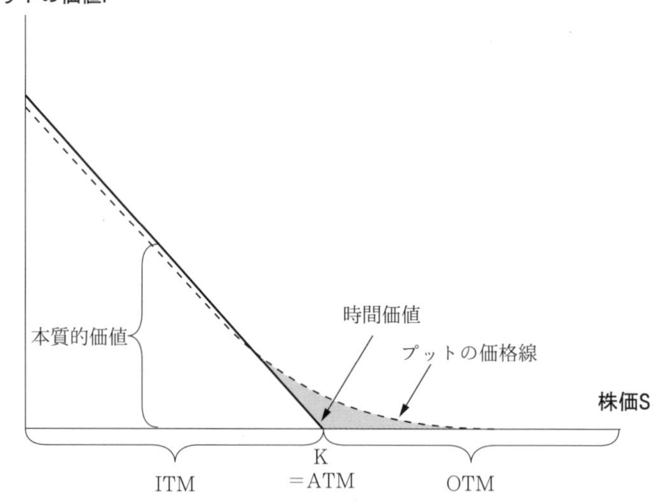

K：権利行使価格、OTM：アウト・オブ・ザ・マネー、
ATM：アット・ザ・マネー、ITM：イン・ザ・マネー。

⑵　オプション価格決定要因

	決定要因の上昇による影響	
	コール	プット
①　原資産価格（S）　↑	↑	↓
②　権利行使価格（K）　↑	↓	↑
③　金　　利（r）　↑	↑	↓
④　残存期間（$T-t$）　↑	↑	↑（まれに↓*）
⑤　ボラティリティ（σ）　↑	↑	↑
⑥　配　　当（d）　↑	↓	↑

（＊）他の条件が等しければ、残存期間が長い方が一般的にプレミアムは高くなる。ただし、ディープ・イン・ザ・マネーのヨーロピアン・プットの場合に例外が生じうる。

例題1

《2010（秋）．5．Ⅰ．8》

オプション・プレミアムに関する次の記述のうち、正しくないものはどれですか。

A　原資産価格が高いほど、コール・プレミアムは高くなる。

B　原資産価格が高いほど、原資産価格の上昇に対するコール・プレミアムの上昇は大きくなる。

C　残存期間が減少するほど、コール・プレミアムは高くなる。

D　ボラティリティが大きいほど、コール・プレミアムは高くなる。

解答　C

解　説

基本的には残存期間が短くなるほどコール、プットともプレミアムは低下するが、ディープ・イン・ザ・マネーのヨーロピアン・プットに例外がある点に注意したい。

(3)　オプション価格の上限と下限（原資産に配当なし）

満期前において、行使価格の現在価値はリスクフリー・レートによって割り引かれるため行使価格より小さい値となり、原資産に満期までに配当がないヨーロピアン・オプションの価格の上限と下限は次の範囲をとる。

コール…ゼロ以上で、原資産価格と行使価格の現在価値から引いた45度右上がりの直線の範囲

プット…ゼロ以上で、行使価格の現在価値とそれから45度右下がりの直線の範囲

図4－1－3　ヨーロピアン・オプション価格の上限と下限

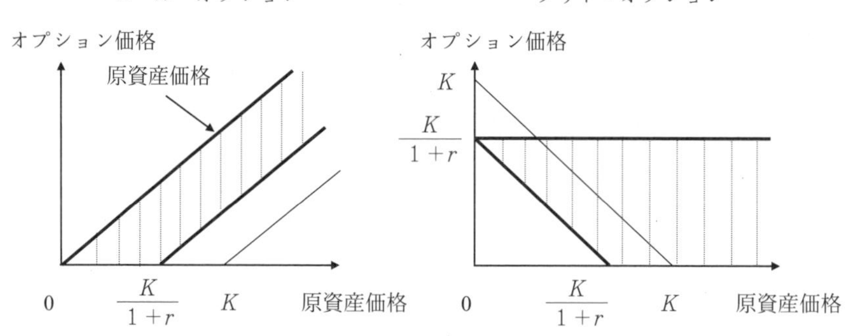

K：行使価格、r：リスクフリー・レート、破線部：オプション価格の存在範囲

一方、アメリカン・オプションの場合、満期前に権利行使される可能性があるため、オプション価格の上限・下限がヨーロピアン・オプションの場合に比べ高くなる場合がある。ヨーロピアン・オプションに比べ自由度の高いアメリカン・オプションの価格が下回ることは無いことも考慮すると、原資

産に満期までに配当がないアメリカン・オプションの価格の上限と下限は次の範囲をとる。

コール…ヨーロピアンと同じ範囲

プット…ゼロ以上で、行使価格とそれから45度右下がりの直線の範囲

図4－1－4　アメリカン・オプション価格の上限と下限

コール・オプション

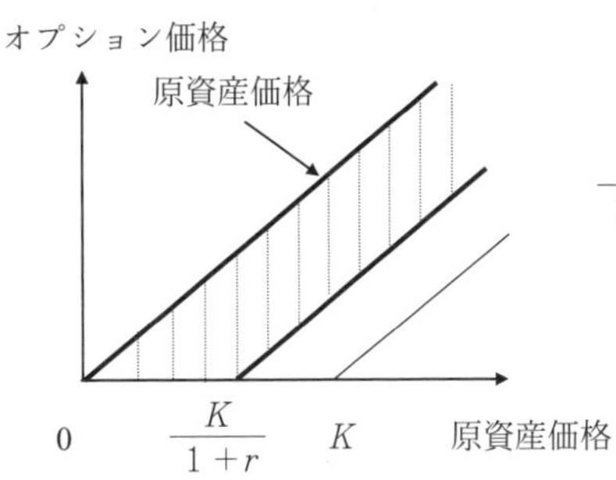

プット・オプション

オプション価格

K

$\frac{K}{1+r}$

0　$\frac{K}{1+r}$　K　原資産価格

K：行使価格、r：リスクフリー・レート、破線部：オプション価格の存在範囲

(4)　アメリカン・オプションの満期前権利行使

アメリカン・オプションは満期前に権利行使することができるが、この満期前行使については、以下のようにまとめられる。

- **配当のない株式を原資産とするアメリカン・コールは満期前に権利行使すべきでない。**
- それ以外は場合による。

例題 2

《2010（秋）. 5 . I . 6》

アメリカン・オプションに関する次の記述のうち、正しくないものはどれですか。

A　ヨーロピアン・オプションとは異なり、満期日以前のいつでも権利行使が可能である。

B　今、直ちに権利行使をしてオプションに価値がある状態が、イン・ザ・マネーである。

C　プットオプションのオプション価格の下限値はヨーロピアン・オプションよりも高い。

D　原株式に配当のないコール・オプションは、満期前に権利行使される可能性がある。

解答　D

解　説

原株式に配当のないアメリカン・タイプのコール・オプションは、満期以前に権利行使した場合の価値がオプション価格の下限値よりも低く、オプションのまま転売した方が有利なため、満期前に行使される可能性はない。

Point ④ プット・コール・パリティ

（意義）同一の原資産に関するコール・プレミアムとプット・プレミアム（同一権利行使価格、同一権利行使期間）との間に成立する均衡関係
（前提）ヨーロピアン・タイプ、配当なし

取　　引	現時点（t）のコスト	満期日のキャッシュ・フロー	
		$S_T > K$	$S_T \leqq K$
原資産1単位買い	$+S_t$	S_T	S_T
コール1単位売り	$-C_t$	$-(S_T-K)$	0
プット1単位買い	$+P_t$	0	$K-S_T$
借　入	$-\dfrac{K}{(1+r)^{T-t}}$	$-K$	$-K$
合　　計	$+S_t-C_t+P_t-\dfrac{K}{(1+r)^{T-t}}$	0	0

このポートフォリオは満期日にはいかなる場合でもキャッシュ・フローはゼロであり、市場が完全で裁定機会がないとすれば、現在のコストもゼロになるはずであるから、

$$S_t-C_t+P_t-\frac{K}{(1+r)^{T-t}}=0$$

が成立する。これは、プット・コール・パリティと呼ばれ、次のように整理できる。

$$C_t = P_t+S_t-\frac{K}{(1+r)^{T-t}}$$

⇑

コール買い＝プット買い＋原資産買い＋借入

$$P_t = C_t-S_t+\frac{K}{(1+r)^{T-t}}$$

⇑

プット買い＝コール買い＋原資産売り＋貸付

なお、近似的には

$$C_t \fallingdotseq P_t+S_t-\frac{K}{1+r(T-t)}$$

$$P_t \fallingdotseq C_t-S_t+\frac{K}{1+r(T-t)}$$

が成立する。

Point ⑤ 2項モデル（バイノミアル・オプション評価モデル）

原資産価格が1期間経過したときに上昇するか下落するかの2つの状態にしかない場合を想定し、オプション価格を導出する。

（考え方）

2項モデルでは、原資産である株式と安全資産を適当に組み合わせたポートフォリオを作って、オプション満期時点に株価が上昇しようと下落しようとコールと同じペイオフが得られるようにできるとしたら、期首におけるコール価格はこのポートフォリオ構築のコストに等しくなるという考え方による。

さて、2項モデル（1期間）によれば、原資産価格およびコール・オプションの価値の関係は次のように表すことができる。（ただし、$uS > K > dS$）

S　：現在の株価

K　：権利行使価格

u　：1＋株価上昇率

d　：1＋株価下落率

C　：現在のコール・プレミアム

C_u　：株価が上昇したとき（uS）の満期時のコール・プレミアム

C_d　：株価が下落したとき（dS）の満期時のコール・プレミアム

r　：リスクフリー・レート

次に、コールと同じペイオフを原資産 x 単位と安全資産 y 円（1期間のリスクフリー・レートは r とする）の購入を組み合わせることによって作り出す。

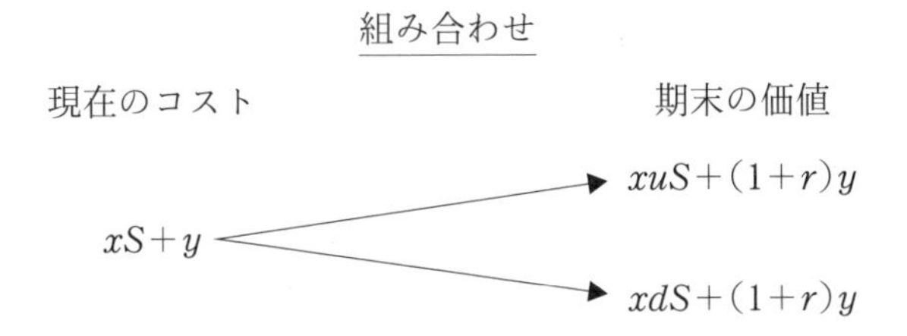

ここで、このポートフォリオの期末の価値はコールの期末価値に等しいから、

$$\begin{cases} xuS+(1+r)y = C_u \\ xdS+(1+r)y = C_d \end{cases}$$

この式から、x および y を求めると、

$$x = \frac{C_u - C_d}{(u-d)S}$$

$$y = -\frac{dC_u - uC_d}{(1+r)(u-d)}$$

となる（なお、x のことを**ヘッジ・レシオ**または**デルタ**と呼ぶ）。

期首にこの複製ポジションを作るのに $xS+y$ の資金を要することから、裁定機会が無ければ、

$$C = xS+y$$

$$= \frac{\dfrac{(1+r)-d}{u-d}C_u + \dfrac{u-(1+r)}{u-d}C_d}{1+r} \quad \cdots①$$

ここで、①式の分子第1項の係数を $q = \dfrac{(1+r)-d}{u-d}$（この q は、以下で述べるように、**株価上昇のリスク中立確率**と呼ばれる）とする、①式の分子第2項の係数は、

$$\frac{u-(1+r)}{u-d} = \frac{u-d-(1+r)+d}{u-d} = \frac{u-d}{u-d} - \frac{(1+r)-d}{u-d} = 1-q$$

と表せるから、①式から、コール・オプション・プレミアムは次のように表せる。

《2項モデルによるコール・オプション・プレミアム（1期モデル）》

$$C = \frac{qC_u + (1-q)C_d}{1+r} \quad \cdots ②$$

ただし、$q = \dfrac{(1+r)-d}{u-d}$ … q は株価上昇のリスク中立確率 …③

ところで、この式において、$q = \dfrac{(1+r)-d}{u-d}$ を株価上昇のリスク中立確率と呼んでいるのは次の理由による。

いま、投資家がリスクの大小に無関心で、株式のようなリスク資産の期待リターンと無リスク資産のリターンとが同じになるようなリスク中立な世界を仮想し、株価上昇の確率を q（よって、株価下落の確率を $1-q$）で表すと

$$\underbrace{qu+(1-q)d}_{\text{株式の期待グロス・リターン}} = \underbrace{1+r}_{\text{無リスク資産のグロス・リターン}}$$

が成立する。これを q について解けば、

$$q = \frac{(1+r)-d}{u-d}$$

と③式が得られる。

②式から分かるように、このリスク中立確率を用いると、オプション価格は非常に簡単に計算される。分子は1期後のコール価値のリスク中立確率を用いて計算した期待値であり、コール価格はそれをリスクフリー・レートで割り引いた現在価値として計算できることになる。

また、プット・オプションのプレミアム（P）についても同様に、株価上昇のリスク中立確率 q を用いて、次のように表せる。

$$P = \frac{qP_u + (1-q)P_d}{1+r} \quad \cdots ④$$

ただし、P_u：原資産価格が1期後上昇した場合のプット価値
　　　　P_d：原資産価格が1期後下落した場合のプット価値

例題3

1期間の株価の変動が次のような2項過程に従うとき、1期後に満期をむかえるコール・オプションの均衡価格を計算しなさい。

現在の株価　2,000円

1期間経過後の株価変化率

上昇　20%　　下落　10%

オプションの権利行使価格　2,100円

1期間のリスクフリー・レート　5％

解答　142.86円

解　説

株価上昇のリスク中立確率を用いて、コール価格を計算することにする。

まず、株価およびコール・オプション価値の推移は次のように通り。

株価			コール	
現在	1期後		現在	1期後
2,000	→ 2,400		C	→ 300（2,400−2,100）
	→ 1,800			→ 0

そこで、まず、株価上昇のリスク中立確率 q を計算する。③式で、$u=1.2$、$d=0.9$、$r=0.05$ とすればよいから、

$$q=\frac{(1+r)-d}{u-d}=\frac{1.05-0.9}{1.2-0.9}=0.5$$

である。

次に、コール価格は、②式に従って計算する。$C_u = 300$, $C_d = 0$ より、

$$C = \frac{qC_u + (1-q)C_d}{1+r} = \frac{0.5\times300+(1-0.5)\times0}{1.05} \fallingdotseq 142.86(\text{円})$$

と求められる。

［別解］

複製ポジションの構築にかかる費用から計算する。

コールの価値と等しくなるポートフォリオを株式 x 単位と安全資産 y 円（リスクフリー・レート5％）により複製すると

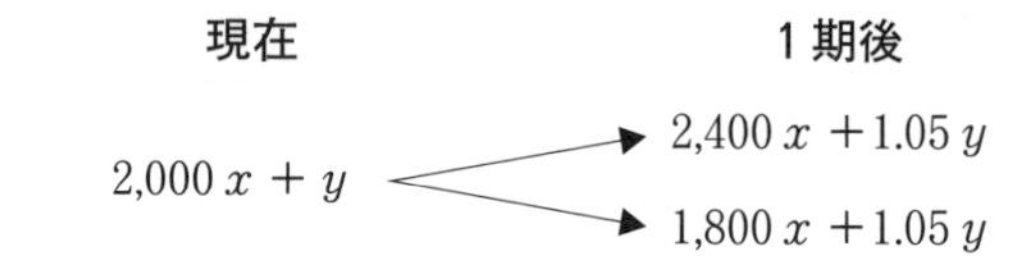

これより

$$\begin{cases} 2{,}400\,x + 1.05\,y = 300 \\ 1{,}800\,x + 1.05\,y = 0 \end{cases}$$

$x = 0.5$、$y = -857.142\cdots$

つまり、借入を857.14円にして、原資産株式を0.5株購入すれば、１期後のポートフォリオ価値がコールと同じになる。ここで、現在のコールの価格は

$C = 2{,}000\,x + y = 2{,}000\times0.5 - 857.14 = 142.86$円

と計算でき、リスク中立確率を用いた計算と同様の結果を確認できる。

Point 6 おもなオプション戦略

オプション戦略はその組合せで幾通りものポジションが作成できる。その中でいくつかのオプション戦略について見ていく。

(1)　カバード・コール・ライト

カバード・コール・ライトは原資産の買いとコールの売り（ショート）からなる戦略で、損益図は次のようになる。

図4－1－5　損益図（カバード・コール・ライト）

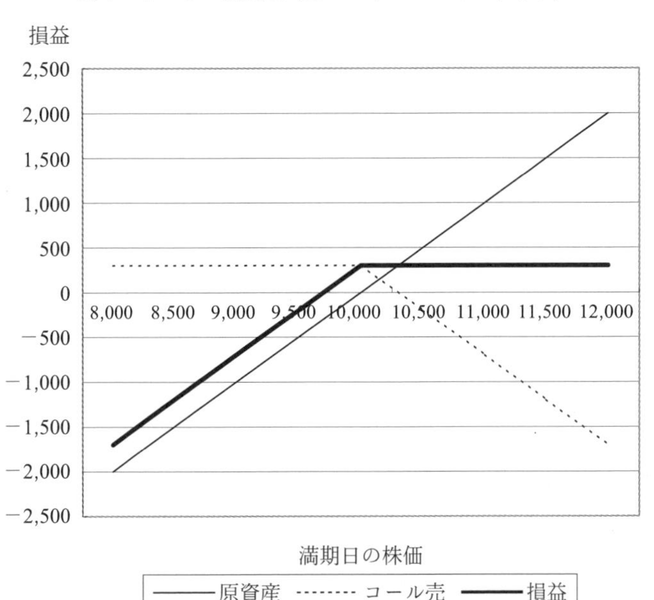

特性：

コールの売りポジションと原資産の買いを組合せることで、権利行使価格を上回る部分では一定の利益を確保し、権利行使価格以下の部分ではオプションプレミアム分だけ、単に原資産の買いポジションの場合より利回りが高くなる。

⑵　プロテクティブ・プット

プロテクティブ・プットとは、原資産の買いとプットの買いを組合せた戦略で損益図は次のようになる。

図４－１－６　損益図（プロテクティブ・プット）

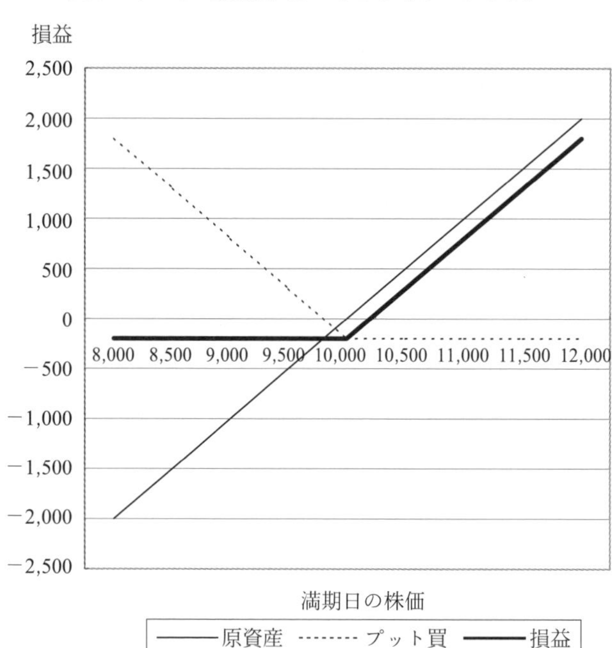

特性：

原資産を保有しているとき、原資産価格が下落すれば損失を被る。一方、プットの買いポジションは原資産価格が下落すれば利益となる。この２つを組合せることで、原資産価格が権利行使価格より下落する時には一定の損失で済み、原資産価格が上昇する時にはそれに追随して利益をあげる戦略である。

(3)　ロング・ストラドル

ロング・ストラドルとは原資産、行使価格と満期が同じコールとプットを同一数量買う戦略で、損益図は次のようになる。

図４－１－７　損益図（ロング・ストラドル）

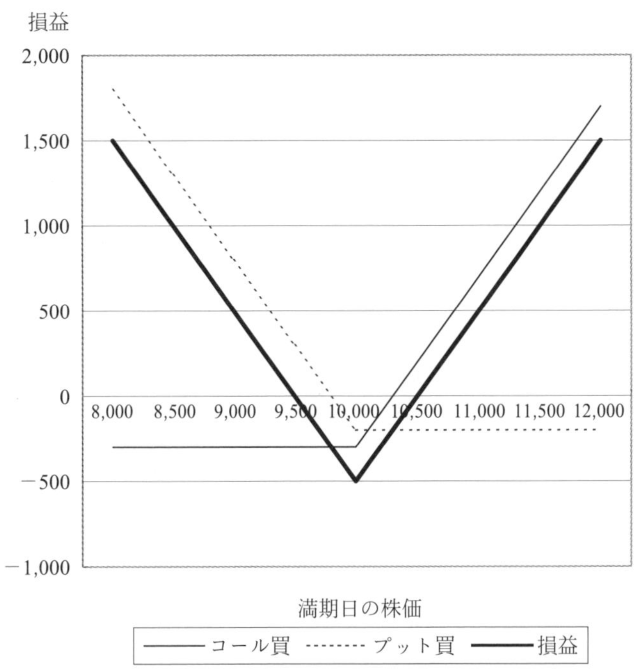

特性：

損益図のとおり、ロング・ストラドルは原資産価格が権利行使価格と同じ時に損失が最大となり、原資産価格が権利行使価格から大きく離れるほど利益が大きくなる。したがって、原資産価格が上下いずれかに大きく変動すると予想するときに有効な戦略である。

(4)　ロング・ストラングル

ロング・ストラングルは原資産、満期が同じで行使価格の異なるコールとプットを同一数量買う戦略で、損益図は次のようになる。

図4－1－8　損益図（ロング・ストラングル）

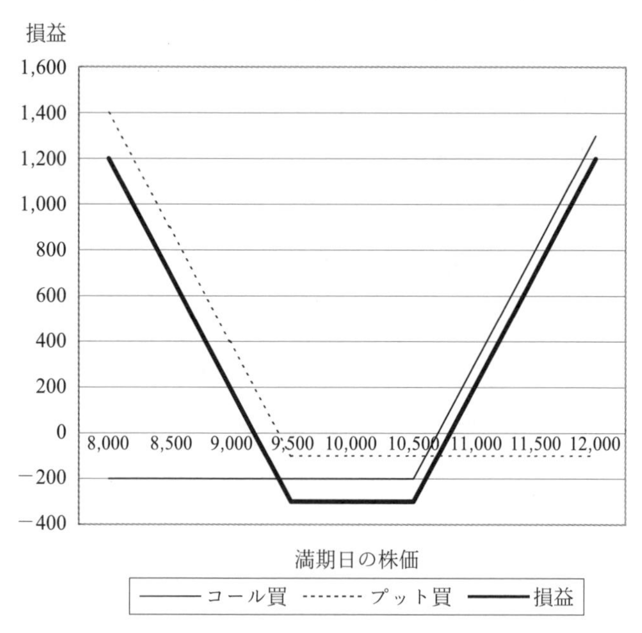

特性：

損益図のとおり、ロング・ストラングルは原資産価格が権利行使価格から大きく離れるほど利益が大きくなる。したがって、この戦略も原資産価格が上下いずれかに大きく変動すると予想するときに有効な戦略である。また、原資産価格がプットとコールの権利行使価格の間にあるときに損失が最大になる。

⑸　ショート・ストラドル

ショート・ストラドルとは原資産、行使価格と満期が同じコールとプットを同一数量売る戦略（ロング・ストラドルの逆）で、損益図は次のようになる。

図４－１－９　損益図（ショート・ストラドル）

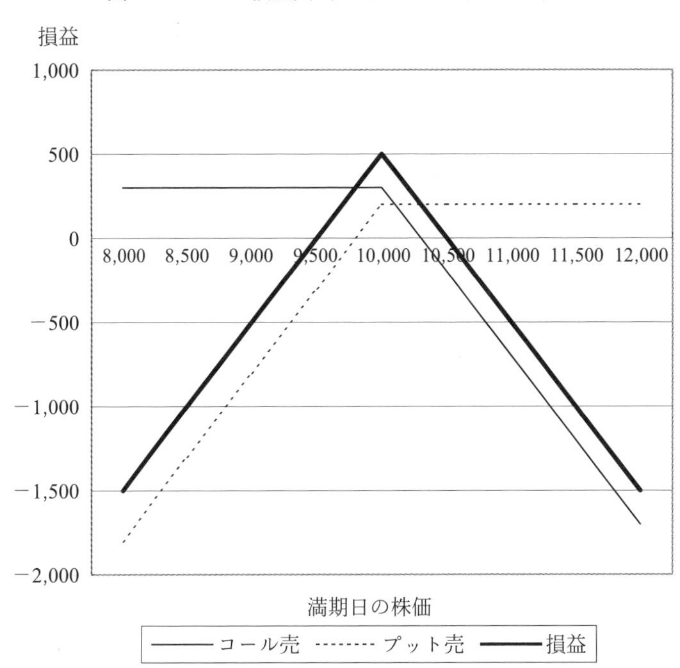

特性：

損益図のとおり、ショート・ストラドルは原資産価格が権利行使価格と同じ時に利益が最大となり、原資産価格が権利行使価格から大きく離れるほど損失が大きくなる。したがって、原資産価格があまり変動しないと予想するときに有効な戦略である。

(6)　ショート・ストラングル

ショート・ストラングルは原資産、満期が同じで行使価格の異なるコールとプットを同一数量売る戦略（ロング・ストラングルの逆）で、損益図は次のようになる。

図4－1－10　損益図（ショート・ストラングル）

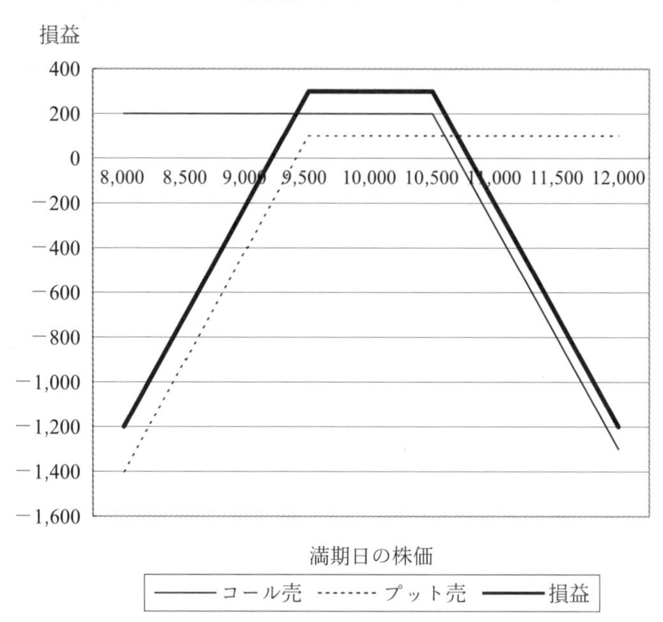

特性：

損益図のとおり、ショート・ストラングルは原資産価格が権利行使価格から大きく離れるほど損失が大きくなる。したがって、この戦略は原資産価格がそれほど大きく変動しないと予想するときに有効な戦略である。また、原資産価格がプットとコールの権利行使価格の間にあるときに利益が最大になる。

異なる行使価格のコール同士あるいはプット同士で、同一単位の購入と売建てを同時に行う取引をスプレッド取引といい、バーティカル・ブル・スプレッドとバーティカル・ベア・スプレッドがある。

(7)　バーティカル・ブル・スプレッド

バーティカル・ブル・スプレッドには、行使価格の低いコールを買い、行使価格の高いコールを同一単位売るバーティカル・ブル・コール・スプレッドと、行使価格の低いプットを買い、行使価格の高いプットを同一単位売るバーティカル・ブル・プット・スプレッドがあり、損益図は次のようになる。

図４－１－11　損益図（バーティカル・ブル・コール・スプレッド）

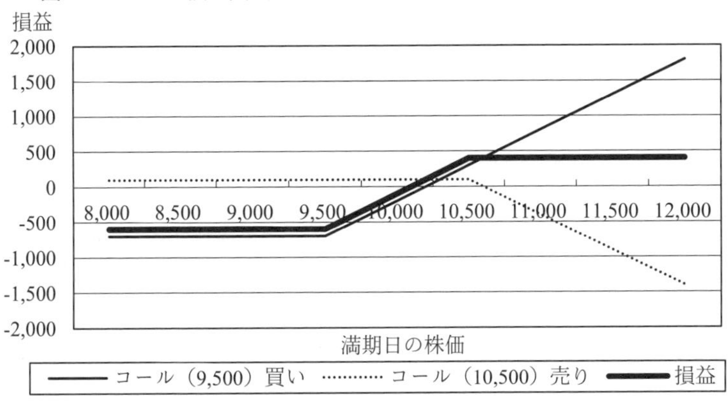

図４－１－12　損益図（バーティカル・ブル・プット・スプレッド）

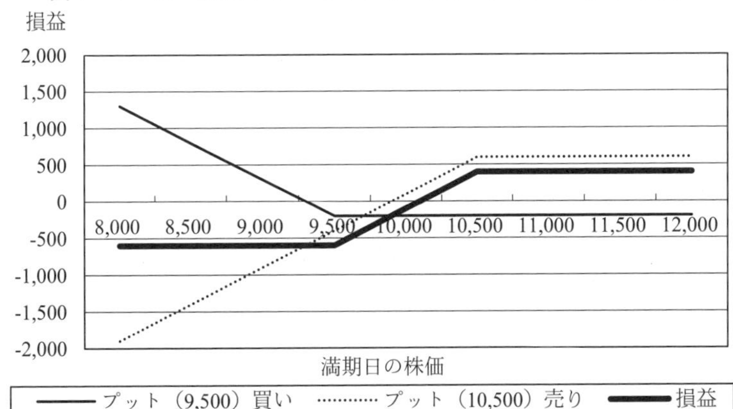

特性：

損益図のとおり、バーティカル・ブル・スプレッドは原資産価格が上昇すると利益になる取引である。ただし、原資産価格が低い方の行使価格以下になるときは損失が限定され、高い方の行使価格以上になるときは利益が限定される。

(8)　バーティカル・ベア・スプレッド

バーティカル・ベア・スプレッドには、行使価格の低いコールを売り、行使価格の高いコールを同一単位買うバーティカル・ベア・コール・スプレッドと、行使価格の低いプットを売り、行使価格の高いプットを同一単位買うバーティカル・ベア・プット・スプレッドがあり、損益図は次のようになる。

図４－１－13　損益図（バーティカル・ベア・コール・スプレッド）

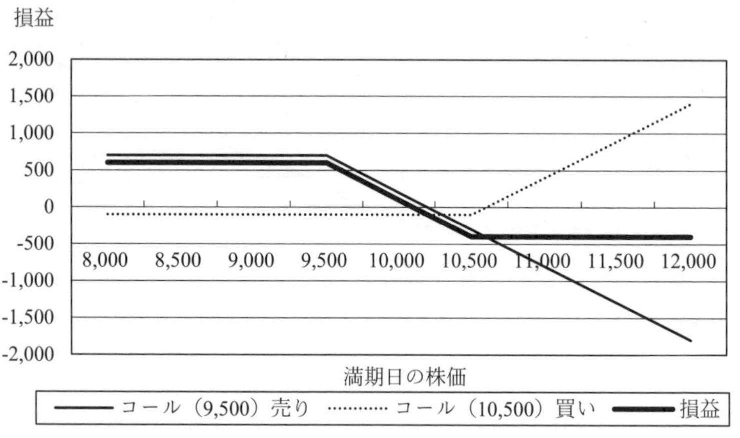

図４－１－14　損益図（バーティカル・ベア・プット・スプレッド）

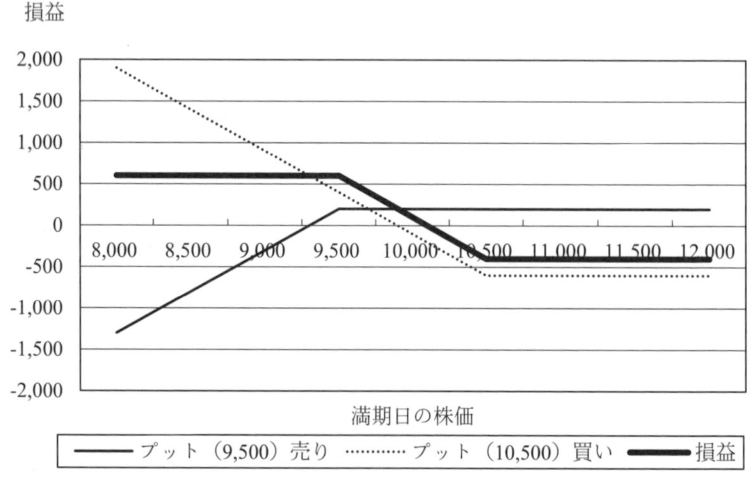

特性：

損益図のとおり、バーティカル・ベア・スプレッドは原資産価格が下落すると利益になる取引である。ただし、原資産価格が低い方の行使価格以下になるときは利益が限定され、高い方の行使価格以上になるときは損失が限定される。

(9)　バタフライ

行使価格を $K_1 < K_2 < K_3$ とすると、ロング・バタフライは行使価格 K_1 のコール（プット）を1枚買い、行使価格 K_2 のコール（プット）を2枚売り、行使価格 K_3 のコール（プット）を1枚買う戦略で、損益図は次のようになる。

図4－1－15　損益図（ロング・バタフライ）

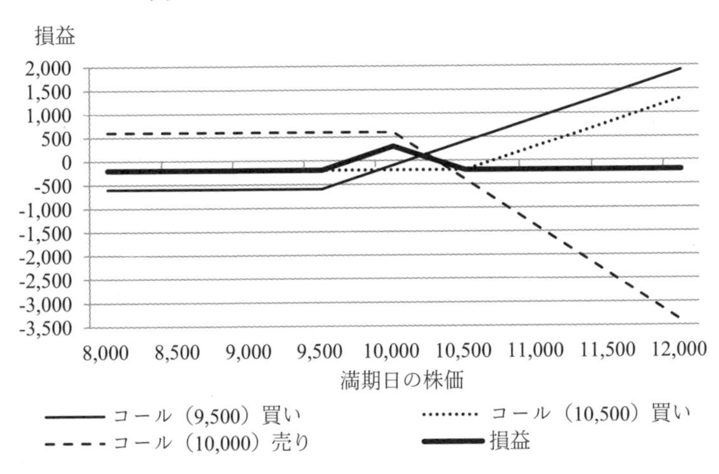

特性：

株価が K_2 円（上図の場合は10,000円）を中心とする予想レンジの範囲外に変動した場合には損失を一定値以内に抑え、予想レンジの範囲内の場合にプラスのペイオフを確保できる。

ショート・バタフライは行使価格 K_1 のコール（プット）を1枚売り、行使価格 K_2 のコール（プット）を2枚買い、行使価格 K_3 のコール（プット）を1枚売る戦略で、損益図は次のようになる。

図4－1－16　損益図（ショート・バタフライ）

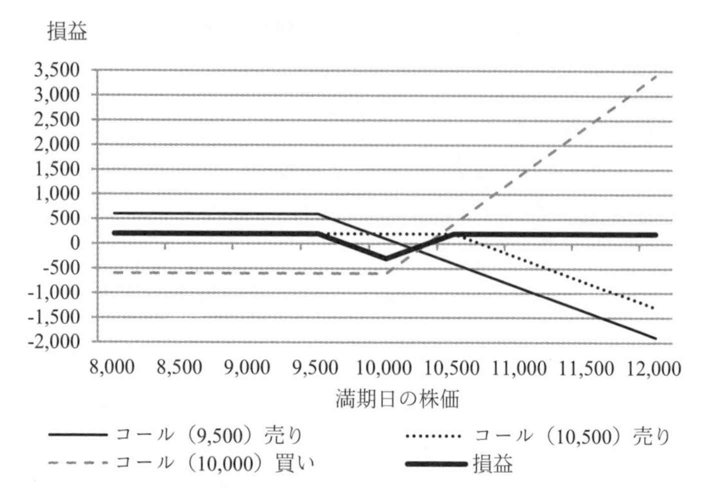

特性：

株価が K_2 円（上図の場合は10,000円）を中心とする予想レンジの範囲外に変動した場合には一定の利益を確保でき、予想レンジの範囲内の場合に損失を被る。

例題4　同一の株式（配当なし）に関するヨーロピアン・タイプのコール・オプションとプット・オプションが存在し、いずれも権利行使価格は11,000円である。プット・オプションの価格を1,200円として以下の設問に答えよ。なお、解答にあたっては円未満を四捨五入せよ。

問1　原株の価格が11,000円、リスクフリー・レートが年率10.0％である。

(1)　残存期間がコール、プットとも1年である場合、コールの価格、コールの時間価値、プットの時間価値を求めよ。

(2)　残存期間がコール、プットとも2年である場合、コールの価格、コールの時間価値、プットの時間価値を求めよ。

問2　原株の価格が11,000円、残存期間はコール、プットとも1年である。

(1)　リスクフリー・レートが年率10.0％である場合、コールの価格、コールの時間価値、プットの時間価値を求めよ。

(2)　リスクフリー・レートが年率15.0%である場合、コールの価格、コールの時間価値、プットの時間価値を求めよ。

問3　リスクフリー・レートが年率10.0%、残存期間はコール、プットとも1年である。

(1)　原株の価格が10,000円の場合、コールの価格、コールの時間価値、プットの時間価値を求めよ。

(2)　原株の価格が12,000円の場合、コールの価格、コールの時間価値、プットの時間価値を求めよ。

解答

問1　(1)　コール価格　2,200円
コールの時間価値　2,200円　プットの時間価値　1,200円
(2)　コール価格　3,109円
コールの時間価値　3,109円　プットの時間価値　1,200円

問2　(1)　コール価格　2,200円
コールの時間価値　2,200円　プットの時間価値　1,200円
(2)　コール価格　2,635円
コールの時間価値　2,635円　プットの時間価値　1,200円

問3　(1)　コール価格　1,200円
コールの時間価値　1,200円　プットの時間価値　200円
(2)　コール価格　3,200円
コールの時間価値　2,200円　プットの時間価値　1,200円

解　説

コール価格については、いずれもプット・コール・パリティを使って求める。

$$C = P+S-\frac{K}{(1+r)^{(T-t)}}$$

オプション価格 ＝ 本質的価値＋時間価値

コールの本質的価値 ＝ $Max[S-K、0]$

プットの本質的価値 ＝ $Max[K-S、0]$

したがって、

コールの時間価値 ＝ オプション価格 $-Max[S-K、0]$

プットの時間価値 ＝ オプション価格 $-Max[K-S、0]$

問１　(1)　$C = 1{,}200+11{,}000-\frac{11{,}000}{1+0.10}$

$= 2{,}200$ 円

コールの時間価値 ＝ $2{,}200-Max[11{,}000-11{,}000、0]$

$= 2{,}200$円

プットの時間価値 ＝ $1{,}200-Max[11{,}000-11{,}000、0]$

$= 1{,}200$円

(2)　$C = 1{,}200+11{,}000-\frac{11{,}000}{(1+0.10)^2}$

$= 3{,}109.0909\cdots$

$\approx 3{,}109$ 円

コールの時間価値 ＝ $3{,}109-Max[11{,}000-11{,}000、0]$

$= 3{,}109$円

プットの時間価値 ＝ $1{,}200-Max[11{,}000-11{,}000、0]$

$= 1{,}200$円

アット・ザ・マネー（ATM）の場合、コール価格はプット価格以上であり、コール、プットともオプション価値は時間価値のみである。

また、本問ではプット価格を固定したが、残存期間が長いとコール、プットともオプション価値は高くなる。

問２　⑴　$C = 1{,}200 + 11{,}000 - \dfrac{11{,}000}{1 + 0.10}$

$= 2{,}200$ 円

コールの時間価値 $= 2{,}200 - Max[11{,}000 - 11{,}000、0]$

$= 2{,}200$円

プットの時間価値 $= 1{,}200 - Max[11{,}000 - 11{,}000、0]$

$= 1{,}200$円

⑵　$C = 1{,}200 + 11{,}000 - \dfrac{11{,}000}{1 + 0.15}$

$= 2{,}634.7826\cdots$

$\approx 2{,}635$ 円

コールの時間価値 $= 2{,}635 - Max[11{,}000 - 11{,}000、0]$

$= 2{,}635$円

プットの時間価値 $= 1{,}200 - Max[11{,}000 - 11{,}000、0]$

$= 1{,}200$円

ATMオプションの特徴については問１と同じ。本問では金利が高いとコール価格が高くなることを確認されたい。ここでもプット価格を固定して考えたが、金利が高くなるとプット価格は低下する。

オプション取引の特徴のひとつとして、オプションの買い手は契約時点でプレミアムを支払うだけであり、原資産については全くキャッシュのやりとりがないということが挙げられる。つまりコールの買い手は原資産価格の支払いを満期日まで「猶予」されているわけであり、この間無リスクで運用することも可能なだけ有利である。これに対し、プットの買い手は原資産価格の受取りを満期日まで「先延ばし」されているわけであり、この間の機会利益を失っているだけ不利である。よって有利なコールは高くなり、不利なプットは安くなる。

問3 (1) $C = 1{,}200 + 10{,}000 - \dfrac{11{,}000}{1+0.10}$

$= 1{,}200$ 円

コールの時間価値 $= 1{,}200 - Max[10{,}000 - 11{,}000、0]$

$= 1{,}200$円

プットの時間価値 $= 1{,}200 - Max[11{,}000 - 10{,}000、0]$

$= 200$円

(2) $C = 1{,}200 + 12{,}000 - \dfrac{11{,}000}{1+0.10}$

$= 3{,}200$ 円

コールの時間価値 $= 3{,}200 - Max[12{,}000 - 11{,}000、0]$

$= 2{,}200$円

プットの時間価値 $= 1{,}200 - Max[11{,}000 - 12{,}000、0]$

$= 1{,}200$円

(1)の場合、コールはアウト・オブ・ザ・マネー（OTM）、プットはイン・ザ・マネー（ITM）である。したがって、コールは時間価値のみであるのに対し、プットは本質的価値1,000円＋時間価値200円から構成される。

(2)の場合、コールはイン・ザ・マネー（ITM）、プットはアウト・オブ・ザ・マネー（OTM）である。したがって、コールは本質的価値1,000円＋時間価値2,200円から構成されるのに対し、プットは時間価値のみである。

例題5　現在、日経平均株価は、20,500円であり、オプション価格は次の市場データのとおりである。

（データ）

権利行使価格	コール	プット
20,000円	800円	350円
20,500円	300円	400円
21,000円	250円	900円

アウト・オブ・ザ・マネー（OTM）のコールとプットを1枚ずつ購入するポジションをとった場合を想定して以下の設問に答えよ。

問1　損失は最大でいくらか。

問2　損失が最大になるときの日経平均の範囲はいくらか。

問3　利益が生じる日経平均の範囲はいくらか。

解答

問1　600円　　問2　20,000円～21,000円

問3　19,400円未満および21,600円超

解　説

オプション・ポジションの損益に関する問題は、一見回り道のようでも次のような手順で処理すると確実であるし、むしろ早い。

Step1.　該当するオプションを選ぶ。

OTMなので、コール：$K > S(20{,}500) \Rightarrow K = 21{,}000$

プット：$K < S(20{,}500) \Rightarrow K = 20{,}000$

Step2.　株価の変動による損益とプレミアムを合計した一覧表をつくる。

日経平均	株価変動による損益				合　計		損　益
	コール		プット				
	プレミアム	本質価値	プレミアム	本質価値	プレミアム	本質価値	
19,000	−250	0	−350	+1,000	−600	+1,000	+400
19,500	−250	0	−350	+500	−600	+500	−100
20,000	−250	0	−350	0	−600	0	−600
20,500	−250	0	−350	0	−600	0	−600
21,000	−250	0	−350	0	−600	0	−600
21,500	−250	+500	−350	0	−600	+500	−100
22,000	−250	+1,000	−350	0	−600	+1,000	+400

問1　上記表より、損失は最大で600円。オプションを購入した場合、損失はプレミアム相当額に限定される。

問2　損失が最大となるのは、本質価値の合計がゼロの範囲である。すなわち、このポジションの場合は、下限がプットの権利行使価格20,000円、上限がコールの権利行使価格21,000円ということになる。

問3　損益がゼロとなるのは、オプション購入で支払ったプレミアムが権利行使によって得られる利益と相殺されるところである。したがって、プレミアム600円が権利行使によって相殺されるのは、

（コールの権利行使価格）21,000円＋600円＝21,600円

（プットの権利行使価格）20,000円−600円＝19,400円

よって、日経平均が19,400円未満および21,600円超の範囲で利益が生じる。

上記表に基づいて損益図を作成すると、次のようになる。

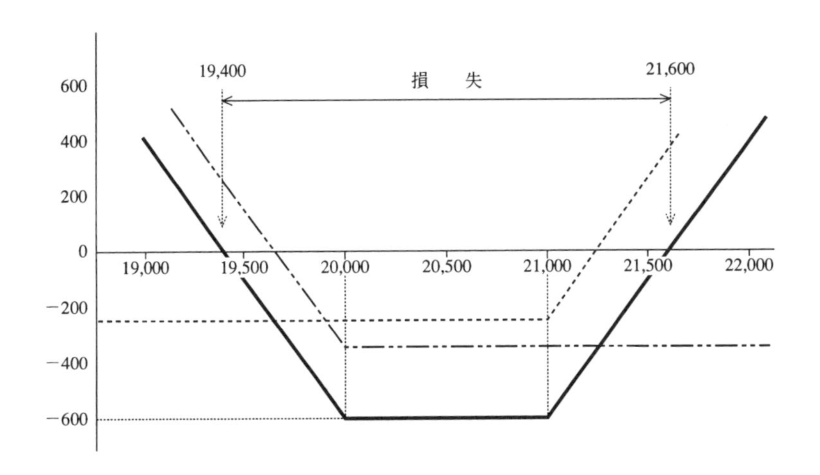

いわゆるロング・ストラングルと呼ばれるポジションであり、原株が上がるにせよ下がるにせよ、大きく変動した場合に利益が生じる。反面、損失はプレミアムに限定される。

例題６　現在、株式（配当なし）の価格は20,000円であり、１年後に満期を迎えるアット・ザ・マネー（ATM）のコール・オプション（ヨーロピアン・タイプ）がある。１年後の株価が以下のような２項プロセスに従うとして、以下の設問に解答せよ。

現在の株価　　　　　　　　：20,000円
１年後の株価の変化率　　　：上昇　＋10%，下落　−10%
１年間のリスクフリー・レート：３％

問１　このコール・オプションの現在の価格を計算せよ。

問２　１年満期、アット・ザ・マネーのプット・オプションの現在の価格を計算せよ。

問3　問2のプット・オプションの市場価格が600円であった場合、裁定取引を行うには次のどのポジションを取ればよいか。

A　プットの売り、原資産の売り、コールの買い、割引債の売り

B　プットの売り、原資産の売り、コールの買い、割引債の買い

C　プットの買い、原資産の買い、コールの売り、割引債の売り

D　プットの買い、原資産の買い、コールの売り、割引債の買い

解答　問1　1,262円　　問2　679円　　問3　C

解　説

Point 5　2項モデルの基本問題である。

まず、問題を整理してみると、ATMコール・オプションであるから$K=S$。したがって、権利行使価格は現在の株価と同じ20,000円である。また2項プロセスは次のようになる。

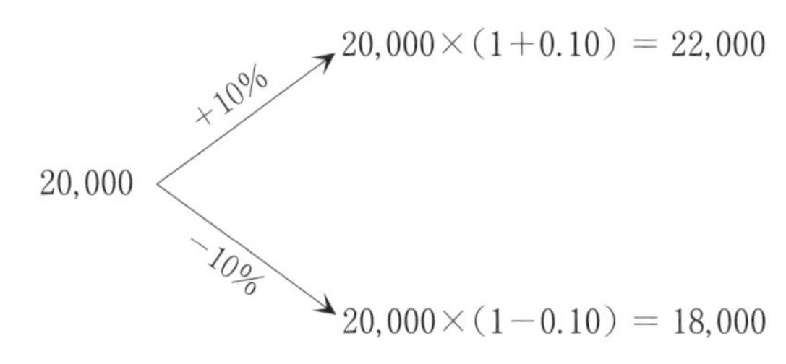

コールの価値は

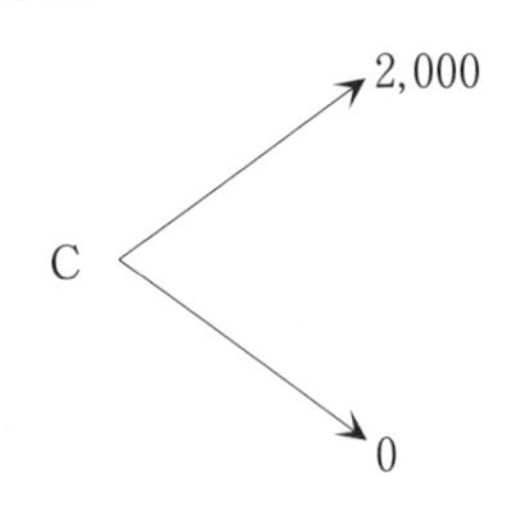

問１　まず、株価上昇のリスク中立確率 q を求める。

$$q=\frac{(1+r)-d}{u-d}=\frac{(1+0.03)-(1-0.10)}{(1+0.10)-(1-0.10)}=0.65$$

ここから、コールオプションの価格 C は次のように求めることができる。

$$C=\frac{qC_u+(1-q)C_d}{1+r}=\frac{0.65\times 2{,}000+(1-0.65)\times 0}{1+0.03}$$

$$=1{,}262.1\cdots\approx 1{,}262\text{円}$$

問２　プット・コール・パリティを使う。

$$P=C-S+\frac{K}{(1+r)^{T-t}}$$

$$=1{,}262-20{,}000+\frac{20{,}000}{1.03}$$

$$=679.475\cdots$$

$$\approx 679\text{円}$$

問３　問２より、ＡＴＭプット・オプションの理論価格は679円なので、コール・オプション割高、プット・オプション割安になっている。そのため、プットの買い、原資産の買い、コールの売り、割引債の売り（Ｃ）のポジションを取ると、

$$-P-S+C+\frac{K}{(1+r)^{T-t}}=-600-20{,}000+1{,}262+\frac{20{,}000}{1.03}\approx 79\text{円}$$

の利益を得ることができる。

例題 7　K社株式は、現在300円で、２項過程に従って、上昇するときは20%、下落するときは10%変動するものとする。１期間当たりのリスクフリー・レートは４%、またK社株式には配当はなく、証拠金および手数料等は無視できるものとする。以下の設問に答えよ。

問１　K社株式が第１期、第２期とも上昇したとき、株価はいくらか。

問２　ヨーロピアン・タイプのコール・オプションの権利行使価格を300円、満期を２期とすると、株価が第１期、第２期とも上昇したとき、また、第１期、第２期とも下落したときの満期におけるコールの価値はそれぞれいくらになるか。

問３　K社株式が第１期に下落したときのコールの価値はいくらか。

問４　当初のコールの価値はいくらか。

解答

問１　432円

問２　第１期・第２期とも上昇したとき：132円、
　　　第１期・第２期とも下落したとき：０円

問３　10.78円　　**問４**　37.66円

解　説

株価の変動

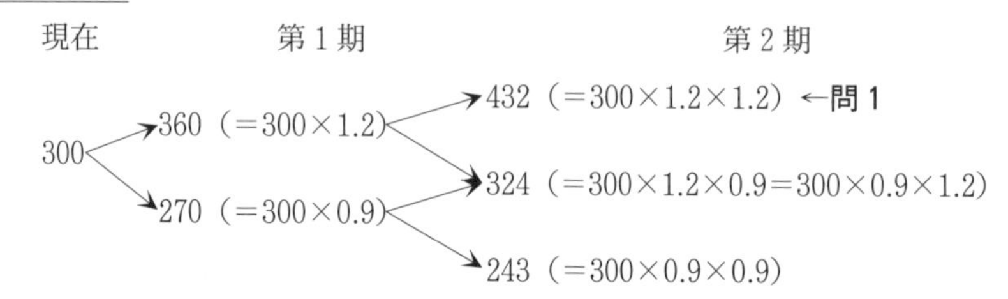

コールの価値の変動

現在　第１期　第２期

C＝③ → C_u＝①、C_d＝②

C_{uu}＝132（＝432－300）←問２

C_{ud}＝24（＝324－300）

C_{dd}＝０（＝243－300＜0）←問２

u　：1＋株価上昇率

d　：1＋株価下落率

C　：現在のコールの価値

C_u　：株価が上昇したとき（uS）の第1期のコールの価値

C_d　：株価が下落したとき（dS）の第1期のコールの価値

C_{uu}：株価が2期連続して上昇したとき（uuS）の第2期のコールの価値

C_{ud}：株価が第1期に上昇（下落）し、第2期に下落（上昇）したとき（udS）の第2期のコールの価値

C_{dd}：株価が2期連続して下落したとき（ddS）の第2期のコールの価値

r　：リスクフリー・レート

以下の手順で計算すればよい。

Step1. リスクニュートラル確率（q）を計算する。

リスクのある株式の期待収益率がリスクフリー・レートと等しいならば、この投資はリスクニュートラルな投資家にとって無差別である。

Step2. リスクフリー・レートで割り引いて、1期ごとにオプションの現在価値を計算する。

Step1.

$$\frac{q\times300\times1.2\times1.2+(1-q)\times300\times1.2\times0.9}{300\times1.2}$$

$$=\frac{q\times300\times1.2+(1-q)\times300\times0.9}{300}=1+0.04$$

$$\frac{360\times q+270\times(1-q)}{300}=1.04$$

$$90q+270=312$$

$$q\approx0.467$$

あるいは、

$$q = \frac{1+r-d}{u-d} = \frac{(1+0.04)-0.9}{1.2-0.9} \approx 0.467$$

Step2.　・1期後のコールの価値

$$C_u = \frac{q \times C_{uu} + (1-q) \times C_{ud}}{1+r}$$

$$= \frac{0.467 \times 132 + (1-0.467) \times 24}{1.04} \approx 71.57 \cdots ①$$

$$C_d = \frac{q \times C_{ud} + (1-q) \times C_{dd}}{1+r}$$

$$= \frac{0.467 \times 24 + (1-0.467) \times 0}{1.04} \approx 10.78 \cdots\cdots ②$$ ←問3

・現在のコールの価値

$$C = \frac{q \times C_u + (1-q) \times C_d}{1+r}$$

$$= \frac{0.467 \times 71.57 + (1-0.467) \times 10.78}{1.04} \approx 37.66 \cdots ③$$ ←問4

2　先物取引

Point ①　先渡取引と先物取引

先渡取引
(forward contract)

● 将来のある時点（満期時）において、あらかじめ定められた価格（先渡価格）で原資産を買う、または売る契約。

● 通常、金融機関同士あるいは金融機関と顧客との間で店頭取引される。

● 契約時をt、満期時をTとする先渡取引を考える。

● 契約時点tにおける原資産価格をS_t、先渡価格をF_tとする。

● 満期時の原資産価格をS_T、損益をπ_Tとする。

(1)　ロング・ポジション（買建て）

原資産１単位に対する先渡取引の買いポジションをとった場合、満期時（受渡日）の損益π_Tは以下のようになる。

$$\pi_T = S_T - F_t$$

したがって、満期時Tの原資産価格S_Tが契約時tの先渡価格F_tを**上回っていれば利益、下回っていれば損失**となる。グラフで表すと右のようになる。

図４－２－１　先物（買建）の損益

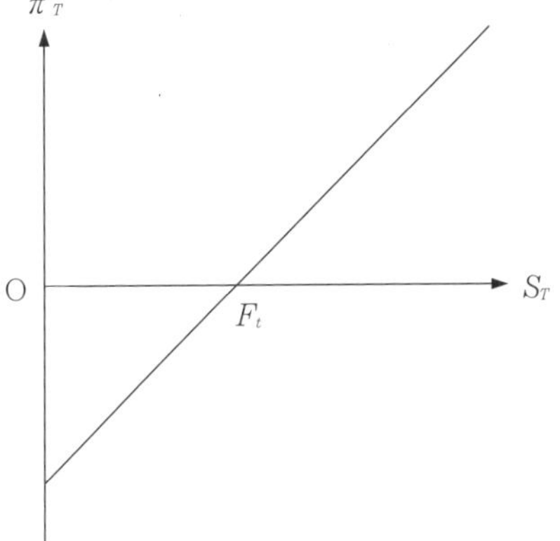

(2) ショート・ポジション（売建て）

原資産1単位に対する先渡取引の売りポジションをとった場合、満期時（受渡日）の損益π_Tは以下のようになる。

$$\pi_T = F_t - S_T$$

したがって、満期時Tの原資産価格S_Tが契約時tの先渡価格F_tを**下回っていれば利益、上回っていれば損失**となる。グラフで表すと右のようになる。

図4－2－2　先物（売建）の損益

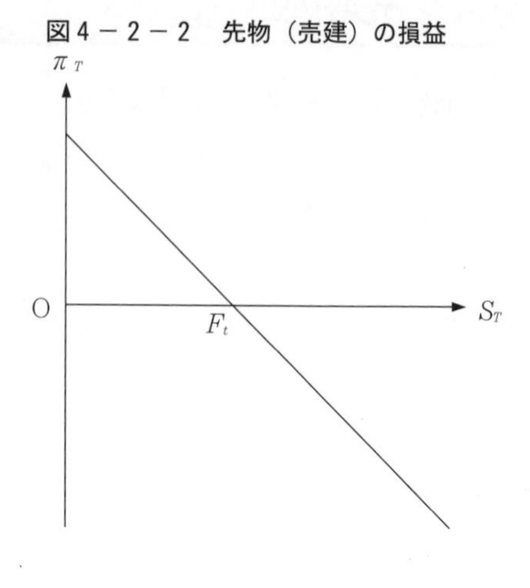

先物取引（futures）
- 先渡取引と同様、将来のある時点（満期時）において、あらかじめ定められた価格（先物価格）で原資産を買う、または売る契約。
- 先渡取引と異なり、通常、取引所で大量かつ集中的に取引される。

先渡取引と先物取引は非常に類似しており基本的には同じものだが、相対取引か取引所取引かという違いに伴い通常、次のような相違点がある。

● 先渡取引と先物取引の相違点

	取引方法
先渡取引	相対取引 ・いったん契約を締結すると、それを第三者に譲渡するのが困難。 ・将来、受渡が実行されるかどうかは、契約当事者の支払能力（信用力）に依存する。
先物取引	取引所取引 ・取引をいつでも譲渡したり手仕舞ったりできるように、対象となる資産や受渡日を標準化して取引所に上場して売買する。 ・将来、決済が確実に履行されるように、取引に際しては原資産価格の一定割合を（当初）証拠金として積ませる。 ・原資産価格の変動に伴う先物ポジションの変化を、毎日値洗いによって把握し、損失が（維持）証拠金を越えて拡大した場合には、追加証拠金を納めさせる。

例題 8

《2015（秋）. 5 . Ⅰ . 2》

先渡取引、先物取引に関する次の記述のうち、正しいものはどれですか。

A　先渡取引の理論価格は無裁定条件から導かれることが多いが、先物取引の理論価格は需給に基づく均衡価格として導かれるのが一般的である。

B　先渡取引と先物取引の根本的な違いは決済方法にあり、現物決済を行うものが先渡取引と呼ばれ、差金決済を行うものが先物取引と呼ばれる。

C　先物取引では、取引参加者がデフォルト（債務不履行）することはない。

D　先渡取引では、取引相手がデフォルト（債務不履行）することがあるため、信用リスク管理も必要となる。

解答 ▶ D

解　説

A　正しくない。先物取引の理論価格も先渡取引の理論価格と同様に無裁定条件から導かれることが多い。

B　正しくない。先渡取引と先物取引の決済方法が現物決済によるか差金決済によるかはそれぞれの商品設計によるものであり、先渡取引と先物取引の区別とは関係ない。

C　正しくない。取引所取引である先物取引では、証拠金制度の採用により取引参加者の中にデフォルト（債務不履行）が発生しても、他の取引参加者に影響するのを回避する仕組みがとられている。ただし、これは取引参加者のデフォルトがないということを意味するわけではなく、むしろ取引参加者の中にデフォルトが発生しうることを前提とした仕組みである。

D　正しい。相対取引である先渡取引では、取引相手のデフォルトにより契約が実行されないリスクが存在するので、信用リスク管理も必要となる。

Point ② 先物理論価格

$$F_t^* = \underbrace{S_t}_{\text{現物価格}} + \underbrace{S_t \times (r-d) \times (T-t)}_{\text{持越費用}} = S_t\{1+(r-d)\times(T-t)\}$$

F_t^*：t時点の先物理論価格
S_t：t時点の現物価格
r：金利
d：配当利回り
T：満期日（最終取引日）
$T-t$：満期までの期間（年）

Point ③ ベーシス

- 先物価格と現物価格との差
- 満期日が近づくにつれて0に収束（満期日には0となる）

$F_t > S_t$：プレミアム状態（上鞘）
$F_t < S_t$：ディスカウント状態（下鞘）

Point ④ 裁定取引

実際の先物価格が先物理論価格と乖離した場合に、割高な方を売却し割安な方を購入する。均衡価格に戻ったときに反対売買を行い利益を確定する。

例題 9

《2008（秋）. 5 . I . 5 》

株価指数が現時点で1,460円、満期までのリスクフリー・レートが６％（年率）、満期までの配当利回りが１％（年率）、先物の満期までの日数が60日のとき、この株価指数先物取引の理論価格はいくらになりますか。ただし、年率はいずれも１年＝365日ベースで換算されているものとする。

A　1,443円

B　1,448円

C　1,472円

D　1,477円

E　1,533円

解答　C

解　説

先物理論価格の式に、数値をそのまま代入するだけである。

$$F^{*}=S\times\{1+(r-d)\times(T-t)\}$$

$$=1{,}460\times\left\{1+(0.06-0.01)\times\frac{60}{365}\right\}=1{,}472$$

ただし、F^{*}：先物理論価格、S：現物価格、r：リスクフリー・レート、d：配当利回り、$T-t$：満期までの期間（年）。

例題10

《2007（春）. 5 . Ⅱ. 3》

日経平均株価が16,670円、残存日数41日の日経平均先物の価格が16,690円のとき、裁定取引で利益を上げるには、次のどのポジションを取ればよいか。ただし、配当利回りはゼロ、リスクフリー・レートは0.40％（年率、金利計算は１年＝365日ベース）とする。

A　借入れ、現物買い、先物買い

B　貸付け、現物買い、先物売り

C　貸付け、現物売り、先物買い

D　借入れ、現物買い、先物売り

E　借入れ、現物売り、先物買い

解答　D

解　説

借入れ、現物買い、先物売りのポジションで、

$$\underbrace{16{,}690}_{\text{先物売り}} - \underbrace{16{,}670}_{\text{現物買い}} - \underbrace{16{,}670 \times 0.40\% \times \frac{41}{365}}_{\text{借入れ（支払利息）}} \approx 13\text{円}$$

の裁定利益が得られる。

Point ⑤ ヘッジ

(1) ヘッジ

将来、保有している現物の売却を予定しているが、先行き、価格が下がりそうなときには、先物市場で先物を売ることにより、現物の将来の値下がり損失を先物の買戻益で相殺できる。これを**売りヘッジ**という。

逆に将来において現物を購入する予定があり、その間に値上がりしそうなときには、先物を買っておき、現物の値上がり分を先物の売却益でカバーできる。これを**買いヘッジ**という。

ヘッジはこのように現物と正反対の取引を先物市場で行い、現物の損失を先物の利益で相殺することで可能となるが、現実には先物価格と現物価格との差であるベーシスが変動するため、完全なリスク・ヘッジは難しい。ベーシスが変動することによるリスクを**ベーシスリスク**という。もしベーシスが常に一定であれば、完全ヘッジが可能であるが現実にはそのようなことは稀である。

(2) ダイナミック・ヘッジング

株式ポートフォリオの価値下落を一定水準に抑えながら、株価上昇による利益を得る戦略として、プロテクティブ・プットがある。これは、いわば「保険」としてプット・オプションを買う戦略だが、実際にはいくつかの問題点があってうまく機能しない。そこで他の資産を使ってプロテクティブ・プットを複製する。こういったオプション戦略の複製はダイナミック・ヘッジングと呼ばれ、とくにプロテクティブ・プットの複製についてはポートフォリオ・インシュアランスと呼ばれる場合がある。

なお、特定の株価指数の先物ないしオプションを前提とした場合、インデックス・ファンドのような株価指数と連動性の強いポートフォリオでなければ、プロテクティブ・プットもポートフォリオ・インシュアランスもヘッジの効果は薄い。

① プロテクティブ・プット

保険をかけたい期間と等しい権利行使期間と、これ以下にはポートフォリオの価値を下げたくないという一定水準（フロア水準）に対応する権利行使価格を持ち、そして現物で保有している銘柄を原株とするプット・オプションを購入すればそのポートフォリオを一定水準以上に維持できる。プットを買っておけば株価が権利行使価格以下になったとしても権利行使価格で売却する権利があるので実際の損失はプットの価格（プレミアム）だけで済む。これがいわゆるプロテクティブ・プットである。

しかし、以上のようなプット・オプションの利用にはいくつかの問題点がある。

(i)　上場されているオプションは権利行使価格が標準化されており、プロテクティブ・プットに必要な権利行使価格と一致することは稀である。

(ii)　オプションの残存期間がヘッジ期間に一致することも稀である。

(iii)　仮に(i)(ii)の条件がクリアされたとしても、十分な流動性が確保できない可能性もある。

このため、プロテクティブ・プットは実質上は機能しない。

そこで、何らかの方法でプロテクティブ・プットを模倣することを考える。すなわち、危険資産と安全資産、あるいは危険資産と先物を保有し、連続的にポジションを調整することによって、プロテクティブ・プットと同じ効果を狙うわけである。これが②で解説されているダイナミック・ヘッジングと呼ばれる手法である。

②　ダイナミック・ヘッジング

まず、ダイナミック・ヘッジングの代表例として危険資産と安全資産の運用比率を危険資産の価格変動に応じて連続的に変化させプロテクティブ・プットを複製する手法をみてみよう。危険資産の価格をS、権利行使価格Kのプット価格を$P(K)$とすると危険資産とプットを組み合わせたポートフォリオの価額は、危険資産が変動したとき、次のような変化をする。

$$\Delta(S+P(K)) = \Delta S(1+\partial P/\partial S)$$

$\partial P/\partial S$はプットのデルタを表し-1から0の値をとり、この式は、

プットと危険資産のポートフォリオの価値変化

=危険資産の価格変化×（1＋プットデルタ）

であることを意味している。言い換えれば、（1＋プットデルタ）に相当する分だけ株式などの危険資産に投資し、残りを安全資産に投資すれば危険資産の価格が変動したとき、プットと危険資産の組合せと同じような価格変化が得られる。プットのデルタは危険資産の価格が上昇すれば大きくなり0に近づき、危険資産の価格が下がればデルタは小さくなり－1に近づく。したがって危険資産の価格変動に応じて危険資産と安全資産の運用比率を変化させる必要がある。危険資産価格が上昇すればそのウェイトを上げ、価格が下落すればウェイトを低めるような資産配分を連続的に行うと危険資産とプットの組合わせが複製できる。

しかし、このような資産配分を連続的に行うことは取引コストがかかり、またポートフォリオの中身が変化することになり、現実的には難しい。そこで先物取引を利用して、危険資産ポートフォリオはそのまま保有する一方、ヘッジ比率が $\partial P/\partial S$（プット・デルタ）の絶対値に等しくなるように先物を売建て、危険資産価格が上昇すれば $\partial P/\partial S$（プット・デルタ）の絶対値が小さくなるのでヘッジ比率を下げるため先物を買戻し、逆に危険資産価格が下がれば先物を売り増して行くなどの方法がとられる。

ただし、ダイナミック・ヘッジングを行っても危険資産の価格が連続的に変化せず急激にジャンプしたときにはヘッジが機能しなくなるケースがみられる。

Point ⑥ 為替先渡取引

裁定機会がないと考えると、国内の無リスク金利で運用しても、為替先渡取引により受取時点の為替を固定（為替リスクを排除）した上で、外国の無リスク金利で運用しても同じリターンを得るはずである。

図4－2－3　金利裁定関係

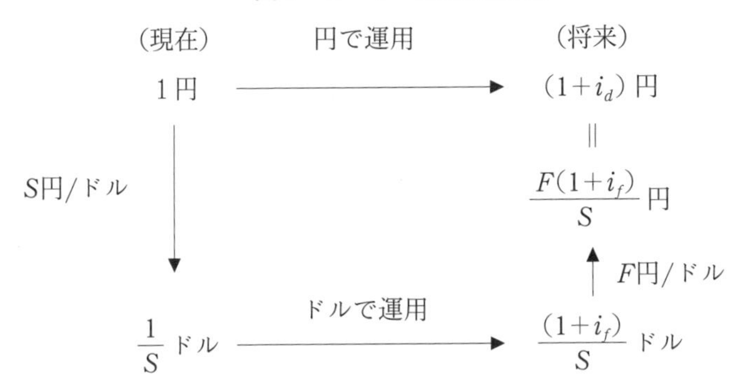

S：直物為替レート　F：先渡為替レート　i_d：国内金利　i_f：外国金利

ここで、上の図のような1円を国内金利と外国金利（ここでは米国）で1年間運用するケースを考える。

まず、国内金利で1年間運用すれば、1年後には$1+i_d$円が得られる。

次に、米国金利で運用するケースでは、直物為替レートが1ドル＝S円とすると、1円＝$1/S$ドルである。これを米国金利で運用すれば、1年後には$(1+i_f)/S$ドルとなるが、これを現在の先渡為替レート1ドル＝F円であらかじめ為替予約をかけておけば、1年後には確実に$F(1+i_f)/S$円を得られる。

したがって、

$$1+i_d=\frac{F}{S}\times(1+i_f)$$

より、

$$F=S\times\frac{1+i_d}{1+i_f}$$

の関係が得られる。

例題11 《2009（秋）. 5．Ⅰ．6》

直物為替レートが100.00円／米ドル、期間0.5年の円金利が1.00％（年率）、期間0.5年の米ドル金利が3.00％（年率）とすると、期間0.5年の円／米ドル先渡為替レートの理論値はいくらか。

A　98.06円／米ドル

B　99.01円／米ドル

C　100.00円／米ドル

D　101.00円／米ドル

E　101.98円／米ドル

解答 B

解　説

為替先渡（カバー付き金利パリティ）の式に、数値をそのまま代入するだけである。

$$F = S \times \frac{1 + i_{JPY} \times T}{1 + i_{USD} \times T}$$

$$= 100.00 \times \frac{1 + 0.01 \times 0.5}{1 + 0.03 \times 0.5} = 99.0147\ldots \approx 99.01$$

ただし、F：先渡為替レート、S：直物為替レート、i_{JPY}：円金利、i_{USD}：米ドル金利、T：満期までの期間（年）。

Point ⑦　商品先物取引

日本において、商品先物は大阪取引所や東京商品取引所などで取引されている。先物の取引量は期近物ほど厚く期先物ほど薄くなるため、先物投資を行う場合は流動性の観点からまず期近物でポジションをとり、満期が到来すると次の期近物に乗り換えてゆく（ロールオーバー）。

⑴　商品先物価格

実物財として商品を保有する場合、保管コストがかかる反面、保有することによっていつでも消費できる、いつでも製品の生産に取り掛かれる、などの「便利さ」が生まれる。先物を保有すれば保管コストが掛からないことは有利だが、実物財の「便利さ」は犠牲となる。このため保管コストや「便利さ」をイールド（**コンビニエンス・イールド**）として表し、リスクフリー・レートと同じように満期まで一定であるとすれば、先物価格F^*は以下のように表される。

$$F^* = Se^{(r+c-y)(T-t)}$$
$$\approx S\times\{1+(r+c-y)\times(T-t)\}$$

ただし、F^*：先物価格、S：現物価格、r：リスクフリー・レート、
c：保管コスト（%、年率）、
y：コンビニエンス・イールド（%、年率）、
$T-t$：満期までの期間（年）、
e：自然対数の底（=2.71828…）。

⑵　ロール収益

ロールオーバーを行う際、期近の先物価格と乗り換える期先の先物価格が同じであれば、ポジション維持にコストもリターンも発生しない。しかし、期近が期先よりも高ければ、ロールオーバーによりリターンが生じる（高い期近の売り＋安い期先の買い）。逆に期近が期先よりも安ければ、ロールオーバーによりコストが生じる（安い期近の売り＋高い期先の買い）。つまり、商品先物の価格変動以外に、先物価格のカーブの形状（先物カーブ）によって変動する。

先物カーブ
- **コンタンゴ**：先物価格が現物価格よりも高く、期近が期先を下回っている状態
- **バックワーデーション**：先物価格が現物価格よりも安く、期近が期先を上回っている状態

要するに、コンタンゴの場合はロール収益がマイナスとなり、バックワー

デーションの場合はロール収益がプラスとなる。また、先物カーブは金利、保管コスト、コンビニエンス・イールドの影響を受け、$r+c-y>0$であれば$F>S$、すなわちコンタンゴとなり、$r+c-y<0$であれば$F<S$、すなわちバックワーデーションとなる。

例題12

《2023（春）. 4．Ⅰ．3》

商品先物取引に関する次の記述のうち、正しくないものはどれか。ただし、リスクフリー・レートはプラスとする。

A　無配当、キャリー・コストもコンビニエンス・イールドもゼロである原資産の先物価格の期間構造は、コンタンゴになる。

B　先物価格の期間構造がコンタンゴの場合、期先限月の価格は期近限月の価格より高い。

C　期先の限月ほどベーシスが上昇する期間構造をコンタンゴという。

D　先物価格の期間構造がコンタンゴで時間を通じて一定の場合、原資産のスポット価格が不変でも、先物の買いポジションのロールオーバーを繰り返す過程で、プラスのロールリターンが得られる。

解答　D

解　説

A　正しい。先物価格Fは以下のように表される。

$$F=S\times\{1+(r+c-y)\times T\}$$

ただし、F：先物価格、S：現物価格、r：リスクフリー・レート、
c：キャリー・コスト、y：コンビニエンス・イールド、
T：満期までの期間（年）。

「無配当、キャリー・コストもコンビニエンス・イールドもゼロ」（$c=0$、$y=0$）だが、「リスクフリー・レートはプラス」（$r>0$）なので、

$r+c-y>0$ となり、先物は現物よりも高く、コンタンゴになる。

B　正しい。コンタンゴであれば期先の価格が期近の価格よりも高い。

C　正しい。期先ほどベーシスが上昇するのであれば、期先が期近よりも高いコンタンゴである。

D　正しくない。コンタンゴの場合はマイナスのロールリターンとなる。

例題13

《2023（春）．４．Ⅰ．４》

WTI 原油のスポット価格が１バレル当たり90米ドル、原油の保管等に必要なキャリー・コストが年率５％、コンビニエンス・イールドが年率９％の場合、期間３ヵ月の WTI 原油先物の理論価格は１バレル当たりいくらか。ただし、米ドルの期間３ヵ月のリスクフリー・レートは年率３％である。

A　89.8米ドル

B　90.8米ドル

C　91.8米ドル

D　92.8米ドル

E　93.8米ドル

解答　A

解　説

$$
\begin{aligned}
F &= S\times\{1+(r+c-y)\times T\} \\
&= 90\times\left\{1+(0.03+0.05-0.09)\times\frac{3}{12}\right\} \\
&= 89.775 \\
&\approx 89.8\text{米ドル}
\end{aligned}
$$

● 連続複利

連続複利は、たとえば利付債のように1年に1回、半年に1回といった具合に断続的、離散的に利払いが行われるのではなく、瞬時瞬時、刹那刹那に「連続的に」利払いが行われると仮定した金利計算である。デリバティブは連続複利で計算する場合が多い。

自然対数の底 e（＝2.71828…）は次式で定義される。

$$e = \lim\left(1+\frac{1}{n}\right)^{n}$$

年間利子率 r で1円を運用した場合の t 年後の価値は次式で表される。

$$1円\times(1+r)^{t} \qquad (r>0)$$

ここで、連続複利にするため1年間を小期間 n に分割し、その1小期間の利子率を i とすると1年間の利子率 r は次式で表され、期間は $t\times n$ となる。

$$r = ni \ \Leftrightarrow\ i = \frac{r}{n}$$

したがって、年間利子率 r で1円を運用した場合の t 年後の価値は、

$$1円\times(1+i)^{tn} = \left(1+\frac{r}{n}\right)^{tn}$$

と表され、小期間を限りなく小さくしてゆくために n を無限大にとると、極限値は次の値をとる。

$$\lim_{n\to\infty}\left(1+\frac{r}{n}\right)^{tn}$$

$$=\lim_{n\to\infty}\left(1+\frac{r}{n/r\cdot r}\right)^{tn/r\cdot r}$$

$$=\lim_{n\to\infty}\left(1+\frac{1}{n/r}\right)^{n/r\cdot rt} = \underbrace{\left\{\lim_{n\to\infty}\left(1+\frac{1}{n/r}\right)^{n/r}\right\}}_{e\text{に収束}}{}^{rt} = e^{rt}$$

したがって、1円を年利 r の連続複利で運用すると、t 年後の価値は e^{rt} となる。

これを一般化し、資産 V_0 を年利 r の連続複利で運用すると、t 年後の価値 V_t は、

$$V_0 e^{rt} = V_t$$

となり、逆に V_t の現在価値 V_0 は、

$$V_0 = \frac{V_t}{e^{rt}} = V_t e^{-rt}$$

となる。このケースで e^{-rt} は、連続複利を仮定した場合の年利 r、期間 t の割引係数（ディスカウント・ファクター）である。

3　金利デリバティブ

金利デリバティブとは、企業の資金運用・調達に伴う金利変動リスクをコントロールするための手段として開発された金融商品であり、金利を原資産としてその変動リスクを売買の対象とする。ここでは、金利デリバティブの代表的な商品であるFRA、金利スワップについて、その仕組みやキャッシュフローを説明する。

Point ①　FRA

FRA（Forward Rate Agreement：金利先渡契約）は、将来の特定の時点から始まる一定期間の金利を特定の利率で約定する契約である。

FRAの買い手は将来の金利上昇リスクをヘッジする目的で（逆にFRAの売り手は将来の金利下落リスクをヘッジする目的で）、FRA市場に参加する。金利先物取引の市場が取引所取引であるのに対し、FRA市場は店頭取引（相対取引）が中心であり、取引条件が比較的柔軟に設定できるメリットがある。

取引の当事者の間で金額（想定元本）、契約期間、約定利率をあらかじめ合意し、契約期間の開始時に約定利率と市場実勢金利（TIBOR[注]等）との差額分を現在価値に引き直し決済する。契約期間の開始時において市場実勢金利が約定利率よりも高い場合には、買い手は売り手から

想定元本×（市場実勢金利－約定金利）×契約期間（年数）

を契約期間の満期から現在価値に割り引いた金額をその時点で受取ることができる。逆に市場実勢金利が約定利率よりも低い場合には、買い手は売り手に対し

想定元本×（約定金利－市場実勢金利）×契約期間（年数）

を契約期間の満期から現在価値に割り引いた金額をその時点で支払わねばならない。

（注）TIBOR（東京銀行間取引金利）。従来、変動金利の指標としてよく使われていたLIBORは2023年6月末に公表が終了した。

例）FRA

金額（想定元本）	10億円
契約期間	3カ月後スタートの半年物 （決済日：現在から3カ月後、 満期日：現在から9カ月後）
約定利率	0.50%
FRAの買い手	X社
FRAの売り手	Y行

● キャッシュ・フロー

図4－3－1　FRA

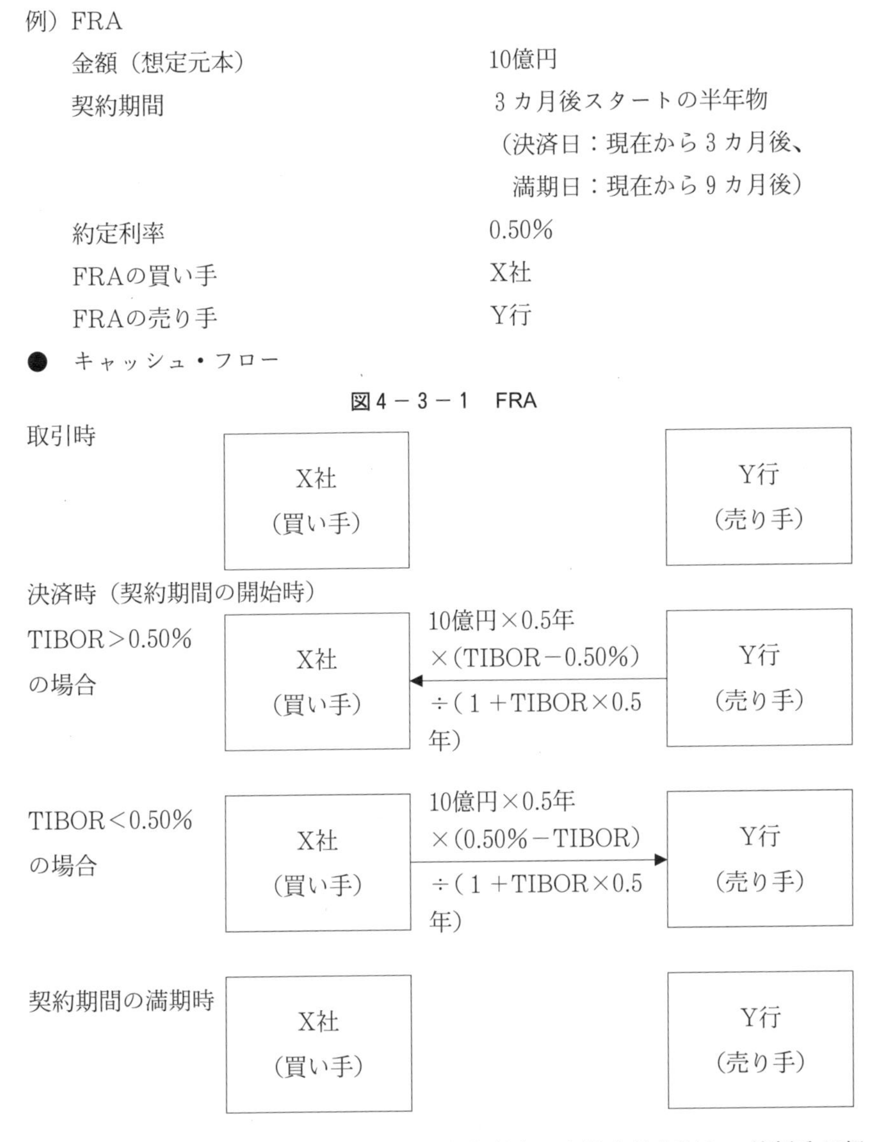

このようにFRA取引の特徴として、約定利率と市場実勢金利との差額分が契約期間の満期時でなく開始時に前払い決済されること、またその決済金額が満期時の将来価値でなく市場実勢金利により契約期間の満期時から開始時まで割り引かれた現在価値で決定されることがあげられる。

例題14

《2023（秋）. 4. Ⅰ. 5》

現在の円金利は下表の通りとする。3ヵ月後スタート、期間3ヵ月の日本円FRA（3ヵ月後の3ヵ月金利と予め定めた固定金利を交換する契約）の固定金利（年率）はいくらか。

期間	金利（年率）
3ヵ月	0.5%
6ヵ月	0.7%

A　0.5%

B　0.7%

C　0.9%

D　1.1%

E　1.3%

解答 ▶ C

解　説

スポットレートとフォワードレートの関係

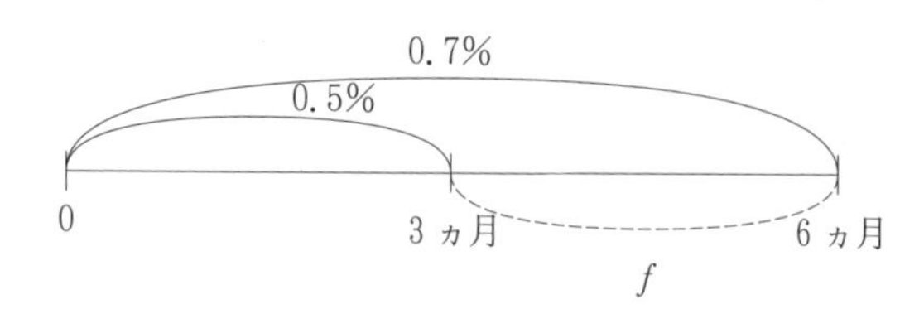

複利計算

$$(1+0.007)^{\frac{6}{12}}=(1+0.005)^{\frac{3}{12}}(1+f)^{\frac{3}{12}}$$

$$(1+f)^{\frac{1}{4}}=\frac{(1+0.007)^{\frac{1}{2}}}{(1+0.005)^{\frac{1}{4}}}=\frac{\sqrt{1.007}}{\sqrt[4]{1.005}}$$

$$f=\left(\frac{\sqrt{1.007}}{\sqrt[4]{1.005}}\right)^4-1=\frac{1.007^2}{1.005}-1=0.00900...$$

$$\approx 0.9\%$$

単利計算

$$\left(1+0.007\times\frac{6}{12}\right)=\left(1+0.005\times\frac{3}{12}\right)\left(1+f\times\frac{3}{12}\right)$$

$$1+f\times\frac{1}{4}=\frac{1+0.007\times\frac{1}{2}}{1+0.005\times\frac{1}{4}}$$

$$f\times\frac{1}{4}=\frac{1.0035}{1.00125}-1$$

$$f=\left(\frac{1.0035}{1.00125}-1\right)\times 4=0.008988...$$

$$\approx 0.9\%$$

Point ② 金利スワップ

金利スワップは変動金利建債務をもつ債務者と固定金利建債務をもつ債務者との間で、相互に利払い債務を交換する契約をいう。経済的には将来の固定金利と変動金利の交換取引の意味をもつ。金利スワップでは通常、元本の交換は行われず、想定元本と呼ばれる名目上の元本に基づいて金利の計算を行う場合が多い。なお、実際に交換する財は将来発生するキャッシュ・フローであり、固定キャッシュ・フローと変動キャッシュ・フローの現在価値を等価で交換する取引である。

短期金融市場では信用力の格差が直接的にリスクプレミアムの差として反映されない。これは貸出期間も短く貸し手である銀行の審査能力も高いため、相対的に要求されるリスクプレミアムの差が少なくなる傾向があるためである。長期金融市場では貸出期間も長く投資家の審査能力にも限界があり、信用力格差により要求されるリスクプレミアムの差も大きくなりがちとなる。例えばA社が格付けは最上級で、固定金利8%、変動金利で6カ月TIBOR+0.3%の資金調達力があり、現在100,000,000ドルのTIBORベースの変動金利により借入を希望しているとする。他方、B社は格付けは中級で固定金利で9%、変動金利で6カ月TIBOR+0.9%の資金調達力で、100,000,000ドルの固定金利により借入を希望しているとする。このような場合に銀行等の仲介で、A社は固定金利8%で100,000,000ドルを調達し、銀行はA社と金利スワップを行い、例えば7.8%をA社に支払うと同時にA社から変動金利TIBOR相当額を受け取る。B社は変動金利6カ月TIBOR+0.9%で100,000,000ドルを調達し、銀行はB社と金利スワップによってTIBOR相当額をB社に支払うと同時にB社から固定金利8%を受け取る。

このような金利スワップによって、A社の実質金利はTIBOR+0.2%の変動金利となり、B社の実質金利は8.9%の固定金利となる。A社、B社ともにスワップによらず独自に資金調達した場合よりも金利負担がそれぞれ0.1%少なくなっている。銀行も0.2%の仲介利益を得ることができる。2社の固定金利の差をa、変動金利の差をbとすると、a−bが金利スワップ取引の全当事者の総利益となる。ここではa=9−8=1、b=0.9−0.3=0.6なので0.4%（1.0−0.6）が金利スワップ契約の全当事者のトータルの潜在的な金利節約メリットである。金利の流れ図（ダイヤグラム）にすると次のようになる。

図4－3－2　金利スワップ

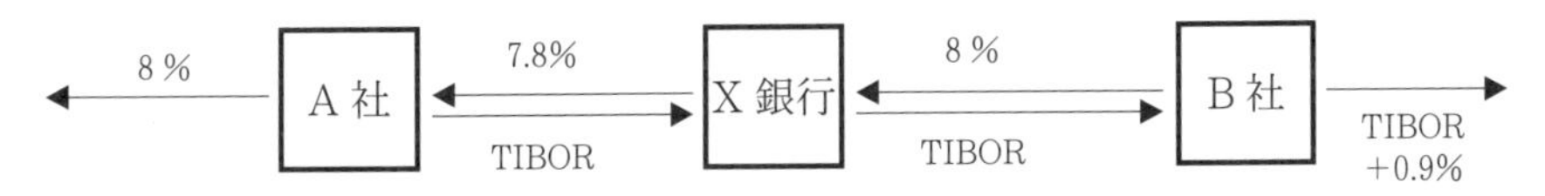

	支払金利		受取金利		実質金利	金利改善効果
	固定金利	変動金利	固定金利	変動金利		
A社	8	TIBOR	7.8		TIBOR＋0.2	0.1
B社	8	TIBOR＋0.9		TIBOR	8.9	0.1
銀行	7.8	TIBOR	8	TIBOR	0.2	0.2
合計						0.4

例題15　A社が変動金利、B社が固定金利での資金調達を考えている。A社は5％の固定金利、TIBOR＋1.0％の変動金利で資金調達ができ、B社は7％の固定金利、TIBOR＋2.0％の変動金利で資金調達ができるものとする。A社とB社が直接スワップ契約を行った場合、両社は合計で最大何％金利負担を引き下げられるか。

解答　1.0％

解　説

（ｉ）金利スワップを用いずに、A社が変動金利、B社が固定金利で資金調達を行った場合

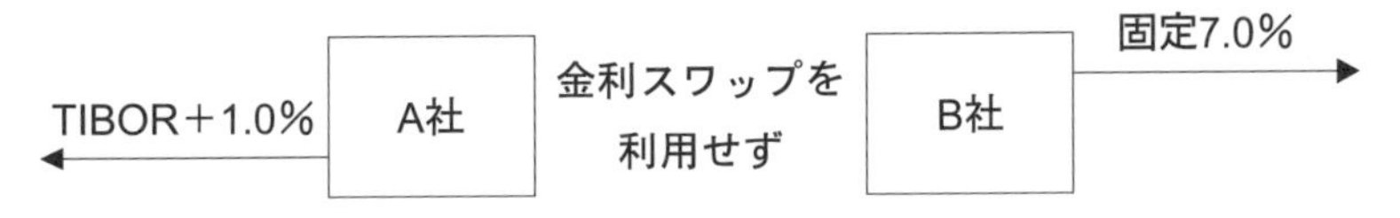

両企業の金利合計は、次のようになる。

（TIBOR＋1.0％）＋7.0％＝TIBOR＋8.0％

（ii）A社が固定金利、B社が変動金利で資金調達を行い、両企業間で金利スワップ契約を用いた場合（A社が固定金利α％受取・変動金利TIBOR＋β％支払の金利スワップ契約とする）

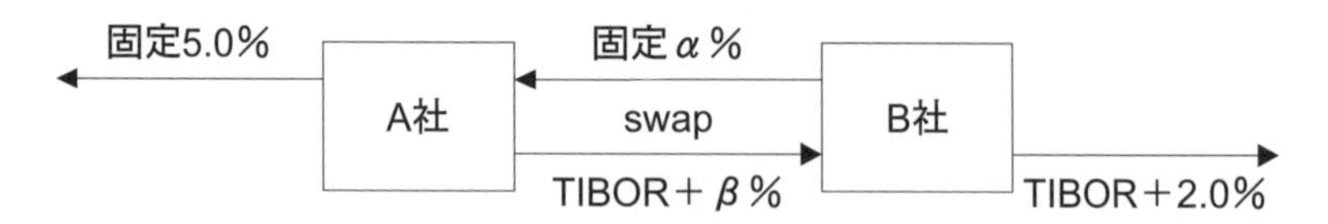

この場合、金利スワップを用いたことにより、各企業の調達合計は、

A社：5.0％＋（TIBOR＋β％－α％）＝TIBOR＋5.0％＋β％－α％

B社：（TIBOR＋2.0％）＋｛α％－（TIBOR＋β％)｝＝2.0％＋α％－β％

となる。両企業の金利合計は、

（TIBOR＋5.0％＋β％－α％）＋（2.0％＋α％－β％）＝TIBOR＋7.0％

以上（i）（ii）から、金利スワップの利用により節約可能な資金調達コストは

（TIBOR＋8.0％）－（TIBOR＋7.0％）＝1.0％

となる。

例題16

《2022（春）．4．I．5》

円金利の期間構造（割引係数）が以下のように与えられている。このとき、円変動金利（期間1年）と円固定金利を年1回交換する、期間2年の金利スワップのスワップレート（金利スワップの現在価値が0となるような円固定金利）はいくらか。ただし、信用リスクはなく、裁定機会はないものとする。

期間	割引係数
1年	0.9901
2年	0.9707

A　1.1％

B　1.2％

C　1.3％

D　1.4％

E　1.5%

解答　E

解　説

金利スワップのいわゆる「スワップレート（固定金利）」は、金利スワップ取引と満期の等しいパーレート（パー債券の利回り）に他ならない。期間2年の金利スワップだからスワップレートsは以下のようになる。

$$s=\frac{1-\frac{1}{(1+r_{0,n})^n}}{\frac{1}{1+r_{0,1}}+\frac{1}{(1+r_{0,2})^2}+\cdots+\frac{1}{(1+r_{0,n})^n}}$$

$$=\frac{1-\frac{1}{(1+r_{0,2})^2}}{\frac{1}{1+r_{0,1}}+\frac{1}{(1+r_{0,2})^2}}=\frac{1-DF_2}{DF_1+DF_2}=\frac{1-0.9707}{0.9901+0.9707}=0.01494\ldots\approx 1.5\%$$

ただし、$r_{0,t}$：t年物スポットレート、DF_t：期間t年の割引係数。

4　先渡取引・先物取引の時価評価（バリュエーション）

保有するデリバティブのポジションの現在の価値がどれくらいかを評価することを、デリバティブポジションの時価評価（バリュエーション）という。

・先渡取引の時価評価

時点0において、原資産Sを時点Tに$F_0(T)$円で購入する先渡契約を行ったとする。$F_0(T)$が無裁定条件を満たす価格であれば、先渡取引の買い手にとっても売り手にとっても契約締結の時点0では損益が発生しておらず、この先渡取引（先渡取引1とする）の価値$V_0(T)$はゼロである。

その後、時点tにおいて原資産価格が時点0のS_0からS_tに変化したときの先渡取引1の価値$V_t(T)$を考える。このt時点において、原資産Sを時点T（今からT−t年後）に購入する先渡取引2を行い、時点tにおける取引価格を$F_t(T)$円とすると、

先渡取引のキャッシュフロー

時点	0	t	T
先渡取引1	0		$S_T - F_0(T)$
先渡取引2		0	$S_T - F_t(T)$
先渡取引1－先渡取引2			$F_t(T) - F_0(T)$

となり、$F_t(T)-F_0(T)$の時点tでの割引現在価値が、時点tにおける先渡取引1の価値$V_t(T)$となる。よって、

$$V_t(T) = \frac{F_t(T) - F_0(T)}{(1 + r_{t,T})^{(T-t)}}$$

と表せる。

また、期中に原資産にキャッシュフローの発生がない場合、$F_t(T) = S_t(1+r_{t,T})^{(T-t)}$で表されるので、$V_t(T)$は、

$$V_t(T)=\frac{S_t\left(1+r_{t,T}\right)^{(T-t)}-F_0(T)}{\left(1+r_{t,T}\right)^{(T-t)}}$$
$$=S_t-\frac{F_0(T)}{\left(1+r_{t,T}\right)^{(T-t)}}$$
$$\approx S_t-\frac{F_0(T)}{1+r_{t,T}\times(T-t)}$$

と表される。

例題17

《2024（春）．４．Ⅲ．１》

現在、期間６カ月の円金利は年率0.5%、期間６カ月の米ドル金利は年率5.0%である。146.71円/米ドルで期間６カ月の10百万米ドル売りの為替先渡取引を行った。その直後、直物為替レートが145.00円／米ドルになったとき、この為替先渡契約のバリュエーション（米ドル売りポジションの時価評価額）はいくらか。なお、金利に変化はないものとする。

A　－50.0百万円

B　－48.8百万円

C　　0.0百万円

D　 48.8百万円

E　 50.0百万円

解答　D

解説

為替先渡レートFと直物レートSの関係は以下の通り（カバー付き金利パリティ）。

$$F = S \times \underbrace{\frac{(1+i_{JPY})^T}{(1+i_{USD})^T}}_{\text{複利計算}} \approx S \times \underbrace{\frac{1+i_{JPY} \times T}{1+i_{USD} \times T}}_{\text{単利計算}}$$

ただし、i_{JPY}：円金利（年率）、i_{USD}：米ドル金利（年率）、T：期間（年）。

現在の為替先渡レートをF_0、「直後の」為替レートをF_{+1}とすると、為替先渡契約のバリュエーション（米ドル売りポジションの時価評価額）は10百万米ドル売りの為替先渡取引であることに注意して、以下のように計算される。

$$\underbrace{-10\text{百万米ドル}}_{\text{ドル売り}} \times \frac{F_{+1}-F_0}{1+i_{JPY} \times T} = -10\text{百万米ドル} \times \frac{145.00\text{円} \times \frac{1+0.005 \times 0.5}{1+0.05 \times 0.5} - 146.71\text{円}}{1+0.005 \times 0.5}$$

$$\approx -10\text{百万米ドル} \times \frac{141.82\text{円} - 146.71\text{円}}{1.0025} \approx 48.8\text{百万円}$$

・先物取引の時価評価

先物市場では、取引所が日々先物取引の建玉を清算価格で評価替えする値洗い（Mark to Market）を行うため、時価評価の変化額は証拠金の増減として処理される。したがって、先物建玉自体の価値はほぼゼロとなる。

5　通貨スワップ

通貨スワップは異なる通貨間の債権または債務の交換契約である。金利スワップと異なり、通貨スワップでは開始時と終了時に元本交換を行う。また、元本交換を行わない金利部分のみの通貨スワップもあり、これはクーポン・スワップと呼ばれることがある。

日本企業が外債発行で期間5年、元本1,000万ドル、金利8％で外貨を調達する場合、ここで円金利5％のスワップを組み合わせると、実質的に円で資金調達ができる。元本交換レートを1ドル＝100円とすると、取引開始日には調達した1,000万ドルを相手に渡し、その代わりに10億円（1,000万ドル×100）を受取る。期中の金利も交換し80万ドルの金利を交換相手から受取り、それを外債の支払金利に充当する。そして交換相手に対し5％の円金利を支払う。5年後の満期日には当初とは逆の元本交換を行い取引相手から1,000万ドル受取り、それで外債を償還するとともに10億円を取引相手に支払う。このスワップ取引により借入れたドル資金を円転して、利払と返済時の為替リスクを先物為替でヘッジした場合と同様の効果が得られる。このようなヘッジは先物為替予約でも可能だが1年以上の長期為替予約取引の市場は小さく、支払日に対応する予約レートが一定とならない不都合がある。この点、通貨スワップを利用すれば自国通貨でのキャッシュ・フローが一定となる。

図4－5－1　通貨スワップ

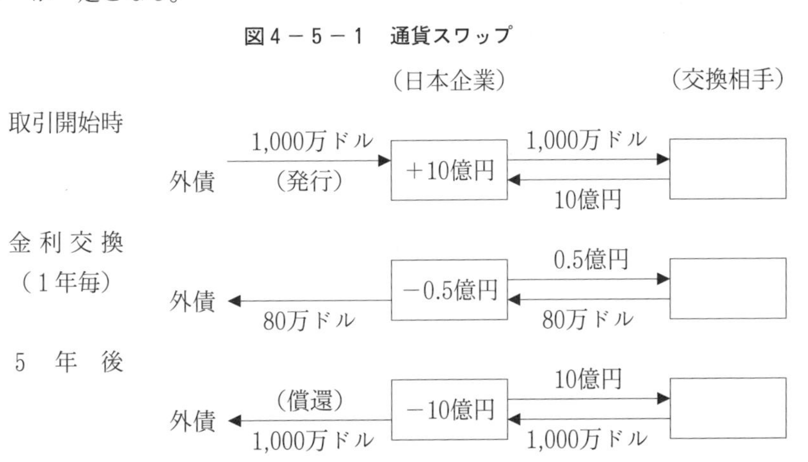

例題18

デリバティブ取引に関する次の記述のうち、正しくないものはどれか。

A　典型的な金利スワップ取引は円固定金利と円変動金利の交換契約で、円－円スワップと呼ぶことがある。

B　金利スワップの基本となる元本額を想定元本と呼ぶ。

C　FRAは、金利変動による損益変動相当額の差金の授受によって決済される。

D　通貨スワップ取引では、通常、元本交換を行わない。

解答　D

解　説

A　正しい。なお、金利スワップでは、通常、元本交換を行わない。

B　正しい。想定元本もしくは名目元本と呼ばれる。

C　正しい。

D　正しくない。通貨スワップは異なる通貨の金利の交換であり、取引開始時と終了時に元本の交換を行う形のものが一般的である。

6　債券先物取引

Point ①　基本的な取引の仕組み

国債先物取引とは、将来の一定の期日に、今の時点で取り決めた価格で特定の債券を取引する契約のことである。

大阪取引所で行われている国債先物取引では、実際に発行されている国債そのものを対象として先物取引が行われているのではなく、「**標準物**」と呼ばれる取引の円滑化を図るために証券取引所がクーポンレート（利率）、償還期限などを標準化して設定したものを取引の対象として先物取引が行われている。

取引対象である標準物を取引対象とする方式は、対象銘柄を変更する必要がないこと、個別銘柄の属性が捨象されること及び価格の継続性が維持されるなどの長所を持ち、海外の債券先物取引においても広く用いられている。

大阪取引所で行われている国債先物取引には、**中期国債標準物（償還期限5年、クーポンレート3％）を対象とした「中期国債先物取引」、長期国債標準物（償還期限10年、クーポンレート6％）を対象とした「長期国債先物取引」及び超長期国債標準物（償還期限20年、クーポンレート3％）を対象とした「超長期国債先物取引」がある。**

国債先物取引の決済方法には、取引最終日までに転売・買戻しと呼ばれる反対売買によって決済する方法と、受渡決済期日に受渡決済をする方法がある。

1．反対売買による決済の場合は、差金の授受によって決済が行われる。
2．受渡決済の場合は、売買代金及び現物の国債の授受によって決済が行われる。

ただし、標準物は実在する国債ではないため、実際には**受渡適格銘柄**と呼ばれる国債が受渡しに利用される。受渡代金の計算に当たっては、一定の算式により求められた**交換比率（コンバージョン・ファクター）**を先物最終清算価格に乗じて、取引対象である標準物と受渡銘柄との価値を調整する。

転換係数（交換比率）の式は次のように表されている。

$$交換比率=\frac{\frac{a}{X}\times\left[\left(1+\frac{X}{2}\right)^{b}-1\right]+100}{\left(1+\frac{X}{2}\right)^{\frac{c}{6}}\times 100}-\frac{a\times(6-d)}{1{,}200}$$

a = 受渡適格銘柄の年利子

b = 受渡適格銘柄の受渡決済以降（当該受渡決済期日を除く）に到来する利払回数

c = 受渡適格銘柄の受渡決済期日における残存期間（月数）

d = 受渡適格銘柄の受渡決済期日から次回利払日までの期間（月数）

X= （ｉ）0.03（中期国債標準物及び超長期国債標準物）

（ii）0.06（長期国債標準物）

（注１）交換比率は、小数点以下第６位まで求め、第７位以下切捨てとする。

（注２）計算過程において算出される数値は、小数点以下第10位まで求め、第11位以下切捨てとする。

（注３）初期利払い前の国債証券を受渡決済のために授受する場合において、受渡決済期日における残存期間が、長期国債標準物においては10年を超える銘柄、超長期国債標準物においては20年を超える銘柄の交換比率の算定については、

（ｉ）上記$b=b+1$

（ii）上記d＝受渡適格銘柄の受渡決済期日から初期利払日までの期間－6（月数）

とする。

（出所：日本取引所グループのホームページ）

なお、受渡適格銘柄は、中期国債先物取引では受渡期日において残存期間が４年以上５年３カ月未満である５年利付国債、長期国債先物取引では受渡期日において残存期間が７年以上11年未満である10年利付国債、超長期国債先物取引では

受渡期日において残存期間が19年３カ月以上21年未満である20年利付国債であり、**売方が受渡適格銘柄の中から任意の銘柄を選択できる。**

例題19

《2010（秋）. 5 . Ⅰ. 10》

わが国の債券先物取引に関する次の記述のうち、正しくないものはどれですか。

A　長期国債先物取引では、クーポン利率年利６％の標準物が取引されている。

B　長期国債先物の場合、残存期間が７年以上の10年利付国債が受渡適格銘柄となる。

C　現物債券による決済の場合、先物の買い手が受渡適格債の中から受渡銘柄を選択する。

D　長期国債先物の売買単位（ミニ取引は除く）は、額面１億円である。

解答  C

解　説

現物債券による決済の場合、先物の売り手が受渡適格債の中から選択する。

例題20

《2023（秋）．4．Ⅰ．1》

日本の取引所に上場されている長期国債先物取引（ミニ長期国債先物を除く）に関する次の記述のうち、正しくないものはどれか。

A　取引単位は、額面１億円。

B　取引対象は、クーポンレート６％、残存期間10年の標準物。

C　受渡適格銘柄は、残存期間７年以上11年未満の10年利付国債。

D　受渡しに供する国債の銘柄は、先物の買い手が受渡適格銘柄の中から任意に選択可能。

解答　D

解　説

A　正しい。

B　正しい。

C　正しい。

D　正しくない。国債先物取引では取引最終日まで持ち越された未決済建玉は、実在の現物債を売り手が買い手に受渡して決済される。決済に使う現物債を１つに限定すると、買い手がこの現物債を買い占めて売り手に高値で売り付ける「スクイーズ」が可能となる。これを避けるため、複数の受渡適格銘柄の中から売り手が選択した現物債の受渡で決済される（デリバリー・オプション）。

7　デリバティブ取引の概要

ここでは現行のデリバティブ取引の概要を示す。

オプション取引

⑴　株式関係

	TOPIXオプション取引	日経225オプション取引
取引所	大阪取引所	
対象商品	TOPIX（東証株価指数）	日経平均株価（日経225）
取引単位	１万倍	千倍
限月	⑴四半期限月（最長５年） ６，12月の直近の10限月と３，９月の直近の３限月 ⑵その他の限月（最長９か月） 直近の６限月	⑴四半期限月（最長８年） ６，12月の直近の16限月と３，９月の直近の３限月 ⑵その他の限月（最長12か月） 直近の８限月
取引最終日	各月の第２金曜日（休業日に当たるときは、順次繰り上げる。）の前営業日に終了する取引日	
権利行使及び最終決済	ヨーロピアンタイプ 取引最終日の翌営業日に東証株価指数の構成銘柄の始値を基に算出する特別指数（SQ）との差金決済。	ヨーロピアンタイプ 取引最終日の翌営業日に日経平均株価の構成銘柄の始値を基に算出する特別指数（SQ）との差金決済。
呼値の単位	オプション価格　呼値の単位 20ポイント以下　0.1ポイント 20ポイント超　0.5ポイント	オプション価格　呼値の単位 100円以下　１円 100円超　５円

※　株価指数を原資産とするオプション取引には、上記以外にも、取引単位がオプション価格の百倍の日経225ミニオプション取引などがある。

⑵　債券関係

	長期国債先物オプション取引
取引所	大阪取引所
対象商品	長期国債先物
取引単位	先物額面１億円
限月	四半期限月取引：３，６，９，12月限月の直近２限月 その他の限月取引：直近２限月（最大２限月）
取引最終日	限月の前月の末日（休業日に当たるときは、順次繰り上げる。）に終了する取引日
権利行使及び最終決済	アメリカンタイプ 取引開始日から取引最終日まで権利行使可能。 権利を行使すると先物の建て玉が発生する。
呼値の単位	長期国債先物取引の額面100円につき１銭

先物取引

(1) 株式関係

	TOPIX先物取引	日経225先物取引
取引所	大阪取引所	
対象商品	TOPIX（東証株価指数）	日経平均株価（日経225）
取引単位	1万倍	千倍
限月	3，6，9，12月（直近5限月）	6，12月の直近の16限月と3，9月の直近の3限月（最長8年）
取引最終日	各限月の第2金曜日（休業日に当たる場合は、順次繰り上げる。）の前日に終了する取引日	
未決済玉の最終決済	取引最終日の翌営業日に東証株価指数の構成銘柄の始値に基づいて算出する特別指数（SQ）との差金決済。	取引最終日の翌営業日に日経平均株価の構成銘柄の始値に基づいて算出する特別指数（SQ）との差金決済。
呼値の単位	0.5ポイント	10円

※ 株価指数を原資産とする先物取引には、上記以外にも、取引単位がTOPIXの千倍のミニTOPIX先物取引、取引単位が日経平均株価の百倍の日経225mini取引、十倍の日経225マイクロ取引などがある。

※ 日経平均・配当指数先物や日経平均ボラティリティー・インデックス先物なども取引されている。

(2) 債券関係

	中期国債先物取引	長期国債先物取引	超長期国債先物取引（ミニ）	長期国債先物取引（現金決済型ミニ）
取引所	大阪取引所			
対象商品	利率年3％、償還期限5年の中期国債標準物	利率年6％、償還期限10年の長期国債標準物	利率年3％、償還期限20年の超長期国債標準物	長期国債標準物の価格
取引単位	額面1億円		額面1,000万円	10万円に長期国債標準物の価格の数値を乗じて得た値
限月	3，6，9，12月（3限月取引）			
取引最終日	受渡決済期日（各限月の20日（休業日の場合は、繰下げる。））の5日前（休業日を除外する。）			同一限月の長期国債先物取引における取引最終日の前日（休業日の場合は、順次繰上げる。）に終了する取引日
未決済玉の最終決済	受渡決済銘柄…残存期間4年以上5年3ヵ月未満の5年利付国債（売り方が選定）	受渡決済銘柄…残存期間7年以上11年未満の10年利付国債（売り方が選定）	受渡決済銘柄…残存期間19年3ヵ月以上21年未満の20年利付国債（売り方が選定）	差金決済
呼値の単位	額面100円につき1銭			0.5銭

例題21　日本の取引所に上場されている株価指数先物取引に関する次の記述のうち、正しいものはどれですか。

A　TOPIX 先物取引で取引最終日まで保有された先物の建玉は、取引最終日のTOPIX 終値で清算される。

B　日経平均株価先物取引で取引最終日まで保有された先物の建玉は、日経平均株価に含まれる現物株式を受け渡すことにより決済される。

C　日経平均株価先物取引では、取引最終日の翌営業日における日経平均株価採用銘柄の始値に基づいて算出された特別清算数値による差金決済が行われる。

D　日経平均株価先物取引では、取引最終日における日経平均株価採用銘柄の終値に基づいて算出された特別清算数値による差金決済が行われる。

解答  C

解　説

A　TOPIX先物取引で取引最終日の未決済建玉については、取引最終日の翌営業日におけるTOPIX採用銘柄の始値によって算出される特別清算数値（SQ：Special Quotation）で差金決済される。

B・C・D　日経平均株価先物取引で取引最終日の未決済建玉については、取引最終日の翌営業日における日経平均株価採用銘柄の始値によって算出される特別清算数値（SQ：Special Quotation）で差金決済される。

索　引

カ行

サ行

タ行

ナ行

ハ行

マ行

ヤ行

ラ行